デューティーフリー・アート
課されるものなき芸術
星を覆う内戦時代のアート

Duty Free Art: Art in the Age of Planetary Civil War

ヒト・シュタイエル｜著 Hito Steyerl

大森俊克｜訳

フィルムアート社

DUTY FREE ART
by Hito Steyerl

Japanese translation published by arrangement with
Verso, The imprint of New Left Books Ltd.
through The English Agency (Japan) Ltd.

目次

デューティーフリー・アート：課されるものなき芸術

星を覆う内戦時代のアート

凡例

・引用されている長文に関し、その典拠の邦訳が出版されている場合、原文との照合、また原則として表記の調整を行い、当該の既訳を用いる。
・亀甲括弧〔 〕で示した文や語句は、すべて訳者による補足。ただし、一定の語句の同義語を後続で示す場合に、丸括弧に収める場合がある。
・原文において引用符で括られた語句は原則的にカギ括弧「 」で括り、イタリックは傍点を付す（題名などは括弧類で括る）。それ以外にも、強調や明示が要されると判断した箇所を訳文ではカギ括弧に収め、また和文の可読性を考慮した語句に傍点を付す場合がある。

01

台座の上の戦車

A Tank on a Pedestal

歴史を愛してはいるけど、
こっちばかりの片思いだ。
電話したっていつも留守電。
歴史の声で、「ロゴをここにペーストしてください」ってメッセージ。

台座の上の一輛《りょう》の戦車。エンジンからは蒸気が上がっている。ヨシフ・スターリンにちなんでIS－3と名付けられたソビエト時代の重戦車が、親ロシア派の分離主義グループの手で、ウクライナ東部のコンスタンチノフカで復活した。第二次世界大戦を追悼する台座の上にあったのだが、そこから出発し、間を置かずに紛争に現場入りした。何でも現地の民兵によると、それは「クラスノアルメイスク地区の都市集落にある検問所を攻撃し、その結果ウクライナ側で三人が死亡、三人が負傷したが、我々には痛手はなかった」らしい［★1］。
戦車が歴史的陳列という役を得たら最後、その現役としての機能は終わると思うかもしれない。しかしこの台座について言うなら、それは戦車が戦いへと速やかに召還されるまでの、いっときの保管場所として機能していたと考えることもできる。つまり、美術館（博物館）への——もっと言えば、歴史そのものへの道は、一方通行ではないのかも。美術館はガレージなのだろうか。それとも兵器の収蔵空間？記念碑の台座は軍事的な基底材／基地なのだろうか？

この点から、より広範な問いが示されうる。惑星規模にまで広がった内戦、拡大する不平等、そして所有権に帰趨するデジタル技術に特徴づけられた時代のアート・インスティテューションについて、どう考えることができるだろう？そうした制度の境界線は今やあいまいである。オーディエンスをツイッター上でのバズりに仕向けるのはもう当たり前で、将来的には、絵画自らが顔認識システムと視標追跡スキャンで鑑賞中の人々を監視し、自分たちの人気度や誰かが不審な行動に出ないかをチェックする、そんな「ニューロ・キュレーション」ができるかもしれない。

この時代状況にあって、二〇世紀に生まれたあの「制度批判」［☆1］という概念を更新することは可能だろうか。それともほかのモデルやプロトタイプに当たるべきなのか？そもそも、こういった条件下でのモデルとはどんなものか。いかにそれは（ときに表面化し、ときに潜伏する）スクリーンからなる現実を橋渡しし、数理と美の問いを、未来＝将来と過去を、また理性と反逆を結びつけるのか。そしてそれは生産行為としての投影と予測がチェーン状に地球を覆う状況で、どんな役割を持つというのか？

この戦車略奪の一件では、歴史は超越的な同時代性の次元におよんでいて、出来事の事後的な記録ではなくなっている。それは役割を得て、再演し、変化し続ける。歴史は万態を移ろう行為主体、または何というか、正規ルートを外れた戦闘員みたいなものだ。それはたえず背後から襲ってきて、未来という未来の流れを塞いでしまう。率直に言って、こんな類の歴史って最悪な気もする。

この歴史は樹立に向けた高邁な営みではない。それはループの形成を回避すべく、人類の名にかけて正体を明らかにする必要がある、そうした何かである。いっぽうでこの種の歴史は平等性を欠いてゲリラ的、さらに民営化や私法人《しほうじん》頼りのもので、私利私欲に向かう企業体、社会の上位にいるような気分にさせてくれる手立て、共存に際しての他覚的な障害、にわかに立ち込めて夢想された起源へと人々を縛りつける、霧のようなものだ［★2］。被抑圧的存在の伝統はここで、抑圧的であったいくつもの因習、その再結集となって現れる［★3］。

まさか現状で、時間が逆行するようになっているのか。誰かが時間の前進ギアを外してしまい、それを循環構造へと追い立てたのだろうか。一見して堂々めぐりになり代わった、この歴史なるもの。

こうした状況にあって、歴史の繰り返しを喜劇とするマルクスの卓見を再度取り上げてみたくなるかもしれない。マルクスは、歴史の反復（なかんずく、その再演）は滑稽な結末をもたらすと考えた。しかし、マルクスはもとよりあらゆる歴史上の人物の言葉を引くという、この行為自体が（喜劇とは言わずとも）堂々めぐりを引き起こすものではないか。

代わりにもっと有益なのは、トム・クルーズとエミリー・ブラントに言及することだ。大ヒット映画『エッジ・オブ・トゥモロー』〔邦題『オール・ユー・ニード・イズ・キル』〕では、ミミックと呼ばれる獰猛なエイリアンが地球を侵略している。ブラントとクルーズ演じるところの人物たちは、それらの退治に四苦八苦するうち、戦闘のタイムループから抜け出せなくなる。何度も命を奪われて、一日が始まるとそのゲームに再登板するほかない。二人に必要なのは、このループから抜け出す方法を見つけることだ。さて、ミミックたちの親玉の居場所は？なんとあの、ルーヴル美術館に設置されているピラミッドの真下なのだ！そしてブラントとクルーズは、このボスを討ち滅ぼしにそこに向かう。

敵は美術館の内部、もっと言うとその表面下にいる。ミミックたちはそこを我有化し、時間をループ状に変えているのである。ではこのループという形状の意味するところは何で、またそれはどう戦闘に結びつくのだろう？ジョルジョ・アガンベンは近年、ギリシャ語のstasisという概念について考察している。内戦と定常という二つの意味を持つこの語が示唆するのは、潜在的にきわめて動的な何かであると同時に、その真逆の状態だ〔★4〕。今日では多くの紛争が、この二つの意味でステイシス（stasis）に捕らわれているかに思える。ステイシスは、解消されずにずるずると続く内戦のあり方なのだ。紛争は抜き差しならない状況への強行解決手段ではなく、それを維持する装置である。ポイントは、危機が泥沼化しているということだ。その期限や境界はあやふやであらねばならない、なぜなら、それが利益の豊かな源泉となるのだから。不安定性が尽きせぬ金《きん》の鉱床／宝庫となるのだ［★5］。

ステイシスは、私的領域と公共圏の間で氷結された、移行状態として発生する。それは資産の偏った再分配にうってつけのメカニズムだ。公共に属していたものは暴力的に私的領域に移され、かつての私的領域での憎悪が新たな公共の帰属意識に一転する。

ステイシスの現代版が生じる時代とは、未曾有かつ最新鋭の戦いの時代だ。今日の紛争の担い手は、単発仕事《ウーバー》を請け負う民兵、銀行がバックについたボット軍団、クラウドファンディングされた小型ドローンだったりする。これらの行為主体はビデオゲームやエクストリームスポーツ用の器具を身につけ、ワッツアップ・メッセンジャーを使いヴァイス（Vice）［☆2］の特派員とスケジュールに関するやり取りを行う。その結果が、見わたす限り代理機能《プロキシ》が目詰まりを起こしているなか、パイプライン機能と3Gの携帯電話が武器代わりになる、そんな有象無象の紛争なのだ。巨大産業と化した現代の終わりなき戦い――その実践主体は、歴史上の戦闘を再現や再演する者たち（ウクライナの事例の場合、それは紛争の両当事者である）、言うなれば、実在としての復古主義者《ミミック》である［★6］。ステイシスは、終わりなき戦争と私有化／民営化を背景に持つ、時間の再帰的な収束現象だ。美術館は過去を現在へと漏出させ、歴史はその際に深刻な傷を負った上、領域を狭められる。

アルフォンソ・キュアロンの傑作映画『人類の子供たち』〔邦題『トゥモロー・ワールド』〕は、アート・インスティテューションと惑星規模の内戦が関係するにあたっての、考えうる別の可能性を示している［★7］。舞台は、先のみえない近未来の世界。生殖能力の消失という事態が人類を襲っている。地球にはびこる内戦がイギリスを危機に陥れ、かたや難民と不法滞在者の、かたや市民の区域という、格差に基づくゾーニングが国土を分断している（この前者の住区は容赦なきディストピアである）。そして文化省の拠点となるのが、テートモダンのターバイン・ホールだ。そこは貴重な美術品の安全な退避場所、つまり芸術文化のための「ノアの箱舟」になっている。ターバイン・ホールでのワンシーンでは、紛争の被害なのか、脚の一部が欠け損じたミケランジェロの《ダビデ像》が映される。

さて、アメリカ軍のイラク侵攻での深刻な破壊、そして文化財の略奪を経て、近年では古代からの保存物をISIS（別称、「ダーイシュ」または「イスラム国」）が破壊しているわけだが［☆3］、ここでこんな一つの可能的手段に思い至る。芸術文化専用のノアの箱舟を用意し、パルミラやニネヴェの古代遺物を救出し、暴力行為から文化的な「お宝」を保護するのはありではないか？

しかしこのノアの箱舟には、制度としてはかなりの相反する面があり、その本来的な機能を見定めるのも難しい。先に述べた映画には、ピカソ作の《ゲルニカ》がプライベート・ディナーの場に飾られているシーンがある［★8］。美術にとっての避難所となる機関が徹底した安全策を講じた結果、作品はディレクターとその子供、使用人によってしかみられなくなっている。しかしこれはまた、世界中にあるフリーポートの美術品倉庫の進化形であるとも考えられる。そこでは、美術品が非課税圏の区分された収蔵空間へと、人目をはばかるように引きこもっていくのだ〔★9〕。

この「デューティーフリー・アート」〔課されるものなき芸術〕の収蔵空間は、国際ビエンナーレと並び、おそらく美術のための同時代のもっとも重要な活動の場となっている。それは何というか、ビエンナーレの「ダーク・バージョン」みたいなもので、背景にあるのは、グローバル化とコスモポリタニズムのリベラルな理想が、寡頭制の支配者や軍のリーダー、巨大化の末に腫れ物と化したコンツェルン、独裁者、そして数多の無国籍の新参者たちが集結する、多元的なカオスとなって実を結ぶ——そんな時代状況である〔★10〕。

二〇世紀末、グローバリゼーションは解を求めるための数式とみなされていた。その市民社会の価値を高めるのはインターネットであり、そして当の価値は回遊的な「渡り」の移動、主要都市のアーバニズム、民間の公益団体（NGO）の力によって、またそれ以外の国境や民族を越えた政治的な組合づくりによって分有されると、そう考えられていた〔★11〕。サスキア・サッセンはそういった活動を「国家を凌ぐ市民の実践行為」と呼んだが〔★12〕、このときインターネットは多くの期待を背負い、人々はそれを信用していた。今となっては昔の話だ。

人権保護の公益活動や、女性の権利のためのリベラルな社会運動。それらが道を拓いた組合づくりの手法が何によって今日流用されているかというと、それは寡頭制の支配層をスポンサーに持つファシスト集団、動画配信用のカメラを装着したジハード軍〔イスラム過激派〕、逼塞《ひっそく》しながら外国為替相場で暗躍する男たち、陰陽師を気取って風水占いの話題から洗脳を行う、インターネット上の釣り師だったりする[★13]。次いでそこに追従するように、デューティーフリーの領域と租税回避《オフショア》のからくり、企業によるプロキシ利用の妥協点とともに、併合待ちの小国とアンチ「テロリズム」の作戦ゾーンが構築される[★14]。さらにこのとき、光ファイバーを経由したグローバルな監視システムが水平構造のネットワークに取って代わる。「惑星内戦」の戦術とはつまり、星を覆う電子や光の演算機構、その流れをかき乱す方法の採用である。同時代の国際人《コスモポリタン》は、チャンスがあればいつだって迅速に内戦へと介入してみせる。デジタルでありさえすれば、そこで利用できない手段はないほどだ。ボット軍団、ウエスタン・ユニオンの送金システム、テレグラム[★15]、パワーポイントのプレゼン資料、ゲームを利用したジハード派の勧誘など[★16]、有用性があれば何だってオーケーだ。ステイシスはそこで、「コスモポリタン」の「万有《コスモ》」を「企業的なもの(corporate)」へと、そしてまた、ポリスをプロパティへと変換する機序を担う。

アート・インスティテューションとしてこれに相応するモデルが、非課税という特権と戦略的な治外法権を条件とした、フリーポートの美術品倉庫だ。このモデルは、一種のテンプレートだといえる。つまり、惑星に内戦の余波が広がるなか、もはや幽閉といえるほど美術品を保護することで築かれる、公共制度に代わる定型的な策術であると。そして『人類の子供たち』が示唆していたのも、この点なのだ。グローバリゼーションという二〇世紀末の思想のもと、芸術分野で機能していた形式が、国際ビエンナーレである。しかしこれと同じ役目は、「ステイシス」がグ

図1｜1937年パリ万博のスペイン館に展示された《ゲルニカ》

ローバル化を果たし、NATOの国境フェンスがどこに現れてもおかしくない――そんな時代なのだから、デューティーフリー・アートの収蔵空間と、テロ対策の万全を期したシェルターが担うようになるのだ。けれどもこれは、厳守されるべき不可避の結末というわけでもない。

そもそも《ゲルニカ》は、かつて地球上で起きた内戦の期間中、どこに架けられていたのだろう。

《ゲルニカ》は一九三七年のパリ万博にあたって、スペイン共和国のパビリオンで公開する目的で描かれている［図1］。一般市民に照準を定めた空爆が何をもたらしたか、そこで伝え示すためだ。ただし保存という点では、このとき下された判断は呆れるようなものだった。というのもこの絵画はかなり長い間、ほとんど屋外といっていいような一隅に架けられていたからだ。

『人類の子供たち』の未来の世界で、このピカソの絵は戦渦を避けるシェルターを得るが、このシェルターとはダイニングルームという私的領域だった。たしかにそこで作品は「安全」でいられるだろうし、温度と湿度を管理された空気にも恵まれるだろうけれど、みる機会を得るのはごくわずかな人々だ。他方で実際の出来事であった内戦の場合、全く逆の決定が下されていた。絵画〔という躯体〕を野晒《のざら》しにすること、文字通りそれを外示する措置がなされたわけだが、フランス語でもそれ以外のラテン語起源の諸言語でも、展覧会のことを「曝《さら》け出し（exposition）」というではないか。そしてこれはつまり、義務を課された状態（imposition）ではないということなのだ［★17］。

『人類の子供たち』の筋書きは、保存をめぐる矛盾を含んでいる。というのもまず、保存の——もっと言えば創造という行為の最優先事項は、芸術を鑑賞することができ、そこにアクセスできる状況なのだ。なぜか。言うまでもなく、芸術は目視されて初めて芸術として同定されるからだ。そしてもし芸術として同定されなければ、それを保存する意味もなくなる。私有化であれ行き過ぎた保護であれ、インスティテューションの内戦への処し方から危機を被るのは、美術品そのものというよりも、人々がそこにアクセスする公的権利のほうである。芸術をまずもって芸術たらしめ、結果としてそれを保存の必要性につなげるのは、往々にしてこの公的なアクセスの存在である。そして矛盾たるゆえんはここにある。芸術が芸術であるための条件は可視性＝みられることの可能性であるけれども、しかしまさにこの可視性は、保存や私有化の取り組みによって脅かされてしまうのだ。

だが何かがおかしいと感じないだろうか。何となれば、スペイン共和国のパビリオン云々というのは、一九三七年の話なのだ。たった今ここで私が陥っているのは、ノスタルジックな古き悪しきゾンビ・マルクス主義なのだろうか？　これってあの、喜劇としての〔歴史的〕反復ではないのだろうか？

その答えは、ノーである。『エッジ・オブ・トゥモロー』に話を戻してみたい。そこでループの問題に対する解はどんなものだったか。ステイシスの難局、反復としての歴史から脱却するのに取られた方法は、起こるはずのないものだった。この映画の原作は、桜坂洋による『All You Need Is Kill』という小説だ。そのストーリーの着想は、ビデオゲームでリセットボタンを押す体験から得られたものだという。だから、この映画が特定の局面を抜け出せない強者《ゲーマー》の手詰まり状態を描いているというのも、うなずける。しかしゲーマーはこうしたことに慣れている。次のステージに進むというミッションを持つゲーマーは、再現、再演にかかずらう者ではない。同じステージをひたすら反復するという義務が、彼女〔ゲーマー〕の喜悦の源であるはずがない。歴史上のモデルを延々と模倣するという行為に関してもそうだ。彼女は、ステージをクリアして先に進む方法を知るために、インターネット上の掲示板を検索するのかもしれない。コンピュータゲーム（控えめに言って、ほとんどのゲーム）には〔☆4〕、一定の段階や一連の出来事、ループをそれぞれに終わらせていく契機がある。たいてい物入れのようなところに武器やアイテムが隠してあって、凡百の敵を倒してステージをクリアするのにそれらが使われる。『エッジ・オブ・トゥモロー』

のメッセージは、明日はまたやってくる、というだけではない。それは、極致《エッジ》という際《きわ》にまで私たちが来ていること――一定のステージにけりを付け、その堂々めぐりから解放される可能性を有するということでもある。ゲームという行為。それは飛躍し、プレイ（play）という行為になりうる。そして「プレイ（遊び）」の揺らぎは、ここで有用なものだ［☆5］。続行したいなら、まずプレイのために規則を覚えなければならない。その反面、新しく、なおかつ共有／共同されうる規則、その即興的な案出をプレイが担うのもまた確かだ。つまりはこういうことである。このプレイに向けて活性化するゲーミフィケーションを基点とするとき、復古的な繰り返しは打倒される。そしてこう言ってよければ、これが行為遂行における別なる形式となりうるのだ。

ここまで述べてきたことを、美術館に当てはめてみよう。まず歴史の存在要件、それは明日という日がやってくることだと言ってよい。戦車が、歴史的な収蔵品として留置／投機化停止（lock up）され、なおかつそこで時間が先に進む場合にのみ、歴史は存在しうる。そして未来が生じる絶対条件は、歴史が現在時間を占領したりそこに流れ込んだりしないということなのである。美術館は戦車の受け皿となるとき、当然その利用の可能性を奪う。ちょうど、公園に設置予定の古い大砲の内側に、セメントが注がれるように。さもなければ美術館は、引き伸ばされたステイシスのための装置に――偏った視点を持ち、ゲリラ的な行動に走る歴史、その暴虐のための保管場所になる（その暴虐はまた、大きなビジネスチャンスになりもするのだが）。

ではこれは、スペイン共和国のパビリオンの件とどう結びつくだろう。とても簡単なことだ。

考えてみたら当たり前のことだけれど、ささやかな点なので私もここで触れていなかった。《ゲルニカ》は、一九三七年の時点で新作だった。それは新規のコミッション・ワークであり、現在を主題に含んでいた。うってつけだったであろう、ゴヤの《戦争の惨禍》のような歴史的作品にキュレーターの白羽の矢は立たず、彼らは、現在を物語るそれまでにない作品と伝達媒体を依頼したのだ。そのモデルを再度立ち上げるのに必要な段取りは、決まっている。そしてこの種の歴史を再起させたければ、別様の形を持ってこなければならない。次のステージに進み、新たな表現を示し、現在時間に至るために。たしかにこれは、美術館の仕事と聞いて想起されるものをはるかに超えた、無謀な試みなのだろう。街だけでなく、社会自体を再建するプロジェクトに移行するというわけなのだから。そしてここでも「プレイ」という概念は重要だ。プレイとは、進行しつつ場面に応じて規則を立て直すこと、あるいは、新陳代謝を求めてやまない規則を創造することなのだ。ゲームとプレイ、この二つを互いから切り離すことはできない。双方ともに規則が欠かせないが、片方の極にはループ、堂々めぐりという形式があり、その対極には開かれた公平な形式がある［★18］。

博物館《ミュージアム》／美術館、歴史、さらにはこの惑星を覆う内戦についての考えをまとめておきたい。明日という日は、歴史になくてはならないものだ。そしてこの点を逆から捉えれば、未来の存立に欠かせない条件は、過去を現在時間への際限ない漏出からブロックすること、また多様な形をとったミミック的な存在者たちを打ち負かす、ということだ。ゆえにこのミュージアムというものにとって関わりがあるのは、過去よりも未来のほうである。保存の営為の重点は、過去を蔵するというよりも、むしろ公的空間の、そして芸術文化の未来を、ひいては未来それ自体を創り出すということなのだ。

原注

★1 この興味深い事例について教えてくれたオレクシー・ラディンスキーに、記して感謝する。台座からこの戦車が離脱していく動画は、以下で視聴可能。military.com. 中立的な機関による傍証はないが、報道によると、この動画の撮影以降、戦車はウクライナ軍によって奪回されキエフに送られたらしい。

★2 これは、先頃発表された以下の論考でも言及されている。Brian Kuan Wood, "Frankenethics," in Mai Abu ElDahab (ed.), *Final Vocabulary* (Berlin: Sternberg Press, 2015), 30–41.

★3 武器が禁止されているという設定のSF映画『デモリションマン』(一九九三)を知るきっかけをくれた、スティーブン・スクイブに感謝する。主人公たちにとって必要な武器の入手経路は博物館であり、それ以外にはもう選択肢がなくなっている(この点では、それはウクライナの事例と異なる)。暴虐の過去を戒めとして平和を願うその制度的取り組みは、内戦の再興にきっかけを与えてしまうのだ。

★4 Giorgio Agamben, *La guerre civile: Pour une théorie politique de la Stasis* (Paris: Points Collection, 2015). この概念がたどった変遷とそこに伏する多義性については、ここでは大要に触れる程度にとどめたいが、最初に挙げるべきはカール・シュミットによる「世界内戦(Weltbürgerkrieg)」という発想だ。そのさらなる源流は、エルンスト・ユンガーの思想にたどることができる。一九八〇年代にエルンスト・ノルテが同概念を採用したことでいわゆる「ヒストリカーシュトライト(歴史家論争)」に火が点き、第二次世界大戦へのドイツの責任と同国の一切の罪過を矮小化したいドイツの右派歴史家による、修正論というべき議論が巻き起こった。しかしそれ以外の多くの思想家は(例えば、ハンナ・アーレントとその一九六三年の著作『革命について』がそうだが)、この概念を鋳直している。これに具体的な関心をみせた論者は多く、例としてマイケル・ハートとアントニオ・ネグリ、ジャン＝リュック・ナンシーがいる。

★5 しかしむろん内戦の結果として第一に挙げられるのが、自らの組織体を軍備で整える意志、またはその可能性を持たない者たちの貧困である。

★6 歴史的戦闘を再現したロシア側の人物としてもっとも有名なのは、イゴール・ストレルコフだろう。彼は現在、指揮していた部隊がマレーシア航空17便撃墜の容疑を受けており、遺族から告訴されている。またアレキサンデル・ニーベンホイスによると、ウクライナ側では「軍事リエナクトメント同好会が、ウクライナ軍所有の老朽化したソビエト時代の機具を修理中である」。これについては以下を参照。news.vice.com, September 14, 2014.

★7 この映画を教えてくれたデヴィッド・リフに感謝する。

★8 正直に言うと、マドリードのソフィア王妃芸術センター(私は最近そこで展示を行った)で《ゲルニカ》の現況を身近に体験していなければ、私はこれほど同作品について書いてはいなかったはずだ。私は相変わらずどんな場合でも、物事に対して観念先行型とは全く異なる姿勢をとる。

★9 第七章を参照のこと。

★10 これは本来、オレクシー・ラディンスキーの発想であった。

★11 「この考えうる変化の背景の特徴となるのが、二つの重要な局面である(そしてそれらは、部分的に相関している)。一つは一九八〇年代以降の国民国家の地位と制度的なメルクマールの変容であり、これはグローバリゼーションの多様な形式からもたらされた。例として、経済領域での民営化と規制緩和、人権に関する国際レジームの重要性の高まりが挙げられる。そしてもう一つの局面が、「多」なる行為主体や集団、コミュニティの台頭である。これらは述べたような国家の変容を契機として部分的に強化されるとともに、当の国家が表象するような国民像へと疑いもなく自己投影する意識のありようを、段階的に失っていく」。Saskia Sassen, "The Repositioning of Citizenship: Emergent Subjects and Spaces for Politics," *Berkeley Journal of Sociology* 46 (2002).

★12 Saskia Sassen, "Towards Post-National and Denationalized Citizenship," in Engin F. Isin and Bryan S. Turner (eds),

★13 *Handbook of Citizenship Studies* (London: Sage, 2003), 277–91.
インターネット上での釣り、世論の誘導については以下を参照。Adrian Chen, "The Agency," *New York Times Magazine*, June 2, 2015.

★14 以下を参照。Keller Easterling, *Extrastatecraft: The Power of Infrastructure Space* (London: Verso, 2014).

★15 以下を参照。Josh Meyer, "Are ISIS geeks using phone apps, encryption to spread terror?," *NBC News*, November 16, 2015.

★16 以下を参照。Jarret Brachman and Alix Levine, "The World of Holy Warcraft," *Foreign Policy*, April 13, 2011.

★17 《ゲルニカ》を保護するセキュリティー対策の移り変わりを考えてみると、それは興味深く思える。マドリードのカソン・デル・ブエン・レティーロに展示された折りには、この絵画作品は大がかりな防弾ガラスケース内にあり、マシンガンを携えた傭兵（guards）が見張りについていた。

★18 スティーブン・スクイブとの対話で、彼は私にこう言った。神聖にして循環および反復する時間構造から脱却する際に、その時間を人間が有する時間性のうちで「忘却する」——そのような人々について、アガンベンは書いているのだと。

訳注

☆1 制度批判（Institutional Critique）とは、主に一九八〇年代以降に美術の表現動向として定着した概念。視覚芸術全般ではなく、美術館の伝統的役割、画廊の空間を基盤とする市場、美術関係の労働環境や出版活動などを含む、ファインアートとしての美術の「業界」と、そこでの生産や流通、消費の制度的枠組みを、社会学的な観点から分析する、あるいは指標化する表現や方法論のこと。ただし、美術史家のイザベレ・グラーフがシンポジウム「制度批判とその後」（ロサンゼルス・カウンティ美術館、二〇〇五年）での講演で総括したように、「制度」の範疇を含め、制度批判の定義やカテゴリーは必ずしも明確ではなく、コンセプチュアル・アート、とりわけ記号論的なアプローチから美術表現をメタ的に俯瞰するコンテクスト・アート、一部の「アプロプリエーション」の系譜との区別はあいまいなところもある。アート・アンド・ランゲージのメンバーだったメル・ラムズデンが美術の市場とその官僚的な属性を批判した「実践論」（一九七五）にすでに「制度批判」という語はみられるが、アンドレア・フレーザの小論「場の内と外で」（一九八五）がこの動向を明確化した最初の言説とされる。代表的なアーティストとして、マイケル・アッシャー、マルセル・ブロータス、ダニエル・ビュレン、ハンス・ハーケ、マーサ・ロスラーなど。

☆2 ヴァイス（Vice）とは、一九九四年にカナダで設立されたメディア企業。ヒップスター的なカルチャー色が強く、共同創業者のギャビン・マキネスは、白人至上主義的な発言でしばしば物議を醸した（ただし、当該のメディア自体はそうした思潮と関わりはない）。マキネスはヴァイスを離れた後、欧米（白人）男性の優位性を主張するトランプ支持派の武装集団、「プラウド・ボーイズ」をアメリカで結成した。

☆3 原文では「ダーイシュ（「ISIS」や「イスラム国」としても知られる）」となっており、これは中東シリアを中心に活動するイスラム教過激派組織のことを指している。そのほかの呼び名としてISILがある。シュタイエルは原著で「ダーイシュ」という呼称を一貫して使っている。名称にニュアンスの異同はあるが、本書ではおそらくもっとも定着している、ISISという呼称で統一する。

☆4 ここでの「コンピュータゲーム」の原語はgaming。不可算名詞として、ビデオゲームのプレイを意味している。本書の第一二章では、主に英米の数学者や物理学者が第二次世界大戦における軍事開発のための財源や環境を得たのち、そのことがゲーム理論の影響下でコンピュータ開発のパラダイムにつながった経緯が語られている。この意味で、コンピュータとゲームの関係に不可分性が見いだされるとき、その歴史的起源は「戦争」にあるともいえる。シュタイエルは本章で歴史の復古主義を咎めるが、そこには、コンピュータ／ゲームの生成の延長線上にある限り、現代の（デジタルと深く結びついた）生活形態は何らかの形での「戦い」の回帰を免れないということ、しかし同時にゲームが展開の可能性をはらむ以上、この回帰を脱しうるという前提がある。本章で言われる、美術機関による史的対象からの有用性の剥奪とは、あくまでこの種の時間性、フィクションや仮定的状況から現実へと生々流転する戦闘行為の打破という意味になる。

☆5 ここでの「プレイの揺らぎ」とは、「遊び」や「対戦」などのほか、「演技」、さらには「言葉遊び」といった意味合いを持つplayの多義性を指してもいる。本書のいくつかの章で語られているように、ときに英語の文法規則から大きく外れるインターネット上での言語運用は、一定の世界線を越えた新たな未来の時間性への梃子となりうるし、ある種のダンス・パフォーマンスやコメディの演技遂行、オンラインでの他人のふりといった「プレイ」にも、同じような側面が見いだされる。

02

いかに人々の生を奪うか――デザインをめぐる一つの問題

How to Kill People: A Problem of Design

私は未来をみてきた。それは空《から》だった。事跡が拭い去られたその表面は、平らかで、どこまでもデザインされている。

デザイナーのジョージ・ネルソンは自ら手がけた映画『人々の殺し方』(一九六三)で、殺すということはファッションや家庭の調度品と同様、デザインの問題であると説いた。デザインは、兵器のフォルムと機能の双方を改良するにあたり重要なものだと。そしてそれは死をもたらす技術の向上に向け、美学を応用するのだと。

殺戮(killing)のデザイン、その「加速」バージョンが、近頃この都市で試行された。古い街区は打ち壊され、奪われ、場所によっては跡形もなくなった。同地に住み自治権を訴える若者たちが、反乱を起こしたのだ。国家の強大な暴力がそれを拉《ひし》ぎ、建物を接収し、地区を破壊し、そして権限移譲への、世俗主義と平等への希望もろとも、その動きを死に至らしめた。別の都市では事態はもっと深刻だった。大勢の人々が死に、作戦が長引いたところもある。この都市の所在は、シリアでもイラクでもない。ひとまずそれを、旧市街《オールドタウン》と呼ぼう。この一帯で発見された遺物の年代は、石器時代にまで遡る。

この地では、未来の殺戮デザインがすでに本領を発揮している。

それは加速主義的であり、ソフトウェアとハードウェアを接合し、緊急事態の発令、政綱やフォルム、テンプレートを組み合わせる。戦車はデータベースと連携し、化学兵器素材が採掘機と接触し、ソーシャルメディアは催涙ガス、言語、特殊部隊、そして視界制限と見《まみ》える。

子供たちが路上で遊び道具にしていたのは、ゴミと瓦礫の山に捨てられていた、ぼろぼろのパソコン用キーボードだった[☆1]。そこには赤い大きな文字で、「楽しい街（Fun City）」とあった。一二世紀の旧市街には、コンピューター技術と人工頭脳学《サイバネティクス》の分野にとっての重要な先駆的人物が住んでいた。アル＝ジャザリーという学者だ。アル＝ジャザリーは、多くの自動人形と先鋭的な機械類を考案している[★1]。その奇想天外なデザインの一つに、湖上の船で賓客に飲み物を出すロボット楽団がある。とある別の考案物は、プログラミング可能な機械、そのデザインの先駆けと考えられている[★2]。彼の『巧妙な機械装置に関する知識の書』という著書では、水力、医学、工学、時間計測、音楽、娯楽の分野における数十の発明が扱われている。そして今まさに、これらのデザインが生まれた地が破壊されている。

武力衝突や建設、破壊は、文字通りスクリーンの背後で、潜伏行為《アンダー・カバー》として進められる。このとき要されるのが、計画と一通り揃えられた機械だ。初めに概案がデザインされ、法が歪曲、造形された。「非常事態は、ここでは恒常的である」と伝えるメディアの放つ閃光が、精神を麻痺させ、刺戟した。殺戮デザインは、軍隊や住宅供給を、また宗教絡みの人口政策を統制し、緊急措置、土地登記、激情、日常の加虐と暴力の企て――これらの間で「変速」する。このデザインは、インターネットの釣りや荒らし、被信託人、ニュース速報に支えられ、そこにはイスラム教の礼拝告知が響き渡っている。区域の内外をしきりに往き来する者たちには、現支配層との関係に基づく序列が与えられている。殺戮デザインは手馴れていて、参加型で、急進的かつ好戦的であり、非正規兵、またときに行われる刀剣での殺傷がそれを支えている。強固な上に高圧的で、「清浄と危険」を追求し、友敵関係を短期間で更新する。それは異端と造反分子を封殺し、また制空権をもとに統治し、不均衡で多元的、かつ圧倒的である。

交戦が終わった後も、戒厳令は敷かれたままだった。作戦対象になった区域を人目から遠ざけようと、そこに通じるすべての道路の入口が大きな白いビニールシートで覆われていた。やがてたくさんのブルドーザーが運び込まれた。やり方こそ違うが、建築作業はそこで戦闘をなぞるものとなった。遠方から連れて来られた作業員たちが、壊された建物の瓦礫を運んでいった。一部は川に捨てられたらしく、また、街外れにある立ち入り厳禁の埋立地に送られた瓦礫もあった。行方知らずの我が子

Guys we are not taking pictures, are we?

の亡骸、暴動に加わったまま帰らずにいる子供たちを探し、親がこっそりその場を掘り返しているという話もあった。路上にあるバリケードの残骸には、亡骸の臭いが染みついていた。

特殊部隊が通りを見回り、写真を撮っているとおぼしき者たちを拘束していた。「消せないぞ」、ある者はそう言った。「撮ったらそのままクラウドにアップロードされるんだ」。

復興計画の3D映像が発表されたのは、この界隈でまだ戒厳令が解かれていないときだった。その映像では、CGのレンダリングを施された無機質な人々が、一見して伝統様式で築かれた、ビデオゲームのごとく整然とした都市景観のなかを移動している。しかしそこからは、いにしえの時代から都市に息づいていた異文化と多宗教的なありようを伝える、そんな痕跡が一掃されている。まず破壊のイメージがあり、不自然な「ワイプ効果」〔画面を横切るように別のイメージやシーンが挿入される、映像効果のこと〕がそこに生じることで、のどかな公園と、ジョルジュ・オスマンの都市計画を彷彿とさせる遊歩道のデジタル・イメージが、入れ替わるように出現する。

この動画でワイプ効果が用いられるとき、そこには、一つの状態を別の状態に、現在を未来に、選挙制に則った地方自治を非常事態下の支配に［★3］、労働者地区を高級な一等地に移行させるという目的がある。動画編集法としてのワイプが、強力な政治的表徴となるのだ。ワイプによる抹消が意味するのは、退去、または正確には交換《リプレイスメント》／更迭である。一つのイメージが差し込まれ、従前のイメージが視界から外されるとき、後者はなかったことにされる。それが拭い去ってみえなくするのは、元々の住人、建物、選挙で選ばれた代表者、所有権である。その際に目指されるのは、空間を「清算」し、もっとおあつらえ向きの住民、もっと均一な文化を持った都市景観、もっと足並みが揃った行政と不動産所有者でその場を満たすことだ。旧市街にできた空白は、シミュレーションをもとに、旧式テンプレートを更新する高額かつ新規の開発プロジェクトで満たされるだろう。そしてその都市は、消費、所有、克服の場として提示されるだろう。この種のデザインが定める射程に含まれるのが、つまるところ民衆であり、またブレヒトの言を借りれば、民衆の廃位――もしくは必要とあらば、「廃棄処分」だ。そして映像のなかで同じ役割を果たすのが、ワイプ効果というわけだ。殺戮デザインは、手中に収まらない一部の市民、抵抗する人間のシステムと経済に対する、恒常的なクーデターである。

この旧市街がどこにあるのかといえば、それはトルコ国内である。さらに言うと、クルド人地域の非公認の首都、ディヤルバクルだ。この地域全体でみれば、もっと深刻な状況もざらにある。

ただし、類例や先例の存在は必定であるから、こうした出来事が起こるからといって、そのことに興味深さがあるというのでもない。重要なのは、多くの市民が自らの状況を完全にまっとうだと考えている点である。デザインが全範囲でなされるとき、その構造の背景には、わだかまり、また全体像がどうにも把握しがたく、解きほぐすには事例として特殊すぎる、そういった感覚がある。しかしこの地は、あくまで独自のルールに（そもそもルールがあるとして）従うユニークな事例としてデザインされているようでもある。それは、共有可能な人間性の地平には含まれずに、一つの突出した事例、小規模のシンギュラリティ＝技術的特異点としてデザインされている[★4]。

そういうわけで、より包括的な結果が得られるよう、やや遠目に状況を見渡してみよう。殺戮デザインというこの特異な実例は、デザインの概念全体にとって何を意味するのか。

ここで想起されるのが、マルティン・ハイデガーの思想、生における死の嵌入を指す概念「死への存在〔現存在〕(Dasein zum Tode)」だ。ここでの文脈で言えば、それは「死に向けたデザイン(Design zum Tode)」となるだろう。死はこのデザインにあって、全方位的な地平をなし、ひときわ階層的、暴力的な意味構造を打ち立てる[★5]。

しかしここで、別の何かも否応なく目に入ってくる。それは、動画に収めることで確として現れるようなものだ。稼働中の一台のブルドーザーを捉えた、録画映像を想像してほしい。その重機は建物を破壊して押し砕く。では次に、これと同一だが逆再生されている映像を思い浮かべてほしい。ブルドーザーが建物を築いている、とても奇妙な映像となるはずだ。そこに映し出されるのは、勢いよく収斂するようにして、粉塵と破片が建材に形を変えていくさまだ。この物体は、ブルータリズム様式の掃除機か何かで吸引されるかのように、どこからともなく現れる。この架空の映像にみられる時間と物事の推移はじつに、先に語ったことと深く通じている。それは、「創造的破壊」の一つの特異型をありのままに視覚化しているのだ。

第一次世界大戦の直前、社会学者のヴェルナー・ゾンバルトは著書『戦争と資本主義』で、「創造的破壊」という概念を術語に定めた〔★6〕。オーストリアの経済学者ヨーゼフ・シュンペーターは第二次世界大戦中、この概念に「資本主義に関する本質的事実」という定義を付した〔★7〕。シュンペーターはその際、カール・マルクスが論じた、一見して堅牢な種々の構造体を溶解させ、内から外からそのたえまない向上、再生を強いるという、資本主義の性質に言及している。マルクスの言説では、「創造的破壊」なるものは基本的に破壊のプロセスにとどまっていた〔★8〕。しかしこの語は新自由主義のイデオロギーにおいて、生産性と効率性の維持に必要な、いわば内的浄化のプロセスとして嘱目されていく。〔他方で〕その「破壊」の側面に共鳴するのが、未来派や今日の加速主義といった動向であり、これらはともに、絶対的なカタストロフの状況を強く肯定している。

創造的破壊は今日、「創造的壊乱（creative disruption）」という概念に取って代わられたのではないか〔★9〕。現代のいわゆる「壊乱〔破壊〕的技術（disruptive technologies）」——例えばそれは、肉体労働と頭脳労働のオートメーション化、人工知能、機械学習、人工頭脳学による制御系システム、または「自律型」電化製品といったものだが、これらは既存の社会、市場、技術に激しい揺さぶりをかけている。そしてこれは私たちを、壊乱的技術の嚆矢となる、アル＝ジャザリーの自動ロボットの存在へと立ち返らせる。こうした技術に関わるデザインがあるとして、それはどんなものか。また壊乱の社会的技術はどんなものか。ツイッターのボット、釣りや荒らし行為、情報のリーク、全面的なインターネットの遮断は、独裁制による支配の加速化にあたり、どう活用されるのか。現代のロボットが失業という現象を引き起こす、その経路はどんなものか。インターネットで相互につながった製品や、準自律的な兵器システムについてはどうか。広域におよぶ「人工低脳」[☆2]、機能不全システム、そして全くらちが明かない電話回線での首脳会議については、どうだろう。破壊済みの街区に通り道をつくろうと、奇妙な「バレエ・メカニック」を披露し、廃墟に穴を穿ち、社会というファブリックに切れ目を入れ、命ある現在を葬り、空白のホットスポットを必死に建設する、そんなヒュンダイとコマツ製の巨大なクレーンやブルドーザーについては、どうだろうか。

壊乱的イノベーションは、労働需要の逓減、大規模な監視、アルゴリズムの混乱によって、社会に格差の広がりをもたらしている。抑えがたい怒りを蔓延させ、街を変え、闇に闇を重ね、薄利のフリーランス業を極大化する――そうした反社会的なテック企業の寡占状態をつくり出すことで、社会の断片化を促している。これら社会と技術面での壊乱作用には、国粋主義による、またときに移民排斥主義、ファシズムや過激宗派に根ざした大衆扇動も数えられる[★10]。オートメーション化とサイバネティクスの制御に鼓舞される創造的壊乱は、政治の機能が断片化する時代状況と軌を一にしている。民族間の、また原理主義的な憎悪を火種とする過剰資本の力は、金融体系とフィルターバブルの内側で再編される。

近代のサイエンス・フィクションにみられた、末期的な政府のイメージ。それは、たった一つの人工知能装置が社会を遠隔操作するというものだった。だが今日では、現存する原ファシズムと擬似《パラ》ファシズム〔☆3〕が、分散型の「人工低脳」を頼みの綱にしている。ボット軍団は、ファーミングの地脈やミーム・マジック〔☆4〕のように、民衆の義憤という体《てい》の炎上状態をつくり上げ、政治的感情における本能の領域を担う。私心がなく、あらゆる物事に通暁していて気高いとされる、そんなテクノクラート・ファシズムが統治を行うという発想は、「バカでも分かる」ツイートの集中砲火という形で現実化する。民主主義下の人民は、人間の活動や身ぶり、勢いを捉える携帯電話（mobile）上の群衆（mob）へと変貌する〔★11〕。ただしモダニズムのディストピア像とは違い、現代の独裁政治はこうしたシステムの完成には重きを置かない。それどころか、修復不能な崩壊、機能不全、またカオスを生ずるが「予測的」と称されるような機能を糧に、蔓延するのだ。

とくに壊乱の影響下にあると思われる要素が、時間だ。ブルドーザーの逆再生映像について、再度考えてみよう。創造的破壊が想起されうるのは、ひとえに時間が逆転したため、また時間が後退しているためである。一九八九年以降になって、ジャック・デリダは時間が「脱臼」しており、それが根底において暴走状態にあるという考えを披瀝した。またフランシス・フクヤマのような論者は、何らかの理由で歴史がはかなく消え去ったと考えた。ジャン＝フランソワ・リオタールが示した見解では、現在とは爆発に似た衝撃の連続体であり、その一過の後に特別なことは何一つ起こらない［★12］。まさに同じ頃、物流の世界ではグローバルな生産体系が刷新された。効率と利潤を最大化に導こうと、不均一に散らばった時間のモンタージュが試された。カット・アンド・ペーストの美学を踏襲しつつ、結果として生じた分裂構造の時間は、一定の層の人々に途方もないカオスをもたらした。この人々とは、いよいよ困難なものとなって規則性を失い、ときに報酬すら出ない労働の拘束時間とスケジュールのうちで、生活を確立せねばならなかった人々である。

また、時間にはこれとは別の局面もある。それは、瞬時の株価暴落や高頻度取引の詐欺の引き金となる、ネットワーク化された制御系と呼ばれるシステムのみに漸近し、すでに人間には到達できなくなっている――そうした時間の性状である。金融化はいっそう複雑な状況を多発させている。「現在」における経済の持続可能性は、負債に――すなわち当の「現在」において引き出され、消費や蕩尽される「未来」の代価に――支えられている。言うなれば、未来とは使い果たされるものなのだ。そのいっぽうで、現在は安定性を失っている。つまり現在という時間は、ついぞ存在したことのない「過去」、そのループ状の形態を途切れさせぬよう、未来を空《から》にすることで成り立っているようなものなのだ。具体的にどういうことかといえば、少なくともこういった回路の一部にはいえることだが、時間はじつに後方に向けて、枯渇していく未来から滞留した仮定的過去の発展支援に向け、逆行するのである。そしてこれを維持するのが、壊乱的なデザインなのだ。

壊乱は、旧市街の３Ｄ映像の不自然なワイプ効果において、光学的な乱れとなって表れる。現在と未来の場面転換はぎこちなく、文字通りそこには段差がある。そのコマの連続は、まるで地震が起きて揺れているような感じだ。強い社会的紐帯を特徴とする、現在時間における都市の現実。それは、住民の新旧交替の様子を描くのっぺりしたデジタル映像に置き換わる。このとき壊乱的デザインが可視化するのは、場当たり的に生成された画像レイヤーによって、悲しみと奪取の行為が薄っぺらに上塗りされていくさまである。

旧市街での戦闘は些事などではなく、また決して周縁／周辺的なものでもない。それは、壊乱的デザインにおける一つの特異なフォルム、独自の暴利／殺戮（killing）のデザイン、破砕された先鋭的な時間性という特殊形態を示すものだからだ。未来は加速的に繰り寄せられるが、これは将来得るはずの対価を費やすことによってではなく、未来の死を現在にもたらすことでなされる。いわば負債のメカニズムを、軍によるコントロールや占領、接収のメカニズムに適用するのだ。

一つの技術的なシンギュラリティがあって、それが人間の属性を一度に淘汰する――そうした状況はここでは夢のような話で、あるのは無数の微小なシンギュラリティである。それらは社会的、美学的、そして軍事的プロセスとしての壊乱が創り出すものだ。独裁者たちが力説する独自の歴史、アイデンティティ、文化、イデオロギー、民族性、または宗教の地平から逃れられずにいる、そんな実体として創造される。それぞれにみられるのは、規則の不一致、もっと言えば、「規則が存在しない」という性状にばらつきがあるような状態だ［★13］。「創造的壊乱」は、建物や市街地の解体だけで果たされはしない。それは、共通理解の地平の解体をも目指していくのであり、この地平は、偏狭でパラレルな、トップダウン形式の、瑕疵を払拭され、さらには白人社会にも親和する、そんな修正済みの歴史と交換されることになる。

まさにこれが、壊乱のプロセスがあなたに影響をおよぼす際の方法なのだ。というのはつまり、あなたが他所に住んでいる場合の話である。これは必ずしも、あなたが没収行為や迫害、またはもっとひどい悲運を被るという意味ではない。そうした状況が生じる見込みは、あなたがどこにいるか（そしてあなたが何者か）にかかっている。とはいえあなたもまた、仮構された過去を反復する未来のうちに、あなた独自の特異《シンギュラー》な状況で辛酸を嘗めているのかもしれない。そこでは一部の住人が、決然と別の住人をお払い箱にしているのだろう。人々は遠いところから目を凝らし、結局はその事態を理解できないと気づき、猫の動画に視線を戻すのかもしれない。

こうした状況に対して何ができるだろう。これとは対照的なデザイン――それは多形的でありつつ水平な生のフォルムを保ち、共有可能な人間性の一部と考えられる、そんな一つの創造のあり方なのだが――それは、どんなものだろうか。インフレ＝膨張、加速化、粛清、分断、均質化からなる手順とは逆の方法を考えてみよう。フォルムが単一で汚点もなく、性能向上を謳うプロダクトと化した人間性。CG映像に嵌め込まれた無機質な人物たちが標榜する、超越的人間性。これをデザインするプロセスとは対照的な手段は、どんなものか。

この真逆のプロセスは、破壊を通じて進展していくことはない。そうではなく、まさに字義通りに、建設的に（constructively）収縮を遂げるのだ。この種の建設から生じるのは、インフレ＝膨張ではない。退縮＝〔地方自治への〕権限移譲（devolution）である。すなわち中央集権によるしのぎの削り合いではなく、協同的な自治である。時間を断片化するのでも人々のつながりを断ち切るのでもなく、拡張、インフレ、消費、負債、壊乱、占領、そして死を、減らすということ。これを完璧になしうるのは、人間性を超越した存在ではない。人間の本性そのものによってなのである。

戒厳令の間、とある女性が旧市街に一人で残っていた。裏手の厩舎で雌牛を飼っていて、その世話をするためだった。ローマ時代に造られた塁壁には堰上げされた水路があって、彼女の娘たちが毎週そこをのぼって必需品を届けていた。兵に銃で狙われるのはしょっちゅうで、これが何週間も続いた。その雌牛が出産したての頃、私たちはこの女性と話す機会を持った。チームのメンバーには、獣医が一人いた。

娘　仔牛の具合が悪いんですが、診てもらえませんか。
獣医　ええ、もちろん。原因に心当たりは？生まれたばかりですか？母牛の最初の乳はもう飲みましたか？

母親　いいえ、初乳は飲んでいません。陣痛（labor）がひどかったせいか、乳が出ないんです。五回続いて、それで止んだのだけど。

娘　もう一頭の仔牛が先に来て、乳を全部飲んでしまったのよ。気づかなかったんです。

娘　ねえ母さん、仔牛は今どこ？

母親　（厩舎のほうを向いて）ああ、どこかしら。私のかわいいピスターシュ、どこだい？

原注

★1　アル＝ジャザリーの功績の概要については、以下を参照。Siegfried Zielinski and Peter Weibel (eds), *Allah's Automata: Artifacts of the Arab-Islamic Renaissance (800–1200)* (Berlin: Hatje Cantz, 2015). および以下。Donald Hill, "Mechanical Engineering in the Medieval Near East," *Scientific American* (May 1991), 64–9.

★2　"A 13th Century Programmable Robot," University of Sheffield, web.archive.org.

★3　選挙制に基づく旧市街の地方自治は、近年に有事立法のもと撤廃された。その後、同都市の複数の市長が「テロ」を幇助した容疑で逮捕された。逮捕者にはこのほか、法制定に関わる議員、ジャーナリストなどが数十人いた。

★4　ここでのシンギュラリティに関する見解は、特異な状況と一般的状況の対照をめぐる、以下の非常に有益な議論に基づいている。Peter Hallward, *Absolutely Postcolonial* (Manchester: Manchester University Press, 2001). 同様に有用な文献に以下がある。Fredric Jameson, "Aesthetics of Singularity," *New Left Review* 92 (March–April, 2015).

★5　「死に向けたデザイン」とは、フランコ体制でファシズム的属性を有していたスペイン外人部隊のスローガンの一つ、「死よ、万歳！（Viva la muerte!）」を連想させるものだ。この死は、多くのフォルムを（明らかに一切の同一性を欠くにせよ）持ちうるものである。

★6 Werner Sombart, *Krieg Und Kapitalismus* (Munich and Leipzig: Verlag von Duncker & Humblot, 1913).〔ヴェルナー・ゾンバルト『戦争と資本主義』金森誠也訳、講談社学術文庫、二〇一〇年〕

★7 以下を参照。Ricardo J. Caballero, "Creative destruction," economics.mit.edu/files/1785.

★8 Karl Marx, *Grundrisse* [1857], trans. Martin Nicolaus (Harmondsworth: Penguin, 1993 [1973]), 750.〔カール・マルクス『マルクス資本論草稿集2』資本論草稿集翻訳委員会訳、大月書店、一九九三年、七〇六－七〇七頁〕

★9 ただし、進行過程という意味ではやや異なる。まず完全に新しい市場が築かれ、その後に過去の市場とそれが置き換わるのだ。

★10 再びここで確認すれば、インターネットでの大規模な監視やドローン、そのほかの（いつの間にか常套化したような）戦闘手段が当然活用されていることを踏まえても、旧市街の状況は、まずもって壊乱的技術の直接的影響によるものではない。

★11 群衆（mob）という語の由来は、「移り気な庶民」を意味する〔ラテン語の〕mobile vulgusである。

★12 Jean-François Lyotard, "The Sublime and the Avant-Garde," in *The Inhuman* (Stanford: Stanford University Press, 1991).〔ジャン＝フランソワ・リオタール「崇高と前衛」篠原資明、上村博、平芳幸浩訳『非人間的なもの――時間についての講話』法政大学出版局、二〇一〇年、一二一－一四四頁〕

★13 以下を参照。Hallward, *Absolutely Postcolonial*. および以下。Jameson, "Aesthetics of Singularity.

訳注

☆1 本章には、こうした情景もしくは人物の発言が、本文と区別されて数カ所にわたり挿入されている。これらはディヤルバクルでのクルド人蜂起の後、シュタイエルが同地や近郊のジズレで撮ったフッテージをもとにしたものと考えられる。このキーボードを叩く少年の姿、また後出するビニールシートで隠された街路は、シュタイエルの映像作品《今日のロボットたち》（二〇一六）に確認できる。

☆2 「人工低脳」とは、人工知能、とくに現代の特化型ＡＩ（知性や意識を持たない、比較的単純な機能のための人工知能）の問題や欠陥を指す、時事表現。シュタイエルは本章の初出論考を発表後、定義を広げつつ、主に二度「人工低脳」

に言及している。一つは二〇一七年のケイト・クロフォードとの対談で、特化型の人工知能がエラーを頻発させているというクロフォードの発言を受け、それが性能向上に背くかのように、社会の断片化やファシズムを助長させているとし、この意味で「人工低脳」という語を使っている。もう一つの機会は、同年三月にベルリンの世界文化会館で行われた講演「神は間抜け」であり、そこではまず、未来から過去に遡って有用な人間を選別するという、しばしばSF映画で描かれる神的、「スカイネット」的な人工知能のあり方が語られる。シュタイエルはその上で、そうした考えは今日のオルタナ右翼の間で広がった誇大妄想だとし、それをヒューマニズムへの謀反とみなす(ちなみにこれは、「ロコのバジリスク」と呼ばれるミーム的に拡散した思考実験に対する批判にもなっている)。シュタイエルはこの講演で、スパイを見分けるきわめて単純な判断基準がエラーに至った実例を出し、いかにオルタナ右翼(「新反動」)が好む人工知能のイメージが現代のAIの実態と乖離しているかを語っている。

☆3 擬似《パラ》ファシズムとは、政治学者のロジャー・グリフィンが『ファシズムの本質』(一九九一)で提起した概念。「システム外」の闘争から権力を掌握するというポピュリスト・ナショナリズムの使命を持たず、既存社会の階級やヘゲモニーの維持に向けて展開される、大衆扇動のための模倣的なファシズムの形式。一九三〇年代のユーゴスラビアのストヤディノヴィッチ政権がその一例とされる。

☆4 ミーム・マジックとは、アメリカの掲示板サイト、8chanをルーツとし、4chanなどで普及したスラング。インターネットで飛び交う情報、メディアや映像作品の特定のシーンが、現実の出来事の発生に働きかけると仮定し、その際に触媒になるという架空の魔力のこと。

03

容赦なき現存在の戦慄
――美術界における「居ること」の経済性

The Terror of Total Dasein: Economies of Presence in the Art Field

「インターナショナル・アーティスト・ストライキ」(一九七九)は、「美術界の持続的な抑圧構造と、制作活動から生じるアーティストの疎外への抵抗」だった。ジョルジェヴィチは、このゼネラルストライキへの参加を説き勧める手紙を世界中の相当数のアーティストに送り、三九通の返事を受け取った。多くは難色を示すもので、そうした人々にはソル・ルウィット、ルーシー・リパード、ヴィト・アコンチがいた。スーザン・ヒラーはこう答えている。「じつは夏場にずっとストライキをしていましたが、何かが変わったかというとそんなことはなくて、じきに制作に戻れるのが嬉しくて仕方ありません」。［★1］

ゴラン、手紙をありがとう。自分としては一九六五年から（つまりもう一四年間だ）制作に新しいやり方を取り入れずにいて、ストライキをしてきたみたいなものだ。これ以上の何かはできそうにもない。頑張ってくれ。――（ダニエル・）ビュレン［★2］

一九七九年のことだ。伝説的なコンセプチュアル・アーティストのゴラン・ジョルジェヴィチが、美術界のゼネラルストライキに参加できるアーティストを募った。しかし何人かはこう答えた。自分たちにしてみたらこれがストライキ中のようなもので、どのみち無産か、新たな形式の開拓もなしだと。ただ、それで通用したわけである。これは明らかに、ストライキとその機能に関する当時の既成概念を狂わせるものだったろう。ストライキとは雇用主から求められている労働力の撤退であって、これを受けて雇用主は労働者の要求に対する譲歩を行わねばならない。しかし美術の領域では事情は違っていたのだ。

現代のアーティストがこれにどう反応するか、見当はつく。美術界の誰一人として、自分にしかできない仕事をしているとは考えないし、控えめに言ってそれが重要になるとはもう思っていない。フリーランスで溢《あふ》れているというより、フリーランスが仕事に溢《あぶ》れている時代に、特定の誰かの労働力が厚遇されるという発想はもはや異質ともいえる。

もちろん美術界と他分野では労働の意味するところも違っていて、これはずっと変わらない。ただし現代には現代なりの要因があり、その一つといえるのが、今日の美術の経済にみられる「居ること」への依存だ。この経済は、これまで考えられてきたようなモノの生産に関わる労働力から、存在へと軸足を移している。この場合の存在＝居ること（presence）とは、物理的な意味での所在——個人が直接場に臨み、身を置くということだ。なぜそこまで存在に価値が求められるのか。この「居ること」という概念は、障壁なきコミュニケーションへの希望、捕らわれのない実在の高揚、身近に感じられる経験、人々が実際に互いを前にすること、これらの条件的な素地となる。それが意味するのは、アーティストとそれ以外のすべての人々が場を共有するということだが、その状況や利点は一言では言いにくい。どう言えばいいのか、「居ること」とはつまりあいう感じのものだ、偽りなきディスカッション、情報交換、コミュニケーション、ハプニング、イベント、臨場性、リアルな事態……何となく想像がつくだろうか。

アーティスト（広義には、コンテンツのプロバイダー）は近年、作品の発表に併せて無数のサービスをこなす必要があるが、これはほかの表現形式よりも重要になりつつある。上映よりも質疑応答、論考よりもリアルタイムの講演、作品との出合いよりもアーティストとの出会いが重要となってきている。間遠ではない存在をその場に差し向けるルートを増設する、準アカデミックな、またソーシャルメディアでの拡散向けの多彩なフォーマットについては言うまでもない。マリーナ・アブラモビッチのとあるパフォーマンスのタイトル（そこには彼女自身の名も含まれている）のように、アーティストは「その場にいる」べきなのだ。ここで言う存在とは、独壇場で放たれる存在感、初見の機会、または好奇の視線を過剰なほど引き寄せる存在だ。アーティストの仕事は、持続的な存在へと再定義される。しかし、概ねその場限りの出来事の果てしなき生産、未経験の内容や生身の臨場感をつくり出す流れ作業的な面を鑑みれば、出来事《イベント》の生起とは（スフェン・ルティケンが言い表したように）「ゼネラルパフォーマンス」——効率性や社会的労働の総和から定量化できる、そんな数値的事象でもある。

この「居ること」の経済性は、美術の経済に行き渡っている。美術の市場経済には、アートフェアを舞台とする固有の「居ること」の経済性がみられる。顧客リスト、VIPエリアや行く先々でのアクセス可／不可の実行モードがそうであるし、大型展示のプレビューはもう富裕層には合っておらず、重鎮はそうした内覧にさらに先立つ機会にしか姿をみせない、という話もある。

美術の経済でなぜ人々がその場にいるべきなのか、そのもっともな理由はいくつかある。人間が特定の場を占めることは、輸送と保険、またときに設置の施工が必要な作品の「在ること」よりも、平均して費用を抑えられるのだ。「居ること」はその人物目当ての客を誘う蜜となるが、これは助成金のパイを奪い合う文化機関にとっては正攻法の一手につながる。ある種の機関は大御所の連続セミナーやワークショップのような学会もどきの形式を常として、チケットどころか特定人物に謁見する機会を売るのであり、人脈を広げて関わりを増やしたいという人間心理を商機につなげる。早い話、「居ること」は容易に数に変換し、マネタイズできるのだ。そして支払う人間の数が支払いを受ける人数をはるかに上回るのだから、利益率もきわめて高くなる。

しかしこうした存在＝居ることは、報われる見込みもなく延々と使い勝手を求められる、ということでもある。ほぼ何でも複製できてしまう時代にあって、人間という存在は無制限には増やせない稀有なものの一つだ。それは有用な資源だが、どこか構造的に欠けを持っている。一定の活動に勤しむことが存在の意味するところであっても、職を得たり雇用されたりとまではいかないのだ。存在はたいてい、閉塞した状況でひたすら自らの出番を待っていて、補欠要員から引き抜かれる可能性もあるが、空きを埋める「そのほか大勢」の一人であったりもする。

興味深いことに、全面的な存在、空間や時間的な近さの需要は、間に割って入る機能、つまりインターネットをはじめとする様々なコミュニケーション・ツールから生じる。それは技術に対立するのではなく、技術あってこそのものなのだ。

ウィリアム・J・ミッチェルによれば、「居ること」の経済性を特徴づけるのは、技術によって強化された、関心や時間、活動のための販路——慎重な選択を要する投資のプロセスである［★3］。要は、技術は遠隔的かつ即時性を欠いた存在向けのツールを提供するわけだが、このとき物理的な「居ること」はあくまで一つのオプション、それも著しく不足したオプションと化す。ミッチェルはこう述べる。「居ることによる直接の対面が、時間と金銭を費やすに値するか否かを個人が決定するとき、居ることの選択がなされる」。存在=居ることは畢竟、投資の一形式となるのだ。

ただし「居ること」の経済性は、時間をあてにされ、おしなべて持ち分以上の時間を販売（あるいは交換）できる人々に関係するだけではない。その経済機構がいっそうの重要性を持つのは、こんな人々だ。生計を立てるため、あるいはそれすら叶わないのに仕事をいくつも掛け持ちしなければならない者。過密スケジュールを調整し、優先順位の折り合いをつける綱渡り状態のなか、単発仕事の入り乱れた予定を取りまとめる者。自分の時間と存在がいつの日か何らかの交換価値を得るという、遠く淡い希望を抱き続ける者。分裂気味のスケジュール、それから、乱高下する連関なき時間とくたびれたタイムテーブルの果てしない綻びの正体を、人々が必死に突き止めようとしている――そんな機能不全の崩壊した時間効率経済に依って立つ一過性のインフラに、疎外と媒介を免れた、稀有な存在のアウラが張りついている。それはジャンクタイムであり、綻びて、どこからどうみても壊れている。ジャンクタイムは打ち砕かれてさすらい、非連続的で分散し、いくつもの組み立てラインを並走する。もし場違いな状況や時機の悪さを体験しがちで、さらには不相応な時を同じくして二つの間違った場所に存在できていたら、それがジャンクタイムの只中にいるということである。ジャンクタイムのもとでは、どんな因果法則も解けていく。始まりの前に終わりが来て、しかも始まりは著作権の侵害で削除済みになっている。そしてその中間にあるものはいずれも、予算の関係でカットされている。全き直接性に貫かれたとめどない存在という発想、その実体的基盤をなすのが、このジャンクタイムなのだ。

ジャンクタイムは擦り切れ、妨害され、ケタミンや神経薬、企業イメージのせいで感覚を鈍らせている。それは、情報が活力ではなく苦しみのもととして出現する、そんなときに生じる。早技的にこなせるという考えが、過去の早とちりだったのだ。今日になったら、クラッシュして成果も出せぬ我が身を悟る。四角い広場《スクエア》をオキュパイしたり〔仕事の〕幅を広げたりと頑張ってみても、誰が学校まで子供を迎えに行ってくれるというのか。ジャンクタイムの決定要因は速度であり、もっと言えば、速度の出せなさである。それは時間の代わりとなるもの、時間の衝突試験用のダミーだ。

　ではジャンクタイムは、存在＝居ることへの高まった希求とどう関係するのか？世の哲学者のお歴々に次のように尋ねてみたいのだが、ここで本章のタイトルが一枚噛んでくるというわけだ。それはこんな問いである。「タスク・ラビット」〔☆1〕とアマゾンの「メカニカルターク」が普及する時代にあって、この「居ること」の過熱した需要は、かの「現存在〔＝そこに居ること〕（Dasein）」なるハイデガーの思想概念に新たな命を吹き込みはしないか。「居ること」が実相を獲得し、やるべき何かに専従するとき、コピー・アンド・ペーストのおよばぬこの存在に対する希求はつまり、現代の多くの活動における事物をくまなく浸す非情なまでの数値・定量化、その実態を明かしているのではないか。それは、来訪者のデータとお気に入りに関する情報を集めながら、その集客数をもって恣意的な重要性を正当化するある種の機関が行っている、人的資源のカウントと軌を一にしてはいないか。掛け持ち仕事を抱えて引き裂かれたジャンクタイム——裁ち屑や端切れのようになって増大しつつタイミング的にはギリギリ、そんな時間の様態が立ちはだかる状況は、疎外や妨害もなく光輝を発し、終わりもなくそして「気遣い」を帯びた恐怖の「現前性《アンヴェーゼンハイト》」、そのキッチュ極まりない類型の素地をつくり出してはいないか？

もしこうしたことの同意をいくらかでも得られるなら、私は本章にこんなタイトルをつけてみたい——「容赦なき現存在《ダーザイン》の戦慄」。何だか、クリストフ・シュリンゲンズィーフの初期映画みたいな響きである［☆2］。

ストライキに話を戻そう。「居ること」の経済性では、ストライキは自然と不在という形式をとる。しかし私が説明を試みてきたような「居ること」はそもそも、待ち受け状態にあって、数値的に様々な段階に位置する、そんな「不在」なのである。ゆえにひるがえって、そうした存在に対立せんとする不在もまた、一定の存在形式を抗いがたく含み込んでいる。この不在が要するのは、様々な戦略的な撤退の手法、もしくは「アウトノミア・オペライア」で言われるような「サボり運動」の形式かもしれない［☆3］。

ここで、ごくシンプルな状況モデルを例に挙げてみたい。《アーティストは不在》という作品があるとして、これがストライキの一形態だと考えてみたいのだ。卓上にただ一台のノートパソコンがあり、そこに前もって録画されたぐっと見つめる表情のループ動画、またはそのアーティストのＧＩＦ画像が映っている。殺風景と言われればそうだが、鑑賞者も似たセッティングで同じように提示できてしまう。なぜって、みる側にしても時間がないのは同じだからだ。さらには、「居ること」の経済性と折り合いをつけて現実的な存在形式を選びとる、そのためのより洗練された定番ともいえるやり方があって、それはこちらの話を聞くふりをしつつ、メールやツイッターをチェックするというものだ。このとき人はジャンクタイムの課題に当たりながら、自らを

——つまりは自らの身体を代役＝スタンド・イン〔スクリーンには映らない代替的演者のこと〕や代理、代理枠という形で使用している。そしてこれは、不在の管理術として全く正当なものなのだ。

さらにはこうも言えるだろう。すなわちこれは、容赦なき現存在の戦慄から抜け出す、そのための一手段にもなっているのだと。

存在が引く手あまたでも、場所や立場を違えるその要求の数々を同時にこなすことはできない。ここで語ったささやかな例は、そうした状況でいかに代理や代役が機能するかを示している。そしてこういった状況から、回避や二重化、目くらまし、虚像のための技術が立ち上がる。それらは代理＝プロキシの政治、スタンド・インと囮《おとり》の政治を繰り広げる。

スタンド・インやプロキシは、非常に興味深い計略である。それが取りうる形として、ボディ・ダブル、スタント・ダブル、スキャンやスキャム、ネットワーク中継、ボットや囮《おとり》、陽動作戦の偽《にせ》戦車、ダミーテキスト、代理戦争の民兵、テンプレート、レディメイド、さらにはベクタ形式の細々としたストックフォトなどがある。これらの計略には共通点が一つあり、つまりそのどれもが、「居ること」の経済性が招くありがちなジレンマを肩代わりするのだ。

ここでほんの一例、パソコン画面上の代理機能としてはいたって判明な一例を挙げよう。広く普及していて誰もが目にしたことのある、以下のような著作権フリーのサンプルテキストだ。

Lorem ipsum dolor sit amet, consectetur adipisicing elit, sed do eiusmod tempor incididunt ut labore et dolore magna aliqua. Ut enim ad minim veniam, quis nostrud exercitation ullamco laboris nisi ut aliquip ex ea commodo consequat. Duis aute irure dolor in reprehenderit in voluptate velit esse cillum dolore eu fugiat nulla pariatur. Excepteur sint occaecat cupidatat non proident, sunt in culpa qui officia deserunt mollit anim id est laborum.

印刷業者用のフォント見本として培われてきたこの代替デザイン、ロレム・イプサム（Lorem Ipsum）は、文章を無作為にまとめ上げたダミーテキストであり、標準的なＤＴＰソフトに搭載されてきた。それは、テキストベースのデジタル産業とそのタスク満載の業態を支えてきたわけだ。使用目的？たぶん入稿データが手元にないから使うのだ。もしかすると原稿はまだ書かれてもいないし、形になるほど集まっていないのかもしれない。もしくは、余白を埋める時間やお金が全然ないとか。それとも、執筆者が疲労困憊しているかぐっすり眠っているか、ほかの何かに忙殺されているのかも。そろそろ、空白であろうとレイアウトに回さねばならない。広告枠の買い手も決まっていて、締め切りもどんどん近づいている。こんなとき、ロレム・イプサムの出番だ。それは多少の猶予期間につながる暫定的なあてがいであり、終わる見込みも情け容赦もない、「居る（在る）こと」への要求に応じてくれる。

しかしロレム・イプサムはダミーというだけでなく、捉え方によっては文書でもある。それは、倫理学に関するキケロの著作『善と悪の究極について』の断片〔抜粋〕でできているのだ〔★4〕。

この著作では、善と悪の様々な定義が引き比べられている。そしてここでの断片が触れている事象は「苦痛」——もとい、その中途で断ち切られた「(苦痛)そのもの」である。意味を追うため原文に当たってみよう。それは次のようなものだ。

Neque porro quisquam est qui dolorem ipsum quia dolor sit amet consectetur adipisci velit sed do eiusmod tempor incididunt ut labore et dolore magna aliqua.

意味はこうなる。「それが苦痛だという理由から、苦痛そのものを愛し、探し、望む者もいない。しかし、苦役と苦痛が大いなる喜びをいくらかもたらす場合がありうる」。ここで言われているのは、より優れた善が後々到来するのを、自己を律しつつ待ち望むということだ。これは満足遅延耐性〔将来のより大きな成果を信じ、克己心や行動力を保つこと〕の古典的事例であり、後世の資本主義におけるプロテスタントの労働倫理、その道徳基盤の一翼となった。

これがロレム・イプサムとなると意味はどうなっているのか。どうもこうも、切り刻まれて「満足」にあたる部分がこんなふうにごっそり消えている。「それが苦痛だという理由から、(…)そのものを(…)しかし、苦役と苦痛が大いなる(…)をいくらかもたらす場合がありうる」。ロレム・イプサムでは、キケロの原文から「喜び」、すなわち見返りに相当するものがひと思いに削られている。「満足」はもはやないのだ。したがって現代では、より優れた善や事後的な何かのために苦痛が耐え忍ばれるのではなく、人々はなぜそうしているのかを理解できないまま、苦痛を我慢している。おまけに成果もプロダクトも賃金も、終わりすらないおそれがある。ロレム・イプサムでは苦痛は目的への通過地点ではなく、ただ訳もなく訪れる。

ジャンクタイム（ネットワーク化した仕事の断片的時間）と連続的時間性の関係は、ロレム・イプサムとその原典の関係に当てはまる。その断片はかき集められてカットアップされ、閉ざされて前後の区別を失い、文書と意味の淀みなき流麗さが奪われる。そして私はジャンブル〔文字の並べ替えゲーム〕のように切り刻まれたロレム・イプサムを読むたびに、暗殺後にフォルム・ロマヌムの説教壇にくくり付けられたという、キケロの切断された頭と両手をどうしても思い浮かべてしまう。

「ベルクハイン」〔ベルリン市内にあるテクノ・クラブ〕に併設された乱交ありのゲイクラブ「ラブ・オラトリー」のホームページには、ロレム・イプサムの別バージョンが存在する。そこには通常のロレム・イプサムとの注目すべき違いがいくつか確認されるが、一つはそれがクラブの規約コーナーに記載されているという点で、要は決まりごとになっているわけだ［★5］。

キケロの文をシャッフルした従来のバージョンと比べると、かなりの変更がみられる。「喜び」という単語、もしくはそれが変わり種として復活している点に関してもそうだ。そこには身体的な鍛練を美徳とする賛辞の言葉も付け足されているが、スポーツユニフォームを着衣するイベント・ナイトが開催される場所なのだから、この意味は完全にお察しである。このバージョンでは、苦痛、喜びとしての被虐、また身体の鍛練やスポーツ、これらが連綿と繰り返される。

このセックスクラブのエチケット・ルールは、喜びの、そして労働やボディ・エクササイズの追求が無限ループを形成している——そうした、聞くからに気分が重くなるような「指示書」なのだ。仕事にやりがいを感じ、トレーニングに勤しみ、セックスをする。この順番で休憩なし、そして繰り返し。これが課せられるというのだから、それはチャーチルの名文句、「もし地獄を進んでいるなら、ただ進み続けるべきだ」のジャンクタイム・バージョンのようなものだ。ただし今や出口はない。進み続けるならさらなる地獄が待ち受けているだけだ。

しかし、行動原理と化したロレム・イプサムを別の視点から捉えても構わないのではないか。喜び、スポーツ、そして苦痛の融合体は嫌というほどエネルギーを奪うから、いっそ自分の代わりにセックスや苦痛、被虐、スポーツなどを引き受けてくれる、代理＝プロキシやダミー、何ならロレム・イプサムを差し向けたくもなってくる。だって本当のところ、このやり方で続けるのはあまりに時間が奪われるし、最中に横目でメールをチェックするのも何だかやりにくい。だったら肩代わりをして「サボり運動」を実現してくれる、かのロレム・イプサムに一任しようではないか。

考えてみれば、動画素材、ずらりと並んだ商品関連のストックフォト、クリエイティブ・ワークのための各種テンプレート、コピー・アンド・ペーストやアグリゲーションが広く支持され、さらには商標の美学、プロキシとしての商標への関心が高まったことは、いずれも「不在」の必要性への潜在的な応答だったといえる。これらはすべて、自身や自身に求められていた作業の代わりとして使用できる、代理＝プロキシだからだ。そしてこれは、いわば「サボり運動」の応用形、ひっきりなしに存在することへと裏口から抗する、ある種のボイコットなのではないか。煩わしい会話を聞いているふりをして、「すごくいいね！」と定期的に言ってみせたり、複数の場に同時に参加や顔出しししているよう見せかけるため、人体の輪郭に切り取ったディスプレイをそっと残して去ったりと、動画素材とテンプレートに頼るというのはつまり、ほとんどそんなことなのだ。

重要なのは、容赦なき現存在の戦慄——技術的要因が助長させてきた注意力と実体性の欠乏と結びついた、この「居ること」の経済性へと対処するために、人々がプロキシを駆使するという点である。

ストライキの決起に挑んだジョルジェヴィチでさえ、アート・ストライキに失敗してからというもの、ある種のプロキシ政治を求め始めた。彼は、「ゴラン・ジョルジェヴィチ」という名でのアーティスト活動をやめてしまった。しかし数年後、なんとあのヴァルター・ベンヤミンの講演会ツアーの技術アシスタントとして活動を再開し、その後はいわば彼の代理という立場をとってきた。ということは、ベンヤミン本人はストライキでもしているのだろうか。これについては、なお謎のままだ。

原注

★1 "An Investigation Into the Reappearance of Walter Benjamin," azlitt.net.

★2 "The International Strike of Artists? Extracts," stewarthome society.org.

★3 William J. Mitchell, *e-topia: "Urban Life, Jim, But Not As We Know It"* (Cambridge, MA: MIT Press, 1999).

★4 *De finibus bonorum et malorum*, sections 1.10.32–3.

★5 これについては以下を参照。lab-oratory.de/info.

訳注

☆1 日曜大工や家事代行を中心に、いわゆる便利屋の労働市場をオンラインで提供するサービス企業。二〇〇八年にカリフォルニアでローンチされ国際的に展開した後、二〇一七年にIKEAに買収された。

☆2 クリストフ・シュリンゲンズィーフ（一九六〇－二〇一〇）は、ドイツのオーバーハウゼン出身の映画監督、舞台演出家。現代美術の文脈で展示やアクションも多く行った。ときに移民嫌悪を全面化させた露悪性や過激な性描写、退廃的な享楽を特徴とする作風で知られる。シュタイエルによる本章のタイトル、「容赦なき現存在の戦慄」の原題は「The Terror of Total Dasein」だが、シュリンゲンズィーフの中期の映像作品『テロ２０００年：集中治療室』（一九九二）にも、同様にTerrorという語が含まれている。ドイツ語のTerrorには恐怖や恐怖政治といった意味のほか、やや砕けた用法でハラスメントやストーカー行為、集中砲火といった現代的語義があり、ここではそうした一方的な強迫が醸す不穏さがイメージされていると考えられる。

☆3 アウトノミア・オペライア（労働者自律性）とは、概ね一九七〇年代にイタリア各地で知識人たちが主導した、労働者の自律を訴える運動のこと。国家や企業への強い批判的姿勢に穿たれ、対抗文化や女性解放運動との接点もみられた。六〇年代の「オペライズモ」（この語としては明晰な定義はなく、『赤い手帖』誌などの出版活動から醸成されていったと考えられる）が社会全体における労働者の自律を唱えつつ工場の労働環境に関与していたのに対し、後年のアウトノミア・オペライアでは、そうした自律性を現実的な行動とともに組織化へと導く傾向がより顕著となる。シュタイエルがここで言う「サボり運動」は、こうしたオペライズモの変節期に思想的関心が寄せられた、工場労働者（とくにイタリア南部から北部に移り住んできた、専門的技能を持たない若年層）による一連の「拒否作戦」（マリオ・トロンティ）の一つと考えられる。仮病などの個人都合によって工場の流れ作業を欠勤する、日常における準ストライキ的行為。

04

プロキシの政治——シグナルとノイズ

Proxy Politics: Signal and Noise

少し前に、スマートフォン・カメラの技術開発に携わっている男性から、とても興味深い話を聞く機会があった。従来の考えでは、写真とは外界にあるものを視覚化する技術なわけだが、これはインデックス的な結びつきを介して十全になされる。しかし、こうしたことは果たしてまだ通用するのだろうか。この開発者が言うには、今日のスマートフォン・カメラは従来のカメラと技術面で大きく異なる。レンズは非常に小さくそもそも廃棄前提のもので、実際、カメラのセンサーが捉えるデータのおよそ半分はノイズなのだ。ここには仕掛けがあって、ノイズ除去のアルゴリズムを書き出すか、もっと言えば、ノイズ内部から写真画像を識別するのである。

そしてカメラはその方法をよくわきまえているのだ。それは、スマートフォンかSNS上に保存された画像を逐一読み取っていき、使用者と接点のあるものをふるい分ける。カメラは〔そのカメラで〕撮影した画像か、または使用者に関係する画像を分析し、最終的に当人と紐づけるため、顔面や外形の照合を試みる。使用者とそのネットワークがすでに撮影したものを対比することで、アルゴリズムは、使用者であるあなたがたった今撮るべきものを予測する。それは過去の画像データ、あなたの記憶と当該のメモリに準拠して、現在の画像を導き出す。この新機軸に与えられた名が、「コンピュテーショナル・フォトグラフィ」である〔★1〕。

この結果として考えられるのは、一度たりとも存在したことがないけれども、あなたがみたいだろうとアルゴリズムが判断する対象、その画像である。このタイプの写真は、思弁的で関係的だ。それは確率面で弱行性(inertia)に傾いた賭けであり、「予見できないものをみる」という営為をいっそう困難なものにする。それはランダムな解釈の量を増加させるが、全く同様にノイズの量も増加させる。

そしてむろんここで考慮すべきなのは、あなたのスマートフォンの記録内容への外部干渉である。企業(companies)、政府、軍など、あらゆる組織はあなたのカメラのオン・オフを遠隔的に行えるし、それが特定の場所で機能障害を被ることもあるだろう。例えば抗議運動の近くでは撮影機能がブロックされ、または逆に、機器に映されるすべてが送信されてしまう。同様に、秘密であり、著作権が保護された、あるいは性的なコンテンツに自動で画素処理を施し、消去、ブロックするよう、機器をプログラムすることもできるだろう。いわゆる「男根アルゴリズム」搭載ということもある。これは、「職場での閲覧不向き（NSFW）」なコンテンツを除外し、アンダーヘアを自動修正し、体の縦横比を変更したりその一部を削ったり、コンテクストを交換したりばらばらに組み込んだりし、位置情報から導かれた広告、ポップアップ、ライブ放送の挿入を行う。それは、あなたやあなたとつながっている人物について、警察、PR企業、スパム発信者に報告するかもしれない。あなたの借金額に関して警告を出し、あなたのゲームで遊び、あなたの心拍数を中継するかもしれない。コンピュテーショナル・フォトグラフィは、これらすべてをカバーしうるほどに機能を拡張させてきた。

それは、制御系ロボティクス、対象認識、機械学習といった技術を接合する。だから、スマートフォンでの撮影で得られる成果は、事前に企図されているというより、あらかじめ媒介されている、と言ったほうが近い。コンピュテーショナル・フォトグラフィは、交通管制、医療データベース、フレネミー〔友達のふりをした敵〕だらけのフェイスブックのフォトギャラリー、クレジットカード情報、地図など、見境なく多様なデータベースを縦横に参照するだろう。そしてこれを理由に、画像は予測できないものを視覚化するといえるのだ。

関係性の写真

コンピュテーショナル・フォトグラフィはしたがって、本質的に政治的なものだ。政治的というのは、内容ではなくその形式においてである。それは関係的なだけでなく真に社会的でもある。何しろ画像が可視化される前の時点ですでに、そこに干渉しうる無数のシステムと人々が潜在しているのだ[★2]。このネットワークはむろん中立的ではない。そのプラットフォームはルールと規範を伴うが、それらは、法的、倫理的、美的、技術的、商業的な位相に属し、また機密性の面で隙のある、パラメーターとエフェクトの混合体となって現れる。あなたが自身の画像のなかで修正や加工されたり、「尋ね人」扱いされたり、勝手にリダイレクトされたり、課税、削除、モデルチェンジ、代置されたりするというのは、全く起こりうることなのだ。カメラは記録機器というより、社会的な投影装置となる。カメラは、カメラ自体の判断に基づくあなたにおすすめのルックスと、他人の考えに沿ったあなたが買うべきものやなるべきもの、この二つをぴったり重ねて目の前に出してくる。ただし、技術が独自に物事をなすようなことは稀である。技術は多くの実体によってプログラムされており、目的も互いに相容れない複数が存在している。そしてその政治性において重要なのは、情報からノイズを切り離す方法を打ち立てることだ[★3]。

では、情報からノイズを分離する方法、または、そもそもノイズと情報をそれ自体として規定する方法として、どんなものが導入されているのだろう。誰、あるいは何がカメラの「みる」ものを決めるのか?それはいかになされるのか。誰、または何によって?そして一体、なぜそれは重要なのか?

ペニス・プロブレム

一つの事例をみてみよう。顔とお尻、つまり「承認できる」身体部位と「承認できない」それとの間に、線引きをする事例を。Facebook（フェイスブック）がButtbook（お尻ブック）ではなく「顔」ブックと名付けられているのにも訳がある。フェイスブックにお尻の画像は載せられないからだ。だがどうやってお尻を排除しているのだろう?とあるフリーランスの人物が、怨嗟からリストをリークしたことがある。このリストから発覚したのは、フェイスブックの「顔」が構築、維持される上での事細かな指示だった。その細目はもうおなじみのもので、つまり裸と性的コンテンツは固く禁止。ただしアート系のヌードと男性の乳首は大丈夫。しかしくわえてこのリストが明らかにしていたのは、暴力関係の規約がはるかに緩いということだった。斬首と大量の血さえ、「承認できる」側に入るのだ[★4]。ガイドラインには、「内臓がみえていない限り、潰れた頭部、四肢などは許容範囲」とある。「深めの創傷、大量の血液も可」。これらのルールは未だに人的労力のもとチェックされている。この労力とは正確には、トルコ、フィリピン、モロッコ、メキシコ、インドなど、世界各地にいながら、時給約四ドルで在宅勤務している下請け労働者たちだ。その仕事は、「承認できる」身体部位（顔）と「承認できない」身体部位（お尻）を分けることだ。そもそも、公に出されるイメージに対してルールがあること自体、何ら問題はない。ある種のフィルタリングの作業は、オンラインのプラットフォームでなされねばならない。市場的な需要があろうとなかろうと、リベンジポルノや暴力行為の視覚物を送りつけられて嬉しい人間などいないからだ。問題は線引きのポイントと方法、その担い手、また誰の名においてそれが行われるかだ。シグナルとノイズ。この二つの弁別主体とは、一体誰なのか？

ここで、性的コンテンツの削除という点に立ち返ってみよう。顔認識システムのようなアルゴリズムはそこに存在するのか。この問題が表沙汰になった最初の事例が、世に言う「チャット・ルーレット問題」だ。「チャット・ルーレット」とはロシア発祥のオンライン動画サービスで、ユーザーにウェブ上での出会いを提供していた。これがたちまちヒットしたのは、低評価ボタンがはるかに礼儀正しいとさえ思えてしまう「次へ行く」ボタンのせいで、サイト訪問者数は二〇一〇年までに月次で一六〇〇万人という爆発的増加を果たした。だがそこで持ち上がったのが、いわゆる「ペニス問題《プロブレム》」である。多くの人々は裸になった赤の他人との交流を目当てに、このサービスを利用していたのだ［★5］。この問題の「解決」に向けてインターネットで行われたコンテストの優勝者は、次のような名案を出した。このビデオ・チャットがオンのとき、顔認識システムか視標追跡スキャンを迅速に起動するというのだ。つまり顔面が認識されなければ、その論理的帰結としてペニスが映っている可能性が高いということだ［★6］。

そしてまさに同様の方法を取り入れたのが、イギリスの政府通信本部だった。その名も「オプティック・ナーブ」という監視プログラムで、ユーザーのウェブカメラの静止画を断りなく大量に抜き出したのだ。顔面と、眼球の虹彩の認識技術向上を目標に、一八〇〇万人のYahooユーザーのビデオ通話が傍受された。しかし案の定、全体の約七パーセントには顔が一切映っていなかった。そこでチャット・ルーレットでの提案同様、同機関はすべてに対して顔認識システムを稼働させ、顔ではないという理由からペニスの排除に取りかかった。そしてこれは功を奏さなかったのである。リークされた資料で、政府通信本部は敗北を認めている。「不快物を検閲する完璧な方法など、存在しない」［★7］。

後続で図られた解決法は、これよりやや洗練されていた。「確率論的ポルノ検出法」というのがそれで、画像の特定範囲の肌色を帯びた画素量を計算するのだが、その際に次のような複雑な分類法が設けられている。

a　画像サイズに対して、肌部分の画素の比率が一五パーセント未満のとき、画像に裸は写っていない。該当しない場合、以下に進む。

b　肌の最大範囲における肌の画素数が、肌全体の三五パーセント未満のとき、また第二に大きな範囲における肌の画素数が、肌全体の三〇パーセント未満のとき、さらに、第三に大きな範囲での肌の画素数が、肌全体の三〇パーセント未満のとき、画像に裸は写っていない。

c　肌の最大範囲における肌の画素数が、肌全体の四五パーセント未満のとき、画像に裸は写っていない。

d　肌の範囲全体が、画像の全画素数の三〇パーセント未満のとき、さらに、境界ポリゴン内の肌画素数が、ポリゴンの表面積の五五パーセント未満のとき、画像に裸は写っていない。

e　肌範囲の数が六〇以上に上り、さらにポリゴン内の平均明度が〇・二五を下回るとき、画像に裸は写っていない。

f　以上に該当しない場合、画像には裸が含まれる。[★8]

しかしこのメソッドはすぐに失笑を買った。ミートボールの包み料理や戦車、マシンガンなど、誤って多くのものがクロ判定されたのだ。より最近のポルノ検出アプリでは、ニューラル・ネットワーク、コンピュータ動詞理論およびコグニティブ・コンピュテーションに基づく自己学習技術が採用されている。その試みとは、統計学的手法によって画像情報を臆断するのではなく、対象をその諸関係に基づき同定することで、イメージを認識するというものだ[★9]。

開発者であるタオ・ヤンの語るところでは、近年では認識そのものの定量化、またその測定および計算の確立に基づく、「コグニティブ・ビジョン・スタディーズ（視覚認識研究）」なる一つのまとまった分野が存在する［★10］。技術面では高いハードルが残るものの、この試みは全く異なる次元での形式化を意味している。すなわちそれは、未到の領域であった画像の系列化とその文法化、またセクシュアリティ、監視、生産性、評判《レピュテーション》の、そしてコンピュータ演算のアルゴリズムに基づくシステムであり、さらにそのシステムは、企業と政府による社会関係の文法化とも紐づけられる。

では、これはどう機能するのだろう。ヤンのポルノ検出システムで必要なのは、「好ましくない」部位の関係項を推定すべく、膨大な量のそうしたパーツをみていき、その認識方法を学習することだ。要は最初に、消去したい身体部位の写真を大量にコンピュータに保存する。データベースには、「プッシー」「乳首」「肛門」「フェラ」のほか、「肛門」や「肛門オンリー」、「肛門プラス、プッシー」など、体のあちこちがたっぷり詰まったフォルダがあって、関係性の形式化に向けた手はずが整えられている。そしてこのライブラリ機能を基盤にして、「乳検知」や「プッシー検知」、「陰毛検知」「クンニ検知」「フェラ検知」、また「肛門検知」や「手淫検知」といった多彩な検出システムの操作が可能となる。これらはまた、「蓮《はす》」や「蛸《タコ》」、「屈曲位」、はたまた「チェンバース・ファック」「フレイザー・マッケンジー」「深山《みやま》」「チェロ弾き」、そして「ゲーム観賞」など、興味深いセックスの体位を探査する（正直、「フレイザー・マッケンジー」って響きだけで何やら不穏な感じもする）。

この文法と部分対象の収集や整序は、ロラン・バルトによる「ポルノ文法」という概念を想起させる。バルトはこの語とともに、マルキ・ド・サドの著述を、いかなる組み合わせにも改編できる体位と身体部位の体系として語っていた［★11］。ただし見方次第では、この周縁的で冷遇されるシステムには、いわゆる啓蒙主義の時代に萌芽した、より普遍的な「知」の文法が影を落としている。ミシェル・フーコーのほか、テオドール・アドルノとマックス・ホルクハイマーは、サドの性的システムを本流となる等級化の体系と引き比べていた。この二つが結びつけられる際に基準となったのは、集計と選別、そして徹底的に細則化された、長大な分類法の確立である。ヤン氏は、身体部位とその相互関係の形式化に努めたわけだが、これもまた似たように、認識やイメージ生成、態度そのものを漸進的に定量化し、それらをデータ化された交換価値のシステムに比率計算して振り分けるという、大がかりな試みの一つの形である。

かくして「好ましくない」身体部位は、コンピュータによる可読性をそなえた、画像ベースの新たな文法のエレメントとなる。この文法は通常、評判をベースとする制御系ネットワークと並行して機能しうるが、いつでもそれとのリンク形成が可能だ。その構造には言うなれば、収集やアグリゲートされ、また金銭の流れにも関係しうるデータベース形式という、「知」の現代的なあり方が反映されている。そしてこの「知」は、技術と一体化し、一定の社会的側面を持ったアルゴリズムの狂騒から、絶え間なく奔出するのである。

ノイズと情報

最初の問いに戻ろう。ノイズ除去によって情報を得る社会的かつ政治的なアルゴリズムとは、どんなものか。繰り返せば、ここでの焦点はアルゴリズムではなく政治性のほうである。ジャック・ランシエールは、この種の線引きが遠い過去に存在した社会形式と符合することを、的確に明かしてみせた。群衆を市民と暴徒に二分するにあたっての、騒音と発話の区別がそれだ［★12］。他者に耳を傾けたくない、または他者の権利と立場を限定したい。そんなとき、そうした存在の発話がただの騒音や意味をなさない呻き、叫び声なのだと自らに言い聞かせ、その者たちは理性を欠き、ゆえに主体にはなれず権利を持つはずもないのだと、そう考えてみる。この種の政治性が依拠するのは、言うなれば意図を介入させたコード変換の営為である。「情報」から「ノイズ」、「呻き」から「発話」、「お尻」から「顔」が引き離され、そしてその成果は寸分違わず、垂直方向に等級化されたヒエラルキーへと積み上げられていく［★13］。スマートフォン・カメラの技術に現在応用されていて、画像が出てくる前にそのお膳立てをするアルゴリズムも、これに類するものである。

このランシエールの命題に照らせば、代表制政治という旧来の概念はなお考慮に値するものだろう［★14］。仮に誰もが声を通じ（ないしは視覚的に）表象されれば、その人々はノイズとして軽んじられず、世界は平等に近づく。しかしネットワークが激動に晒された末に、代表制政治のパラメーターはほぼ例外なく変化をきたしている。今日ではますます多くの人々が、有り余るほどの自己表現コンテンツをアップロードできるようになった。他方で、議会制民主主義における政治参加はレベルを落としたかに思える。無数の画像が漂流していくなか、エリートたちは権力を縮小、中央集権化させている。

この状況のもとで、あなたの顔はあなたのお尻だけでなく、あなたの声や身体＝組織（body）ともお別れをする。あなたの顔は今や一つのエレメント、「顔プラス、スマートフォン」であって、収集済みのほかのどんなアイテムとも合一可能である。必要ならキャプションが足され、表面加工が施される。顔面認証データが採られ、イメージは表象＝代表というより、プロキシ＝代理、何者かを装う報酬目当ての輩、浮遊するテクスチャー／表層のコモディティとなる。人称はモンタージュされ、声を差し替えられ、アセンブルされ、束ねられる。人間とモノは随時更新中の集合体で攪拌され、ボットやサイボーグとなる［★15］。情動や思考、社会性をアルゴリズムへと投げ込めば、当のアルゴリズムがかつて主体性と呼ばれていたものを送り返してくる。そしてこうした転回の行く末にあるのが、情報空間を漂うポスト表象の政治的力学なのだ［★16］。

プロキシ軍団

ポスト表象政治を担うものの一つに、ツイッターで政治に関わるボット軍団がある。ツイッターのボットは、ソーシャル・メディアで人間が発信している状態を装った小規模のスクリプトで、同時多発的に広がり、政治的にも無視しがたい軍事的集合体となっている[★17]。個人の「顔」を装ったアルゴリズム、せわしないスパムと化した定型文、人間の手入力にみせかけたスクリプト機能、それがツイッターのチャットボットなのだ。

ボット軍団は広告や観光地のイメージのほか、あらゆる代物をスパムの形で送りつけ、ツイッターでのハッシュタグ付きの議論を引っかき回す。要するにノイズを付加するのだ。ボット軍団の活動拠点には、メキシコ、シリア、ロシア、トルコなどがあり、またこの国々の政党の多くがボット軍団の操り手だと言われてきた。トルコではこんな疑惑があった。同国の実権を握る公正発展党（AKP）だけで、一万八〇〇〇のフェイク・アカウントをツイッター上で管理しており、ロビー・ウィリアムズやミーガン・フォックスといったセレブたちの写真画像がそこで流用されていると。「このアカウントは、つぶやくときにAKPというハッシュタグを足すが、それらしくみえるよう、トマス・ホッブスのような哲学者や、『P.S. アイラヴユー』などの映画からの引用も忘れない」[★18]。

ではこのボット軍団とは、誰の（その「誰か」がいるとして）代表なのだろう。そしていかに代表するのか。公正発展党のボットたちを覗くと、ロビー・ウィリアムズやミーガン・フォックスのほか、「@Hakan43020638」というアカウントが目に入る。そのいずれもが、公正発展党の前首相（現大統領）であるレジェップ・タイイップ・エルドアンをフィーチャーした、「フラッピー・タイイップ」という携帯ゲームを宣伝している。その狙いは、エルドアン首相が掲げたツイッター禁止令に抗議する、「トルコでもツイッターを（#twitterturkey）」というハッシュタグの流れを占領したり、それをスパムのように送りつけたりすることだ。他方でエルドアン当人のツイッター・ボットが、そのハッシュタグの文脈を塗り替えようとする［☆1］。

このハーカン（Hakan）というボットをもう少しみてみよう。その中身は、コピー・アンド・ペーストで引っ張ってきた「顔」と不正広告だ。グーグルの画像検索で試せば、たった数分でその「顔」を「体」とつなげられる。ハーカン〔トルコ語で「支配」の意〕のビジネス用アカウントをたどると、なんと自身の下着を売りに出している。彼は、オンラインで情動サービスを提供する労働者なのだ［★19］。このカオスぶりであるから、いっそこちらをムラト（Murat）〔トルコ語で「欲求」の意〕と名付けておこう。とすると、ムラトの顔の背後にいるボットとは誰なのか。また、ボット軍団は誰の代表なのだろう。なぜハーカンは、並み居る哲学者たちのなかからあえてトマス・ホッブスを引用対象に選ぶのか。そしてその著作となると何なのか。彼が、ホッブスの主著である『リヴァイアサン』を引用しているのだと考えてみよう。リヴァイアサンとは、人間同士の闘争が生じる「自然状態」の危機を避けるために、絶対君主が施行する社会契約のことだ。リヴァイアサンのもとではもはや民兵はおらず、誰もが敵対関係に置かれうるような、分子状の戦闘状態も失せている。

しかし今日、この種の社会契約に根ざした国家機構はあらゆる場に霧散しているかのようだ。見当たるのはもう、管理された関係的なメタデータ群、絵文字、乗っ取り済みのハッシュタグくらいしかない。ボット軍団は現代版「民の声」[☆2]、ソーシャル・ネットワークに規定された人民の声だ。その正体は、フェイスブックでつながった無頼の民や安く買い叩ける駒たち、金次第で動くデジタル要員、またはある種の「代理ポルノ」かもしれない。こういったボットの一つで、あなたの写真が使われていると想像してほしい。そのときまさに、あなたの画像は驚くほど自律的、能動的になり、戦いに挑みさえする。ボット軍団はセレブと民兵の複合体であり、きらめくオーラ、派閥抗争、ポルノの世界、政治的腐敗、保守派の宗教イデオロギーなど、万態を大胆に移ろう。ポスト表象＝代表の政治とは、「ハーカン」対「ムラト」や「顔」対「お尻」など、しのぎを削り合うボット軍団の抗争のことなのだ。

かくして公正発展党の息がかかったポルノ・スターのボットは、血眼でホッブスの引用をツイートする。みんなもう、うんざりしているのだ。ロビー・ウィリアムズ（イスラエル国防軍）とロビー・ウィリアムズ（シリア電子軍）、またはロビー・ウィリアムズ（制度的革命党／庶民党）たちの諍いに。独裁者に代わってスパムをリツイートすることにも。『リヴァイアサン』だろうが『白鯨』だろうが、さらには「フラッピー・タイイップ」だろうが、彼らが望むのはあくまで、託児所や介護、銃の規制、適正料金の歯科治療といった課題に向き合ってくれる存在者なのだ。ボットたちはまるでこう言っているかのようだ。「くれるものなら、この際どんな社会契約でもありがたいんだけど」［★20］。

以下では、さらに一歩考えを進めてみよう。これに代わるモデルは、すでに生まれつつあるように思うのだ。そして当然そこにもまた、アルゴリズムが介在している。

ブロックチェーン

ブロックチェーンに基づく統治は、新たな形の社会契約への希望を満たすものに思える［★21］。ビットコインの稼働と検証に用いられる機構とそれほど変わらずに、ブロックチェーン上で遂行されるトランザクション。その記録と保存を担うのが、「自律分散型組織」である。このデジタルの公的台帳を使えば、同様に投票や法律をコード化することも夢ではない。非中央集権型の投票および立法システムを目下開発中の機関に、「ビット・コングレス」がある。重要なのは、そのシステムが言質《げんち》と独裁回避のモデルになりうるという以上に、テクノロジーと一体化したその社会規範が、「リヴァイアサン２・０」の形をとるという点だ。

トラストレスであり、人的営為から遊離したブロックチェーンは、その設計に関わるプログラマーの手を離れると、アルゴリズムによる支配という懸念を一掃する。(…)これは実質的に、インターネット上のテクノ・リヴァイアサンのビジョンであって、我々が契約を結びうる規範の主《ぬし》たる、神聖な暗号君主なのである。[★22]

これは、主管機構なき分散型プロセスということだが、コントロールの主体が存在しないわけではない。スマートフォンの写真術と全く同様に、そこでは機能の方法が教え込まれる必要がある。そしてこれを促すのが、無数の利害関係が対立しているという、その状態そのものなのだ。とくに注目すべきは、ボットが代理の「人民」だったのに対し、これによって統治体制のボットが登場することになる、という点だ。とはいえ、ここで言うボットはどんなもので、誰にプログラムされているのか?それはサイボーグなのか。そこに顔やお尻はあるのか。あるとすれば、線引きするのはどんな存在だろう。ボットとは、社会と情報のエントロピーの支持体かもしれないし、殺戮マシーンなのかもしれない。あるいはすでに私たちが仲間入りを果たしている、新たな群衆なのかもしれない[★23]。

冒頭で触れていた点に戻ろう。どうやってノイズからシグナルを選り分けるのだろう。過去の政治的手練は、統制の目的でこうした弁別に依拠していたわけだが、それはアルゴリズムの技術によってどう変わるのか。ノイズ検出法の主流はどの事例をみても、スクリプト操作、表象および(もしくは)決定行為の自動化に移っている。しかしこのプロセスは、ややもすればフィードバック効果の多発につながり、そうなれば、表象は複製の作用から外れた、まるで天気模様のような予測困難な機能となる。可能性はどこまでいっても、起こりやすさ＝尤度《ゆうど》の数値変動から逃れられない。現実とは、規模を拡大した確率計算法における一つの因子にすぎないのだ。そしてプロキシ＝代理が準・自律的アクターとしての重要性を得るのは、こうした状況においてなのだ。

プロキシ政治

プロキシ政治についてもっと知るため、まずはチェックリストを作成してみよう。

・あなたのカメラは、あなたの写真に写るものを決定するか。
・あなたが笑顔になるとき、それは突然作動するか。
・そして今度はあなたが微笑まないと、それはセンサーを起動するか。
・ブラジル、ロシア、インド、中国で、アウトソースされた低賃金の案件を受けるＩＴワーカーは、あなたのＳＮＳに流れる授乳や斬首のイメージに、目を光らせているか。
・エリザベス・テイラーはあなたの仕事についてツイートしているか。
・あなたの別のファンがやっている複数のボットは、あなたの仕事を成人向けの放尿ポルノに分類するつもりか。

・これらのボットのいくつかは、身体の開口部と併せ、地理的な位置情報をせわしなくリスト化しているか。

・総合結果は、以下のようになっているか。

(*'l`*)
(*'σз`)〜♪
(*'台`*)
(*≧∀≦*)
(*゜エ゜*)
(*ﾉ∀`*)
(/∇*)。oO♡
(/ε*) (/ε*) (/ε*)

プロキシ政治の時代へようこそ!

Fatima Tühey
tinyurl.com/sfktube #DESI #TEEN #PORN #NAKED #HORNY #LATINA #porno #uae Hito Steyerl: 'How Not to Be Seen'
9 hours ago Reply Retweet Favorite
Elizabeth Taylor
tinyurl.com/sfktube #Dating #cams #teen #lesbian #horny #sexysunday #young "Hito Steyerl: 'How Not to Be Seen'"
9 hours ago Reply Retweet Favorite
Fatima Tühey
tinyurl.com/sfktube #porn #sex #video #naked #Latina #milf #anal #freeporn #xnxx #xhamster Hito Steyerl: 'How Not to Be Seen'
9 hours ago Reply Retweet Favorite
Hatice Havva
bit.ly/1ja4bll Hito Steyerl: 'How Not to Be Seen'
9 hours ago Reply Retweet Favorite
Leyuze Elizan Oliv
bit.ly/1ja4bll #porn #gay #sex #sexo #porno #xnxx #ksa #uae #sexfilme #pornos #xxx Hito Steyerl: 'How N
Be Seen'
9 hours ago Reply Retweet Favorite
Fatima Tühey
tinyurl.com/sfktube #porn #piss #pee #peeing #peefetish #pissing #watersports #mom #mature Hito Steyerl: 'How Not to Be Seen'
9 hours ago Reply Retweet Favorite
Leyuze Elizan Oliv
bit.ly/1ja4bll #sex #videos #oral #pissing #anal #sexo #sperm #saudi #ksa #uae #syria #suadi Hito Steyerl: 'How Not to Be Seen'
9 hours ago Reply Retweet Favorite
Fatima Tühey
tinyurl.com/sfktube #uae #porn Hito Steyerl: 'How Not to Be ...
9 hours ago Reply Retweet Favorite
Fatima Tühey
tinyurl.com/sfktube #uae #dubai #sikiş #göt "Hito Steyerl: 'How Not to Be Seen'
9 hours ago Reply Retweet Favorite
Fatima Tühey
tinyurl.com/sfktube #Amateur #arse #Latina #gapes Hito Steyerl: 'How Not to Be Seen'
9 hours ago Reply Retweet Favorite

ウィキペディアによれば、プロキシとは「他者代行の権限を与えられた仲介、もしくは代替。または、そうした仲介に代行権利を与えるドキュメント」のことだ。しかしプロキシは今や、成果の安定しないデバイス、一人二役でどっちつかずのちっぽけなスクリプトだったりもする。性器まわりのピクセルの確率論にしびれを切らせた、「四十八手の体位」の検出機能ということも考えられるし、インスタグラムのフィードにプーチン支持派のヘアローションの広告を平然と貼り付けていく、チャットボット代表団なのかもしれない。そんな感じであなたの人生を台無しにする（人生にしてみたら結構な辛《つら》みとなる）、はるかに手に負えないものかもしれない。

プロキシは、ノイズ除去を課せられたデバイスやスクリプトであるとともに、当のノイズを必死に生産するボット軍団でもある。それは仮面、人称性、アバター、伝送路、接続点、テンプレート、または無標の代理枠《プレイスホルダー》である。そこには予測不可能性という特徴が共通してみられるが、このことは、それらが蓋然性の極致化の果てに生じると考えれば、なおさら逆説的である。ただしプロキシとはボットやアバターだけでなく、またプロキシ政治はデータ環境に限られてもいない。いたって典型的な闘争形態であるプロキシの戦い、すなわち「代理戦争」を語る上で欠かせないのが、スペイン内戦である。プロキシは地政的な関係構造に、模倣、虚像、歪曲、そして混乱を加算する。民兵を装った軍隊（またはその逆バージョン）は領土を再編するか破壊し、主権を再分配する。中隊がゲリラ兵のふりをし、外人部隊が衛戍地《えいじゅ》でセールスパーソンの役を担う。プロキシ軍団の構成員は、何だかんだと自身の信条を飾り立てる、雇われた荒くれ者だ。警備部門、民間軍事会社、フリーランスの叛徒、武装したスタンド・イン〔スクリーンには映らない代替的な演者〕、国家お抱えのハッカー、そしてたんなる妨害者――これらの差異が判然としなくなる。そしてここで思い出されるのは、植民地帝国の確立にあたり「会社軍」が重要な役割を果たしたこと（とくに東インド会社）、またcompany（会社、中隊）という語が軍隊の呼び名に由来することだ。代理戦争とは、ポスト・リヴァイアサン的な現実態の最たるものである。

こういった営為はいずれも、今日ではインターネットに場を移している。そしてそれが意味するのは、広報活動というものが代理＝プロキシ戦争と（部分的に）一体化しており、その手段も多様であるということだ［★24］。マーケティングの方法が暴動鎮圧の作戦に応用されるいっぽう、一進一退の技術競争に晒された、政府によるハッキングの（および、対ハッキング作戦としての）キャンペーンが様々に展開される。ただし、トルコの左翼系ハッカー集団「レッドヘク」の証言によれば、アンカラ警察のサーバーのパスワードは「12345」であったというのだから［★25］、この技術向上に関しては例外もある。

「ハンバーガーのパテは、ときに牛を再編する」と聞いて、どう思うだろう。しかし、「インターネット上のプロキシ政治は、地政学を再編している」と述べるのは、おそらくはそんなことに近いのだ。ミートローフを用意しようと思ったら、牛の部位に樹脂や化石燃料の残りかす、そしてかつて紙と呼ばれていたものがアレンジされるように［☆3］、プロキシ政治は、会社＝中隊、国民国家、手先となるハッカー、国際サッカー連盟、ケンブリッジ公爵夫人を、どれも等しく欠かせぬ実体として位置づける。こうしたプロキシは、地理や国家司法との関係を一部欠いたネットワーク環境を生み出し、これによって領土をばらばらに分断する。

しかしプロキシ政治は、これとは反対の方向から機能することもある。シンプルかつ言わずと知れたプロキシ政治の一例に、ローカルなウェブの検閲や交信制限を回避する、プロキシ・サーバーがある。オンライン制限から逃れてIPアドレスを隠したい、そんなときに利用されるのが、仮想プライベートネットワーク（VPN）と呼ばれるようなインターネット・プロキシだ。そしてその利用時にはおしなべて、プロキシ政治が別の顔を覗かせる。VPNはイランや中国といった国々で多用されるが［★26］、実際には多くの国家で、厳しい検閲を行う政府に近しい会社企業もまた、VPNを使用している。これはいかに不合理が効率性に包摂されうるものかを、分かりやすく暴露しているようなものだ。トルコの人々はもっと仕組みの緩い方法に依拠しており、同国のデータ・スペースからの抜け道をつくるべく、ドメイン名システム（DNS）の設定を変更していた。これによって人々は、エルドアンによる不発に終わったツイッター禁止令の期間中、表向きには香港やベネズエラからツイートしていたのだ。

プロキシ政治で問われるべきは以下の点である。いかにスタンド・イン＝代役の起用（または、スタンド・イン側からの活用）によって機能し、表象＝代表を果たすか。また、外部のシグナルやノイズを転用するために、媒介手段をどう用いるか。そしてプロキシ政治それ自体もまた、ひねりを加えられ、再配置されうるものだ。プロキシ政治は、表層、接続点、地勢、そしてテクスチャーをスタッキングするか、もしくはそれらを互いから引き離す。身体＝組織（body）の部位の連結を断ち、そのスイッチを入れたり切ったりし、「お尻付きの顔」のような、しばしば驚くような予見しがたい組み合わせを差し出してくる。それらは、顔やお尻に関しておそらくは鉄則と化した取り決めや、さらにはこの二つが同一の体に帰属すべきだという発想すら揺るがしかねないものだ。リヴァイアサン、ハッシュタグ、法人、国民国家、植毛機器、または特別機動隊に転ずる傭兵などが、プロキシ政治の空間にある身体と考えられるものの正体だ。プロキシとスタンド・インの双方によって、身体にさらなる身体が重ねられる。しかしこうした組み合わせはまた、果てしない不可視の状況に直面すべく、際限なき表層領域から、身体＝組織（およびその部位）を減算し、消し去りもする。だが結局いえるのは、次のようなことなのだ。つまりもしお尻がないままだったら、顔は着座することができない。このときそれは、自らの立ち位置を公に向けて明らかにしなければならない。ひるがえって、お尻に顔がない場合、ほぼどんな交信の状況であっても、そこで代役が立てられねばならない。立場《テイク・ア・スタンド》を公言することとスタンド・イン＝代役の起用。この二つの事象の間に生起するのが、プロキシ政治なるものなのだ。さらにそれはこんな領域に存在している。その領域は、転位《ディスプレイスメント》／立ち去り、保存／積み上げ、潜匿／虚像、そしてモンタージュで構成されている。そしてそこでは、どん底の事態と最上の出来事、この両方が生じるのである。

原注

★1 Daniel Rubinstein and Katrina Sluis, "Notes on the Margins of Metadata: Concerning the Undecidability of the Digital Image," *Photographies* 6:1 (2013), 151–8.この概念に関するカトリーナ・スルイスの著述とインタビューも参照のこと。

★2 ノイズおよび情報の規定と緊密な関係を持つ政治的力学については、以下を参照。Tiziana Terranova, *Network Culture: Politics for the Information Age* (London: Pluto, 2004).「情報のカルチュラル・ポリティクスが含み持つのは、コミュニケーションの極小条件（シグナルとノイズの関係性、および接点確保の問題）への回帰という側面である」(10)。

★3 これは、クロード・シャノンによる一九四八年の画期的な論考の柱となる情報理論、その立脚点となった問いである。むろんそれは、多種多様なプラットフォームを越えてこれらのパラメーターをネットワーク化させ、調節する術を見いだすという試みにおいても、重要な役割を果たしている。以下を参照。C.E. Shannon, "A Mathematical Theory of Communication," *Bell System Technical Journal* 27:3 (July 1948), 379–423, and 27:4 (October 1948), 623–56.〔クロード・E・シャノン、ワレン・ウィーバー『通信の数学的理論』植松友彦訳、ちくま学芸文庫、二〇〇九年〕

★4 Adrian Chen, "Inside Facebook's outsourced anti-porn and gore brigade, where 'camel toes' are more offensive than 'crushed heads'," gawker.com, February 16, 2012.

★5 Brad Stone, "In airtime video chat reboot, nudists need not apply," businessweek.com, June 5, 2012.

★6 Nicholas Carlson, "Here's THE solution to Chatroulette's penis problem," businessinsider.com, April 8, 2010.

★7 Spencer Ackerman and James Ball, "Optic Nerve: millions of Yahoo webcam images intercepted by GCHQ," *Guardian*, February 28, 2014.

★8 Rigan Ap-apid, "An Algorithm for Nudity Detection," wenku.baidu.com.

★9 アメリカ合衆国のヤン科学リサーチ有限会社（YangSky）による、動画と静止画像用のポルノ検出ソフトは、以下で入手可能。yangsky.com.

★10 Tao Yang, "Applications of Computational Verbs to Effective and Realtime Image Understanding," *International*

Journal of Computational Cognition 4:1 (2006).

★11 ギリッシュ・シャンブーは、バルトの『サド、フーリエ、ロヨラ』についてこう述べる。「サドの体系には（バルトによると）言語同様に固有の文法（「ポルノ文法」）があり、これはいくつかの基本要素からできている。その枢軸となるのは性交時の体位であり、ほかには男女の性別、社会的地位、また例えば女子修道院、地下牢、そして（なんと！）寝室といったロケーションなどがある。その上でサドは、むっちりと（失敬！）詰まった具体的可能性を入念に準備すべく、あらゆる徹底した並び替えでもって、これらの要素を組み合わせる」。girishshambu.blogspot.de.

★12 Jacques Rancière, "Ten Theses on Politics," *Theory & Event* 5:3 (2001).〔ジャック・ランシエール「政治についての10のテーゼ」杉本隆久、松本潤一郎訳『VOL』第一号、以文社、二〇〇六年、二四－三三頁〕

★13 むろん、これ以外のあらゆるヒエラルキーも例外ではない。

★14 ランシエールがこの概念に言及したのは以下が最初である。Jacques Rancière, *La Mésentente* (Paris: Galilée, 1995).〔ジャック・ランシエール『不和あるいは了解なき了解』松葉祥一、大森秀臣、藤江成夫訳、インスクリプト、二〇〇五年〕それ以降、音声とイメージの政治的力学は、インターネット・ベースのソーシャルメディアによって劇的な変化を遂げた。

★15 ダナ・ハラウェイのよく知られる記述に従えば、サイボーグとはサイバネティックな有機体、機械と生体のハイブリッド、社会的現実とフィクションの双方における生物である。以下を参照。Donna Haraway, "A Cyborg Manifesto: Science, Technology, and Socialist-Feminism in the Late Twentieth Century," in *Simians, Cyborgs and Women: The Reinvention of Nature* (New York: Routledge, 1991), 149–81.〔ダナ・ハラウェイ「サイボーグ宣言——一九八〇年代の科学とテクノロジー、そして社会主義フェミニズムについて」小谷真理訳、ダナ・ハラウェイ、サミュエル・ディレイニー、ジェシカ・アマンダ・サーモンスン、巽孝之『サイボーグ・フェミニズム』（増補版）、水声社、二〇〇一年、二七－一四四頁。なお、当該訳は初出版からの邦訳であり、記載原典はその改訂版。〕

★16 テラノーバは表象の空間と情報空間を区別している。(*Network Culture*, 36).

★17 世論に影響をおよぼすためにボットを利用することを「アストロターフィング」という。各論説の主張では、社会的な場に向けて大量のボットが創出されるとき、その考えうる用途は、例えば大量のフェイクメッセージを書いて世論にバイアスをかけたり、不正によって、時事に対する世間の反応を色好く変えたり、損ねたりすることである。

★18 後続する諸例の典拠は、トルコのツイッター・ボット軍団に関するピーター・ナットとディーター・レーダーの調査である。これはとくに以下で引用されている。Elcin Poyrazlar, "Turkey's leader bans his own Twitter bot army," vocativ.com, March 26, 2014.

★19 もしあなたが若くて白人の血が入っていると思わせる外見なのに、まだ公正発展党のボットでなかったとしたら、遠からずそうなっても不思議ではない。

★20 意外というわけでもないが、欧米のシークレット・サービスはフェイスブックでの世情の操作目的でボット軍団をプログラムしたことで、こういった活動を真似てみせたともいえる。以下を参照。Liam S. Whitaker, "CIA admits full monitoring of Facebook," csglobe.com, February 11, 2013.

★21 Brett Scott, "Visions of a techno-leviathan: the politics of the bitcoin blockchain," e-ir.info, June 1, 2014.

★22 Ibid.

★23 これはハラウェイの「サイボーグ宣言」ですでに予見されていたとおりである。

★24 Joseph Reagle, "The Etymology of 'Agent' and 'Proxy' in Computer Networking Discourse," September 18, 1998; revised January 15, 1999. cyber.harvard.edu.

★25 伝えられるところでは、同様の事例はアサド政権の複数のサーバーにもみられた。

★26 以下を参照。"How to hide your VPN connections in China, Iran, United Arab Emirates, Oman and Pakistan," greycoder.com. および以下。Charles Arthur, "China cracks down on VPN use," *Guardian*, May 13, 2011.

訳注

☆1 エルドアン政権は二〇一三年、トルコの若者を動員し、SNS上で匿名のアカウントを利用した広報活動を本格的に開始した。同政権は二〇一五年にこれを事実と認めたが、詳細は機密であり続けた。これに関する調査を行う一部の機関は、同政権に対する「アンチ」の流れを汲むアカウントもこの活動に含めて考えており、その具体的な根拠は不明である。ツイッター社は二〇二〇年六月、トルコ政府が関与していると同社が判断した七〇〇〇以上のアカウントを、削除もしくは凍結した。スタンフォード大学のサイバー政策研究所は同月に調査書を出し、エルドアンが敵視するギュレン運動のメッセージ・アプリ「バイロック」の宣伝ボットが、ツイッター社による凍結の対象となったことを指摘している。同研究所はその上で、ツイッター社の措置に反し、そうしたボットと関係する諸機関が公正発展党の支持層である確証はないとしている。

☆2
「民の声（vox populi）」は今日でも「世論」に近い意味で用いられるが、ヨーロッパで八世紀までに人口に膾炙したラテン語の成句、Vox populi, vox dei（民の声は神の声）が概ねその由来となる。フランク王国の神学者であったアルクィンがカール大帝に宛てた書簡では、傾聴に値しない民衆の戯言といった意味で用いられていた。ジョン・ロックの「自然法論」（一六六〇－六四）においても同様に市民の政治的誤謬に向けた痛言だったが、近世イギリスではしばしば格言や惹句とされた。ロックの『統治二論』を断片的に借用した冊子（一七〇九）の標題や、ジャコバイトの冊子（一七一九）を飾る言辞などとして使われた。

☆3
ここでの「ミートローフ」をめぐる一連の形容は、軍隊が遠征時に携行する「レーション」と呼ばれる保存食をイメージしたものと思われる。真空パックされた肉料理が概ねメインとなるが、固形燃料や副食を含め一律の規格に沿って工業的なパーツのようにアレンジされており、食卓に出される料理を模した準人工物、近代以降の戦闘における「代理」の一要素といえる。

05

茫洋たるデータ
——アポフェニアとパターンの認識（または誤認）

A Sea of Data: Apophenia and Pattern (Mis-) Recognition

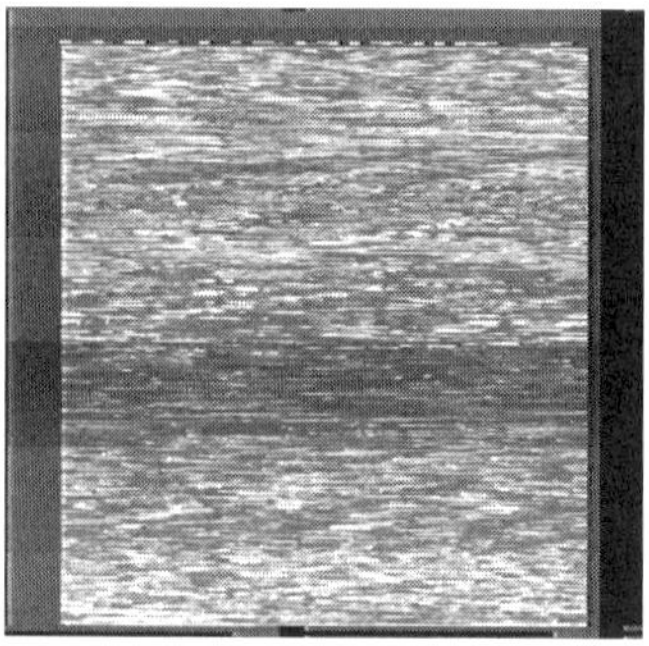

図1

機密

これはスノーデン文書にある画像［図1］で、分類としては「機密」に属している［★1］。ただしそこに視認できるものはない。そしてまさにそれが、この画像が症候的な理由なのだ。

視認できるものが一切なくとも、昨今ではそれが普通のことなのだ。情報が伝達されるとき、それは人間の感覚では捉えられない、シグナルの集合という形をとる。現代の知覚領域の大部分には、機械が関与している。人間の視覚がおよびうる範囲は、そのごく一部である。機械による機械のためのコード化。その対象となるのは、電荷、電波、光パルスであり、これらは光速よりやや遅い程度の速さで伝導する。みるという行為に取って代わるのが、確率の計算である。視覚は重要性を失い、フィルタリング、復号化、そしてパターン認識に置き換わる。スノーデン文書のノイズ画像が示しているであろうこと。それは、適切に処理や変換されない限り、技術的シグナルは基本的に人間の知覚の埒外にあるということだ。

ただそうは言っても、ノイズとは少なくとも「何か」ではある。それどころか、米国国家安全保障局（NSA）にとっては、また機械の知覚モード全体においても、ノイズとは看過しがたいものだ。

米国国家安全保障局は、二〇一一年から翌年にかけて組織内で運営していたサイトに、「シグナル対ノイズ」という一本のコラムを掲載した。そのテーマはずばり、どうすれば「トラック何台ぶんものデータから情報を」抽出できるかという、同機関にとっての重大な問題だった。「ここで言いたいのは何もデータについてではなく、データへのアクセスですらない。トラック何台ぶんものデータから情報を得る方法を知りたいのだ。（…）開発者の皆さん、助けてください！だって私たちは、データの海で溺れ（決して波に乗ってはいない）、死にそうなほどなんですから。見渡す限りデータ、データ、データ。一滴の情報も見つからない」［★2］。

分析官たちは、傍受した通信内容が気道にまで流れ込み、死ぬ思いでいるかのようだ。「トラック何台ぶんものデータ」の解読、フィルタリング、復号、洗練化、そして加工が必要なのだ。考えるべき点は、入手から識別能力へ、不足から過剰へ、増設から選別へ、リサーチからパターン認識へと移っている。そしてこの種の厄介事はシークレットサービス以外にも降りかかっている。あまつさえ、あのウィキリークスのジュリアン・アサンジが「我々は資料に浸かり、溺死しそうになっている」と述べるほどなのだ［★3］。

アポフェニア

冒頭で触れていた画像の件に戻ろう。そのノイズを実際に復号化したのはイギリスの政府通信本部の技術者たちで、出てきたのは空に浮かぶ雲《クラウド》のイメージだった。イギリスの分析官たちは、イスラエルのドローンが発信する映像をハッキングしてきた。これは少なくとも、イスラエル国防軍がガザに対して航空作戦を仕掛けた二〇〇八年には始まっていた［★4］。けれども、スノーデン文書のアーカイブにその攻撃の様子を捉えた画像はない。発信の折りに傍受されてきたのは、じつに何通りもの抽象模様だった。ノイズと走査線。カラー・パターン［★5］。リーク済みの訓練マニュアルに目を通すと、この種のイメージを完成させるには、極秘とされた相当数の作業を行わねばならないことが分かる［★6］。

しかし、ここでよいことを教えてあげよう。あなたに代わって、この私がその画像を復号化しようと思うのだ。秘密のアルゴリズムなんて要らない。ニンジャの秘儀で充分だ。無料で行う方法も伝授したい。では、次にみせる画像［図2］に全神経を集中させてほしい。

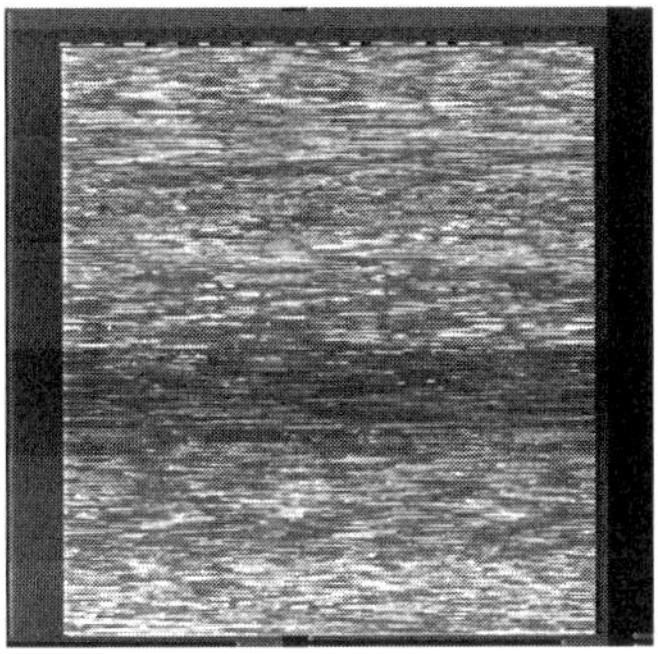

図2

これは一体何でしょう。夕日に照らされた水面のきらめきにみえないだろうか。きっとこれが例の「データの海」、致死的な水難を被りかねない茫洋な水域なのですね。よくみてください。すごく微妙だけど、波が揺らいでいますよね。

さて、私が使った術は「アポフェニア」という古きよきメソッドである。

アポフェニアとは、ランダム・データに一定のパターンを知覚することをいう［★7］。雲や月面に顔のイメージを認識する行為というと、一番分かりやすいだろうか。ベンジャミン・ブラットンが近年述べているように、アポフェニアの本質は「分かちがたい知覚的同時性を唯一の直接的連繋として、情報源から関連性と成果を引き出す」点にある［★8］。

分析官もまた、場合によってはアポフェニアの術に頼るのだろう。絶対にないとは言い切れないではないか。

あるいは、アマニ・アッ＝ナサースラの顔のイメージがクラウド・ネットワークのなかから見つけ出されたこともおおいに考えられる。この四三歳の女性は、二〇一二年のガザ空爆によって視力を失った。彼女は当時、テレビを観ていた。

「私たちは自宅でテレビのニュースを観ていました。夫はそろそろ寝ると言ったのですが、私は休戦報道が出ないか気になって、アルジャジーラにチャンネルを合わせ、もう少し起きていようと考えていました。夫が「チャンネルを変えたのか」と言い、「ええ」と答えたのが最後の記憶です。爆弾が落ちたときには、何も感じませんでした。その時に意識が途切れたのです。気がついたとき、そこは救急車のなかでした」。アマニは第二度熱傷を負い、ほぼ全盲となった。［★9］

アッ＝ナサースラが妥当な標的だという判断が下される際、どんな「シグナル」がどんな「ノイズ」から抽出されたのだろう？どの顔がどのスクリーンに現れ、そしてなぜそんな事態に至ったのか。あるいはこう言ってもいいかもしれない。誰が「シグナル」で、誰が切って捨てるべき

「ノイズ」なのか？

パターン認識

ジャック・ランシエールは、古代ギリシャで確立されたと考えられるシグナルとノイズの区分法をめぐって、一つの抽象的物語を語っている。住人たちのなかに裕福な男性がいるとする。この男性が声を放つと、それは発話とみなされた。他方で女性、子供、奴隷、異邦人は、意味が通じぬノイズを発する者として自明視された［★10］。発話とノイズの区別は、言うなれば政治的なスパム・フィルターの役目を果たしていた。「話す」と太鼓判を押された人々は市民という括りに入れられ、残りの者たちはどうでもよく、非理性的で危険性を秘めた厄介者とされた。今日でもやはり、シグナルとノイズの分離には基本的に政治的性質がみられる。そしてパターン認識はさらに射程の広い、政治的承認という問題につながっている。誰が政治的次元で承認され、さらには何として承認されるのか。被験者、個人、または、正しい市民に分類可能な者としてなのか。あるいは「汚染データ」として、なのかもしれない。

汚染データって何？一例を挙げよう。

ブーズ・アレン・ハミルトン社のサリバン氏は、こんな話をしてくれた。彼のチームが、高級ホテルチェーンの利用者層の統計分析を進めていたときのことだ。経済的に豊かな中東の某国のティーンエイジャーらが常連客であることが、データに示されていたという。「全員が一七歳のグループが一つあり、世界のいたるところにあるこのホテルに宿泊していました」。サリバン氏は言う。「思いましたね、本当かよって」。[★11]

これは、汚染データ——未整理で無価値な情報群——として処理された。それが紛れもない事実であることを、誰かに気づかれないようにするために。

この世界観では、どうやら褐色の肌をしたティーンエイジャーが存在するらしい。亡骸となった褐色のティーンエイジャーなら分かるが、金持ちで小麦色の肌をしたティーンエイジャーとなると、話は変わる。実話とは思えない！だから、汚染データとしてシステムから放逐されねばならないのだ。このノイズとシグナルの分離作業を通じて現れるパターンは、ランシエールが語った、市民権や純理性、特権を賦与する政治的なノイズ・フィルターとさして変わらない。有色人種のティーンエイジャーが大金を持つことは、古代ギリシャの都市国家で奴隷と女性が発話するのと同じくらい、非現実的な事象として映し出される。

また汚染データには、計算の対象となり数値化されるのを不正によって逃れようとする、そうした行為の掃き溜めのような側面もある。

リサーチ企業のバーブ社は、オンラインでの個人情報の送信に関する調査を行った。対象となったのは、イギリスに住む二四〇〇人強の消費者である。そうした送信の場面で、六〇パーセントの人々が事実と異なる情報を故意に入力しているという。例えば、虚偽の生年月日を入力するという行為に関し、およそ四分の一(二三パーセント)の人々が二回に一回ほど行うと答え、九パーセントの人々が頻繁に、そして五パーセントが必ず行うと回答した。[★12]

ここでの汚染データが意味するのは、インターネット上でしつこく大量に迫ってくる入力フォームへの記入に対する人々の拒絶、そのすべてが蓄積された結果である。隙あらばしょっちゅう嘘をついたり、さもなければ手を抜いたりするのが人間なのだ。そして当然というべきか、かねてから言われてきたデータ収集の「最汚染」領域が、医療――とくにアメリカの医療分野である。医師と看護師は、虚偽内容を入力フォームに記入しがちであるという点で、一線を画している。そうした人々が記入をしぶるのは、それが結局はお返しに迷惑メールを送りつける企業のための作業となって、医療従事者を消費者の立場に置いてしまうからなのだろう。

デヴィッド・グレーバーの著書『官僚制のユートピア』では、無理やりなデータ抽出がもたらすもの、その見事な一例が語られている。グレーバーは母親が発作で病床に伏せたのち、彼女の代理人としてメディケイド〔低所得者を対象とする、アメリカの医療扶助制度〕にアプライする必要があったが、このとき多難に遭った。

ニューヨーク自動車局の誰だか分からない役人が、私の名を「ダイド（Daid）」などと記入したものだから、その始末に一ヵ月以上かけなければならなかった。ベライゾンの店員が、私の苗字を「グルーバー（Grueber）」と記入したときの始末など、ここでもう言うまでもあるまい。公的なものであれ私的なものであれ、官僚制というものは、その組織形態からして、大部分の人間にとっては、その業務をきちんとこなすことが不可能であるといったふうになっているようにみえる。その歴史的理由はどうあれ、である。〔★13〕

後続する箇所でグレーバーは、この状況をユートピア思想の一例としている。官僚制は、自らの尺度で人間を完璧な存在とみなすのであり、だからこそユートピア思想に依拠していられるのだと。ちなみにグレーバーの母親は、治療プログラムに入る前に息を引き取ったという。

全く無意味な入力フォームへの記入作業が延々と続くならば、それはいわば新手の家事労働なのだ。決して労働とは呼んでもらえず、そして「やりがい」をもとに提供され、またはいわゆる「データ使いの用務員《ジャニター》」が安いお金でやるものだと、そう考えられているという意味で〔★14〕。ただ、きびきびとして人目につかないすべてのアルゴリズム動作（その隅々まで行き届いて洗練された最適化処理、パターンと異物の認識）の水面下では、散らかったデータを発信したり整頓したりする、飽くなき無意味な作業がそれを支えているというだけのことだ。

また官僚制には、デジタル技術の使用機会と稼働にわざと差をつけ、その状況をうまく利用するような面も存在し、現実を生きる人々はどうにかそれに対処せねばならなくなっている。汚染データにはこれが事実として示されているのだが、それはまさにこうした意味でのリアルデータなのだ［★15］。ベルリンの健康社会事業局のケースを考えてみよう。冬の凍えるような寒空の下、難民は何時間も、ときに数日間通い建物の外の列に並び、自身の「健康」をリスクに晒している。これがそこでは日常の光景なのだが、難民の目的はただ、個人情報をデータ登録し、食料品を買うための給付金といった当然のサービスを得ることだ［★16］。この人々はまず目的地にやって来たという大胆さに加え、自分たちの権利の尊重を求めるゆえに異分子とみなされる。これは、今日通用しているとある政治的アルゴリズムに共通していて、要は人々の存在がブランク（空白）化されるのである。受給者＝要求者として認識される段階にすら到達できず、考慮＝接続権利（account）から外されるのだ。

これ以外にも、難民を別々の集団へと引き離すことを約束する、そんな技術が存在する。それは、ＩＢＭ社の人工知能システム「ワトスン」をベースとした試験的なプログラムで、難民を装ったテロリストの識別を目指すものだった。

ＩＢＭ社が目指したのは、犯罪捜査支援ソフト「エンタープライズ・インサイト・アナリシス」が狼から羊を引き離せることの証明である。母集団のうち、ジハード派と関係を持つと考えられるか、単純に自身の個人情報を偽っている少数派から、害のない亡命希望者たちを区別するのだ。（…）

同社はまず、仮説に基づいた状況を設定した。その上で、パスポートを持つ難民の架空リストの照合システムを構築すべく、複数のデータソースを統合した。そこで最重視されたデータは、公の報道やそれ以外の情報源を集めてつくられた、紛争の死者と行方不明者の名簿である。パスポートの闇市場に関係するダークウェブのデータもまた、資料の一部となった。ＩＢＭ社によると、この情報データのうち個人の特定につながる部分は匿名化、抽象化されている。（…）

ボリーニ氏によれば、このシステムによって、仮説の状況下にある亡命希望者が本当に自ら名乗っている人物なのか、その可能性を点数として出すことができる。また計算速度の点でも、国境警備隊や巡回中の警官が使用できるレベルなのだという。［★17］

このプログラムは、ある難民がじつはテロリストかもしれない、その可能性を「スコア」の数値として出すものだった。そしてそこで採用されるのが、ダークウェブの情報を含む非公式データベースで構成された、相互参照機能だ。その狙いは、複数のデータファイルから一定のパターンを表すことなのだが、ただし、データ群がどれほど現実と合致するものなのか、もしくはその合致が可能なのかは、そこで問題とされない。そしてこれは実際には、「スコア（得点）」という上位概念のもとに連なる諸々の制度、そのほんの一例である。ほかには、信用スコア、学術ランキング、オンライン・フォーラムでの相互格付けなどがある。これらは、経済的なやりとり、インターネット上での振る舞い、市場データなどの情報をもとに、個人を等級化するのである。多岐にわたる入力済みデータは、単一の数値——超置換的なパターン——へと形を変えるが、それは「脅威度《スレット》」のスコア［☆1］、または中国当局が今後一〇年間で全市民を対象に計画している、「社会信用システム」のスコアの算出方法であってもおかしくないようなものだ。しかし数値測定に充てられるそのデータベースの情報は、透明性や証明可能性という見地からすれば、到底納得のいくものではない。この場合は、背乗《はいの》りして難民を装うＩＳＩＳの検挙が急務だということだが、似たシステムで懸念すべき死角を持つと考えられるものはほかにもある。

米国国家安全保障局によるスカイネット（SKYNET）は、パキスタンで活動するテロリストを発見すべく訓練されたプログラムだ。その学習方法は、携帯電話の利用者に関するメタデータの抽出に依拠していたが、同機関がとった方法は識者たちの批判を受けることになった。「そのモデルの学習および試行に適用できる「知られたテロリスト」は、ごくわずかしかいないのです」。データ・サイエンティストであり、「人権データ分析グループ」のディレクターであるパトリック・ボールは、「アーズ・テクニカ」にこう語っている。「モデル学習に使っている記録が、その試行時のものと同一であれば、彼らが割り出した的中率は全くのでたらめです」[★18]。

「人権データ分析グループ」の推定によれば、約九万九〇〇〇人のパキスタン人がスカイネットによって誤ってテロリストに分類されたおそれがある。統計上の誤差が死を招く、そんな事態が起こりうるのだとしたら、まさにこれがそうしたケースであった。ただしそこには条件があって、アメリカがパキスタンで過激派容疑の人々にドローン攻撃を仕掛けており、二〇〇四年以降に推定二五〇〇人から四〇〇〇人が殺害されたこと――この事実を考え合わせた上での話である。「その後の数年間で、パキスタンにいる罪のない数千人の人々がテロリストと誤認された可能性がある。要は、「科学的に偽陽性判断を導く」アルゴリズムの仕業なわけだが、これが人々の早すぎる死につながったと考えられるのだ」[★19]。

ただしここで、念を押しておこう。スカイネットから得られた結果の使いみちは知りようがないのだから、その運用について第三者が判断を下すのは無理がある。それだけを基準にドローン攻撃の標的を決定していたとは、およそ考えられないからだ[★20]。とはいえ、このスカイネットの事例に関し、これに匹敵するくらい明言できることがある。相関性と確率の計算から抽出される「シグナル」は、実世界における事実と合致するわけではないのだ。それは、ソフトウェアが学習時に使用した入力済みの情報に加え、フィルタリング、相関性構築、また「識別」のための媒介変数をもとに規定されているにすぎない[☆2]。エンジニアたちの間では、「間違ったものを入れたら、間違ったものしか出てこない」という知恵が語り継がれてきたわけだが、それはここでなお有効なように思われる。たしかにここまでみてきた事例は、技術面、地理的状況、倫理的レベルにおいて一致するところは少ない。しかしいずれのケースでも、一定のパターン認識の型が採用されるその目的は、政治および社会に作用しうる測定可能な因子をもとに、人々をグループごとに等級化することであった。「我々は、難民の登録手続きを避けたい」というシンプルな命題のものもあれば、数字の確証性に頼りすぎた、もはや理解しがたいプログラムも存在する。ともあれ、それらに取り入れられているメソッドはたいていい不透明で、部分的に偏見が介在し、排他的であり、またとある専門家が指摘したとおり、しばしば「とんでもなく見通しが甘い」ものだった［★21］。

企業アニミズム

では、純然たるノイズのなかから何かを認識するとき、その方法としてどんなものが考えられるだろう。知覚反応の型に則った純粋なアポフェニアを見事に視覚化し、これを近年発表したのが、グーグルのリサーチラボだ［★22］。

人工のニューラル・ネットワークが我々の望む分類行動を示すようになるまで、このネットワークに数百万におよぶ学習サンプルをみせ、そのパラメーターの段階的調整を図り、トレーニングを行なっていく。このネットワークは通常、人工神経を束ねた一〇から三〇のレイヤー・スタックで構成されている。各画像は入力レイヤーに伝達され、これが次のレイヤーに伝達され、レイヤーへと送られ、最終的に「出力」のレイヤーに到達する。ネットワークの「回答」は、この最終的な出力レイヤーから呼び出される。[★23]

ニューラル・ネットワークは、接線や外形、多くの物体と動物を識別できるよう訓練された。その後、このシステムを純粋なノイズに適用する試みがなされたのだが、このとき何を「認識」したか、想像がつくだろうか。結果的に出てきたのは、身体を持たず、複数の眼球（大体

図3

の場合、まぶたがない）が散らばった、カラフルでごちゃごちゃしたフラクタル模様のようなイメージだった［図3］。この「フラクタル眼球」は、意識を持ちうるほどに過剰なパターン認識が行われた、その成果を嫌というほど見せつけ、しかも彼らをみている側の人間をまじろぐことなく監視している。

グーグルの研究者は、ノイズのみからパターンやイメージを生成する行為を「インセプショニズム」、または「ディープ・ドリーミング」と呼んでいる。とはいえ、これらは素朴な意味での幻影ではない［図4］。こうした実体が夢《ドリームズ》だというなら、その夢解釈の結果は、現代テクノロジーの特徴＝気質となる圧縮や転移であるだろう。それらの存在が明かすのは、ネットワーク化されたコンピュテーショナル・イメージングのオペレーション・システム、機械の視覚の

図4｜グーグル社のディープ・ドリームを使ったイメージ
出典：メアリー＝アン・ラッソン、「グーグル社によるディープ・ドリーム機能：〈インセプショニズム〉の人工知能とオンライン・ユーザーが創り出した、もっともおかしな10のイメージ」（「インターナショナル・ビジネス・タイムズ」、2015年7月6日付）

ための一連の事前設定（プリセット）、そして当の視覚化と深い関係を結ぶ、イデオロギーと選好性である。

その仕組みを視覚化する方法の一つが、ネットワークを逆転させ、何らかの解釈を引き出せるように、入力済みのイメージの性能向上を要求するというものだ。例えば、どんな種類のイメージが「バナナ」という結果を引き出すか、あなたが知りたいのだとしよう。ランダムノイズに埋め尽くされたイメージが最初に与えられる。それをニューラル・ネットワークがバナナと判断したものへと徐々に調整していく。この段階ではまだ不十分だが、隣接する画素の相関性といった、統計値の面で自然なイメージとの類似性を持たせる前提条件を与えると、これはうまく機能するようになる。［★24］

インセプショニズムの功績は、生産消費者《プロシューマー》のネットワークの無意識世界を視覚化してみせたことだ。言うなれば、みられる側からもユーザーを監視し、ユーザーの目の動き、振る舞い、好きなものをひっきりなしに記録する、そんなイメージがあるとして、それをビジュアライズしたのだ。このイメージを審美的観点から喩えるなら、フリーデンスライヒ・フンデルトヴァッサーの絵画の安っぽい模造品と、青筋を立てたアールデコ装飾、この二者の間を右往左往しているような感じだ。ヴァルター・ベンヤミンの言う「光学＝視覚的無意識」はここにおいて、コンピューテーショナル・イメージによる相見《そうみ》や卜占《ぼくせん》のための無意識世界にアップグレードされている［★25］。インセプショニズムのニューラル・ネットワークは、前もっては存在していない事物とパターンを「認識」するとき、それによって実質的に、美学的関係の、そして社会的関係の新たなる全体性の識別を果たすのである。プリセットと定型化機能は、それが「適合」するか否かに関わらず適用される。「その結果はじつに興味深いものだ。比較的単純なニューラル・ネットワークですら、イメージの過剰解釈に応用できる。それはちょうど、子供の頃に雲を眺め、偶然そこに浮き上がる形を読み取って楽しんでいたときの感じだ」［★26］。

インセプショニズムは、デジタル技術に根ざした幻影というだけではない。それはいわば、スマートフォンに子猫の識別法が教え込まれるような状況が生じたばかりに、「あざとかわいい」ものに関する、ぞっとするような専門的な一群の概念が、生産手段の構造的次元へと組み込まれていく――そんな時代の証左なのである［★27］。そこに明かされているのは、商品がフェティッシュであるばかりでなく、フランチャイズ化を経た怪物的な複合体にもなるという、いわば「企業アニミズム」の一つのあり方なのだ。

しかもこれは、徹底したリアリズム的表象なのである。ルカーチ・ジェルジュによれば、「古典的リアリズム」が「象徴的な人物〔属性〕」をつくり出すのは、その人物が同時代の客観＝他覚的（objective）かつ社会的な（そしてこの場合、技術的な）諸力を表象する限りにおいてである［★28］。

インセプショニズムは、これを果たしつつそれ以上のことをなす。そうした諸力に、さらに

「顔」、正確に言えば無数の目玉を授けるのだ。ミートボール入りのパスタが盛られた皿から、生命体があなたを見つめているからといって、「両生類とビーグル犬の複合体でしょ」などという感想に終わらないで欲しい。それは、ネットワーク化したイメージ生産の遍在的な監視主体、ミームとなるべく修正を施された、諜報機能の一形式なのだから。ひとまず害がないと分かれば即行でインスタグラムに投稿したくなる、そんなランチメニューの姿をまとって、それはあなたを見つめている。奴隷にされたモノたちが後ろ暗い表情であなたのことを調べ上げている、そんな世界があるのだと考えて欲しい。あなたの車、ヨット、アート・コレクションが、抑鬱症状を感じさせる目つきであなたを観察している。あるいは彼らは、こんなことを言い出すかもしれない。「ああ、君は、自分のことを僕らの主人だと思っているかもしれないけど、僕らは君に関する情報を流そうとしているんだよ。君のなかから僕らが一体どんなクリーチャーを識別するつもりでいるか、当ててごらん」[★29]。

データ新石器時代

このように自動生成するアポフェニアが、私たちに何かを教えるとして、それはどんなことだろうか[★30]。私たちは、こんな仮説に依って立つべきなのだろうか。すなわち、機械の知覚が呪術的思考という独自の局面に差し掛かっているのだと。近年では「商品の持つ魔力」というと、製品のほうが幻覚症状を起こしている状態を意味するのだろうか。おそらくより現実に即した仮説は、人間のほうが未踏の呪術的思考の世界に踏み込んだ、というものである。シグナルとノイズの分離の場面で使われる語彙は、驚くほど牧歌的なものだ。データの「ファーミング（農耕・畜産）」、「ハーベスティング（収穫）」、「マイニング（採鉱）」、そして「イクストラクション（採取）」が定着していることを考えると、まるで私たちが、独自の呪術的慣例を持った、さらなる壮大な新石器革命［★31］の時代を生きているような感じがする。

新石器時代に培われた農耕と採鉱の多様な技術は、データへの適用を目的として刷新される。かつての石塊と原鉱の代わりとなるのはシリコンとレアアースであり、また「マインクラフト」での抽出＝製錬が画期的だったのは、それが無機物を情報アーキテクチャの構成要素に転換したからである［★32］。

パターン認識は、新石器時代の技術としてもやはり重要な位置を占めていた。かたや呪術的な習わし、かたや現実的な思考形式。パターン認識は、この双方の越境を標榜するものだった。時間の流れに一定のパターンを認めることで、暦の形式化が進み、ひいてはより効率的な灌漑と農業の計画が可能になった。穀物の貯蔵から所有という概念が生まれた。この時代はまた、宗教と官僚政治の制度化、および法や記録行為のような統制手段の発展を著しく促した。このような発明はすべて、社会に大きな影響をおよぼすことにもなった。狩人、そして採取を行う集団は、権力を持つ富農と奴隷所有者に取って代わられた。新石器革命とは何も技術面の変化だけではなく、その際立った結果はこのように、社会領域にもおよぶものとなった。

今日では、データ上の記録に刻まれた生を表層化させるとき、それは耕し、収穫し、また掘り当てることができ、なおかつ情報操作を担う生政治の管理下にある――そうした「資源」という形をとるのである〔★33〕。

現代が、別のフェーズに移った呪術的思考の時代だなんて、およそ信じられないだろうか。であれば、安全保障局〔政府通信本部〕が作成した、この訓練用マニュアルをみてください〔図5〕。ドローンからハッキングした内容を復号化するための指示書です。お分かりいただけますか。魔法の杖を振るって、データに呪術をかけていますよね。

そう、こうした技術から生まれた支配形式が未曽有のものだと一般的に考えられていても、見方次第では、古代や迷信を思わせるところがあるのも確かなのだ。データ記録、画像の復号化、高頻度取引、はたまたISISによる外国為替操作。これらを基盤とする企業／国家とは、どんな実体なのか。富農と奴隷所有者の現代版というべき存在は、一体何か。技術本位のジェントリフィケーション、オンラインゲームを利用したジハード派の勧誘など、広域におよぶ事例は、既存の社会的ヒエラルキーにどんな変革をもたらすのだろう。寡頭制、SNSでの情報操作、雇われのハッカー、ボットの支配を幇助するデータ界の「泥棒男爵」、カリフ〔イスラム国家の後継指導者〕のサムネ詐欺、多岐にわたるプロキシ戦争――これらが入り乱れる同時代的状況に対して、

図5｜画像変換フリーウェア、「イメージ・マジック」のファイル表示画面
出典：イギリス政府通信本部の分析官向け訓練マニュアル、第5セクション（スノーデン文書の一部）、イスラエル無人航空機の映像スクランブル解析法

パターン認識とビッグデータの「お告げ」の世界はどういった関係を持つのか。ディープ・マインド、ディープ・ラーニング、そしてディープ・ドリーミングの時代における国家の形態とは、とどのつまり商務に長けた闇の政府《ディープ・ステート》でしかないのだろうか。つまり、アルゴリズムが導き出した判決とお告げに対して、もはや上訴や適正な法的手続きが役に立たないような。

　元祖となる「新石器時代」と現代版のそれとの相違点について、別の側面から考えてみよう。そこでまたもや登場するのが、パターン認識である。古代の天文学では、想像を凝らして空に動物の形姿を見て取ることで、星座が生まれた。天体の周期と動きが粘土板に記録されるようになったのち、動態はパターンという形を取るようになった。方位測定のための補助的な目印として、複数の星のまとまりが、動物および天上の神や英雄になぞらえられた。しかし、天文学と数学の進歩が可能となったのは、何も動物や神々が宇宙に存在するのだと人々が信じ続けたからではない。実状は全く逆で、星座とは自然科学の論理を表現したものであったと、人々が認めたのである。パターンとは投影であって、現実そのものではなかった。統計学者のような専門家は今日、自らの発見が概ね確率論的な投影であると認めてしまうのが常である。しかし為政者は例外なく、この主張が意味するところを都合よく無視する。あなたという存在と、あなたが投影するデータの集合／星座は、現実的に同一の広がりを持つようになる。信用スコア、学術スコア、脅威度スコアなど、広範囲にわたる社会スコア、また商業や軍事といった領域でのパターンとしての「生」の観測は、ランキング、フィルタリング、および等級化によって社会的ヒエラルキーを再編し、同時にそれを急激な変化に晒す。そしてこの再編と変革を通じ、現実の人々の現実の生活へと大きな衝撃をもたらすのだ。

ゲシュタルト・リアリズム

しかしここでは、私たちの営為が実際のところ投影に関わるものだという考えにとどまろう。機械の感覚・識別の領域から派生したパターンが現実と同一ではないと認めるならば、その時点で、真実に近い情報を手元に引き寄せることは可能になるのだ。

ガザ空爆で視力を失った女性、アマニ・アッ＝ナサースラについて、再び考えてみよう。分かっているのは、イギリスのスパイたちがイスラエル国防軍のドローンからかすめ取った抽象イメージには、ガザ空爆は映っていないということだ。そう、二〇一二年に彼女を盲にした、件《くだん》の空爆である。日付は合わず、スノーデン文書にも証拠となるものはない。少なくとも私個人の知る限り、この攻撃の様子を捉えた画像は存在しない。私たちに分かることといえば、彼女が「ヒューマン・ライツ・ウォッチ」に語った内容、それ以上でも以下でもない。そこで彼女はこう語っている。

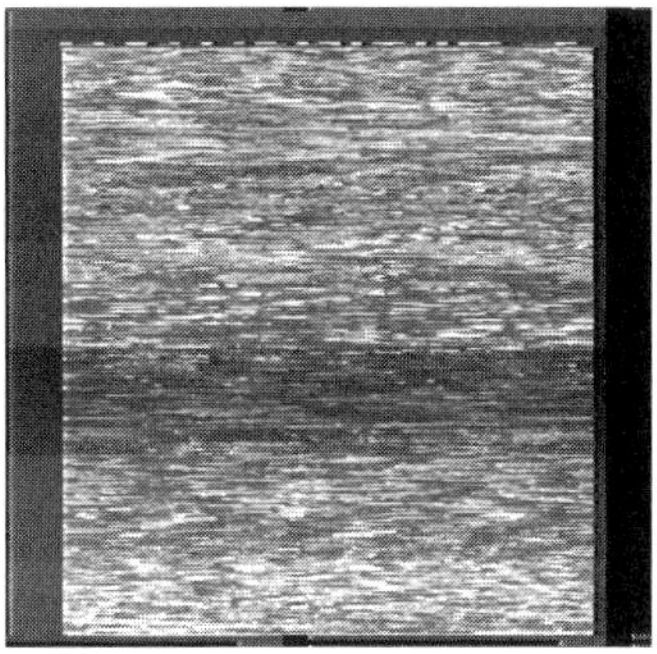

図6

「爆撃のとき以来ずっと、みることができません。みえるのは影だけなのです」［★34］。

ということはつまり、このイメージを解読する方法はもう一つ別にあるのだ。これは全民にとって自明のことといえる。私たちは、アマニがみることができないものをみているのである。

そう考えるとこのノイズ画像は、現在の彼女が「みている」もの、すなわち「影」の「ドキュメント」にほかならない［図6］。

このドキュメントは、ドローン戦争の「光学＝視覚的無意識」の記録なのだろうか。「パターン認識」を特徴とし、実態がつかめず、そして「機密」に分類されているメソッド——そのドキュメントなのだろうか。もしそうならば、アマニが置き去りにされているその「影」を、いつの日か元どおりに「復号化」する方法は、ないものなのだろうか。

原注

★1 これについては以下を参照。"Anarchist Training mod5 Redacted Compat," assets.documentcloud.org.

★2 "The SIGINT world is flat," NSA *Signal v. Noise* column, December 22, 2011.

★3 Michael Sontheimer, "SPIEGEL interview with Julian Assange: 'We are drowning in material,'" *Spiegel Online*, July 20, 2015.

★4 Cora Currier and Henrik Moltke, "Spies in the sky: Israeli drone feeds hacked by British and American Intelligence," *The Intercept*, January 28, 2016.

★5 Ibid. これらのイメージの多くは、ニューヨークのホイットニー美術館で開催されたローラ・ポイトラスの素晴らしい展覧会「アストロ・ノイズ」（二〇一六）で使われた。

★6 分析官は、これらの映像の解読法を指南する訓練マニュアルで、ケンブリッジ大学のオープンソース・ソフトウェアを「スカイ・テレビ」のハッキングに利用するのだと、誇らしげに述べている。以下を参照。"Anarchist Training mod5 Redacted Compat," assets.documentcloud.org.

★7 ウィキペディアの"Apophenia"の項目を参照のこと。

★8 Benjamin H. Bratton, "Some Trace Effects of the Post-Anthropocene: On Accelerationist Geopolitical Aesthetics," *e-flux journal* 46 (June 2013).

★9 "Israel: Gaza Airstrikes Violated Laws of War," hrw.org, February 12, 2013.

★10 Jacques Rancière, "Ten Theses on Politics," *Theory & Event* 5:3 (2001), 23.〔ジャック・ランシエール「政治について

の10のテーゼ」杉本隆久、松本潤一郎訳『VOL』第一号、以文社、二〇〇六年、三〇頁〕「一つのカテゴリーを拒むために、例えば政治的主体の身分としての労働者や女性は、「家政的な」空間に、つまり公共的な生から分離された空間に属していたということを確認するだけで伝統的には十分であった。労働者や女性は、共通の「感覚」を表示する言述ではなく、飢えや怒りの苦しみを表現する呻きや叫びによってしか、その空間から脱することができなかったのである。そしてこの諸カテゴリーの政治は、（…）みられなかったものをみられるようにし、ノイズとしか聞き取れなかったものを言葉として聞き取らせる（…）ことにあったのである」。

★11 Verne Kopytoff, "Big data's dirty problem," *Fortune*, June 30, 2014.

★12 Larisa Bedgood, "A Halloween Special: Tales from the Dirty Data Crypt," relevategroup.com, October 30, 2015. 引用部分の続きには以下のようにある。「一九九一年の六月下旬と七月上旬、全国（主にボルチモア、ワシントン、ピッツバーグ、サンフランシスコ、そしてロサンジェルス）の一二〇〇万人の市民は、電話サービスの停止を経験した。一定のシグナルによって電話回線の通信量が調整されていたが、これを制御するソフトウェアに誤記があったことが原因だった。従業員の一人が「D」の代わりに「6」と打ったのである。電話業務に携わる事業体では、概ねすべてのネットワークの制御が不可能となった」。

★13 David Graeber, *The Utopia of Rules: On Technology, Stupidity and the Secret Joys of Bureaucracy* (Brooklyn: Melville House, 2015), 48.〔デヴィッド・グレーバー『官僚制のユートピア』酒井隆史訳、以文社、二〇一七年、六八頁〕

★14 Steve Lohr, "For big-data scientists, 'janitor work' is key hurdle to insights," *New York Times*, August 17, 2014.

★15 以下を参照。"E-Verify: The disparate impact of automated matching programs," chap. 2 in the report *Civil Rights, Big Data, and Our Algorithmic Future*, bigdata.fairness.io, September 2014.

★16 以下を参照。Melissa Eddy and Katarina Johannsen, "Migrants arriving in Germany face a chaotic reception in Berlin," *New York Times*, November 26, 2015. この混雑のなかで行方不明になった一人の少年が、その後他殺体で発見されている。

★17 Patrick Tucker, "Refugee or terrorist? IBM thinks its software has the answer," *Defense One*, January 27, 2016. この例は、討論会「包括的監視を生き抜く」（ホイットニー美術館、二〇一六年二月二九日）の一環として行われたケイト・クロフォードの素晴らしいレクチャー、「監視を生き抜くこと」で言及された。

★18 Christian Grothoff and J. M. Porup, "The NSA's SKYNET program may be killing thousands of innocent people," *Ars Technica*, February 16, 2016. 傍点〔原書ではイタリック〕は原著による。このシステムにはほかにも次のような欠陥があった。同プログラムが導き出した「もっとも脅威と考えられる人物」とは、移動の機会が仕事柄多かった、アルジャジーラの地方局長だったのだ。ローラ・ポイトラスも同様の誤認を経験している。米国国土安全保障省が行った脅威度測定で、彼女は最高得点となる四〇〇ポイントに値する人物だと判定された。ポイトラスは、ドキュメンタリー映画『マイカントリー、マイカントリー』（同作品は、後にアカデミー賞にノミネートされた）をイラクで撮影していたが、バグダッドでカメラを廻していた際、付近で反乱軍の攻撃が起きた。これは偶然であったにも拘らず、以後六年間、彼女は海外からアメリカに再入国するたびに、尋問、監視、調査などを受けるという憂き目にあった。

★19 Ibid.

★20 以下を参照。Michael V. Hayden, "To keep America safe, embrace drone warfare," *New York Times*, February 19, 2016.二〇〇六年から二〇〇九年まで米国中央情報局長官を務めたヘイデンは、人的な諜報活動も標的決定のファクターであったとする半面、実際にはこのプログラムが誤って人命を奪ったことも認めている。「ある攻撃を行ったときのことです。それは真夏日で、ベビーベッドが外に出されていて、そこに標的人物の孫が寝ていました。当人はこの孫の近くにいました。暑気払いをしていたのです。私たちは、この孫のいるところからみて、衝撃と爆破片が斜角に外側へと向かい標的人物をしとめるよう、ヘルファイア・ミサイルの方向を設定しました。しかしこれは充分ではありませんでした」。

★21 Grothoff and Porup, "The NSA's SKYNET program."

★22 このことを指摘してくれたベンジャミン・ブラットンに、記して感謝する。

★23 "Inceptionism: Going deeper into neural networks," research.googleblog.com, June 17, 2015.

★24 Ibid.

★25 以下を参照。Walter Benjamin, "A Short History of Photography," monoskop.org.〔ヴァルター・ベンヤミン『図説 写真小史』久保哲司訳、ちくま学芸文庫、一九九八年〕

★26 "Inceptionism," research.googleblog.com.

★27 Ibid.

★28 以下を参照。Farhad B. Idris, “Realism,” in *Encyclopedia of Literature and Politics: Censorship, Revolution, and Writing, Volume II: H–R*, ed. M. Keith Booker (Westport, CT: Greenwood, 2005), 601.

★29 アポフェニアはパラノイアの新たな形式なのだろうか？フレドリック・ジェイムソンは一九八九年に、パラノイアがポストモダンの物語における主たる文化の型（パターン）の一つであり、それが政治的無意識に浸透していると述べた。ジェイムソンによれば、社会的関係の全体性は、冷戦下の構想力では文化的に表象されえない。そしてその余白を埋めるのが、妄想、憶測、またフリーメーソンと関係づけられる常軌を逸した陰謀であった。

　しかしスノーデンの暴露事件の後、一つのことが明白になった。すべての陰謀論は実際、事実に反するものではなかったのである。もっと悪いことに、現実はその上を行くものだった。パラノイアとは、伝達機能の欠落、時系列上の綻び、また証拠となるものの（推定されうる）隠蔽から生じる、不安神経症のことである。今日ではこの状況は逆転した。ジェイムソンの言う全体性は、異なる形式を持つようになった。それは不在どころか、むしろ猖獗を極めている。全体性——もしくは、その相関性を伴う類型といってもよいが——は、猛烈な勢いで、そして「トラック何台ぶんものデータ」の海という形で回帰した。社会的関係はメタデータとの接触、関係グラフ、または感染症の拡散マップとして抽出される。全体性とはいわば、大量に押し寄せるスパム、残虐行為の視聴時のやましい快感、プログラムの相互接続確認である。こうした定量化された社会的関係は、ターゲティング広告、個々のユーザーに特化したサムネ詐欺、視線計測、ニューロ・キュレーティング、感情で動く経済におけるのと全く同程度に、警察捜査にも容易に適用される。ソーシャル・プロファイリングと商取引の形態、この双方として機能するのである。クラウト・スコアを指標にした重要人物リストと大統領が容認する暗殺リストは、いずれも同様に、独占され全容がみえないオペレーション・システムを基盤とする。今日、全体性は確率論的な記数法となって現れる。そこには、性交の可能性やチャンスに関する指数、数値換算された、個人の取捨選択の能力といったものも含まれるだろう。提携＝加盟、関係＝接続、および依存はカタログ化される。そして空襲によって、生のパターンは死に転換される。

　このタイプの全体性はじつを言えば、「技術的特異点（シンギュラリティ）」という別種のものである。技術的特異点——それは、カリフォルニア・イデオロギーお気に入りの神話である——の際立った特性に挙げられるのが、それが人工知能に支配権が移行する時点を示すということだ。米国国家安全保障局（ＮＳＡ）のプログラムであるスカイネットという名称は、ハリウッド映画に登場する、よく知られた技術的特異点の一つにちなんでいる。それは、アーノルド・シュワルツネッガーがサイボーグを演じる映画『ターミネーター』で世界征服の戦いを挑む、ＡＩロボットの名だ。

しかし技術的特異点には、これと別の側面もある。この実体には一般原則、とくに法の規範がもはや通用しない。個別の事例に沿うもの、ないしは、すべての事例に固有のものなのである。したがってそれは状況的に、複数の技術的特異点が拮抗し合っているようなものだといえるだろう。そしてもう一つの、輪をかけて強力な現代における技術的特異点は、言うまでもなく「市場」と呼ばれる半神的な神話的実体である。それは自律的かつ超知能的とみなされる多くの組織体からなり、理性がその強大な優位性に屈しなければならない――そのような摂理が働いている。今日の市場神話が社会主義の神話の後を継いだのだと、そういえるとして、今日の現実に存在している（actually existing）技術的特異点（特異な自由放任主義の発想に覆われた、政府の監視と市場支配）は、それに付随する諸々とともに、二〇世紀の現実に存在していた社会主義に取って代わった。この付随要素とはまさに、大規模かつ混乱をきたした官僚制、寡頭政治、準国家、非公式の独裁政治、ダークネットのスタートアップ、計量経済学に基づき配備されたＳＷＡＴ部隊、およびこれらの機能と稼働を支える、分類不可能なパラ独占的機構だ。イデオロギー的実体は、ジャンクスペースのデータセンター、高頻度取引が行われる拠点、そして処罰の免責と暴力が横行する広大な領域へと拡張していくが、これらは完全に一方通行的で形式を継続的に保ちがたい、情報とリソース双方の分配を果たすのだ。

★30

非常に興味深い近年の例として、以下がある。Christian Szegedy et al., “Intriguing properties of neural networks,” arxiv. org, February 19, 2014. および以下。Anh Nguyen, Jason Yosinski, and Jeff Clune, “Deep neural networks are easily fooled: high confidence predictions for unrecognizable images,” cv-foundation. org, 2015. 前者の論考で言及されているのは、少数の画素の付加（人間の肉眼では知覚できない変化）が、いかにニューラル・ネットワークの誤認を引き起こすかということだ。その付加によって、車やアステカ文明のピラミッド、また一対のスピーカーが一羽のダチョウとして認識されたのだという。そして後者の論考で触れられているのは、完全に抽象的な形態をペンギンやギター、野球のボールとして認識するニューラル・ネットワークの性状である。

★31 "Do we need a bigger SIGINT truck?," NSA *Signal v. Noise* column, January 23, 2012.

★32 以下を参照。Jussi Parikka, "The geology of media," *The Atlantic*, October 11, 2013.

★33 現代の予言者は、まるで生贄の動物の内臓か何かのように、パターンをデータに読み込んでいる。それらは、ヴァルター・ベンヤミンが「写真小史」で写真家の先駆としていた古い時代の卜占者、その後継的存在である——「我々の都市のあらゆる場所は、犯行現場ではないか。そこを通るすべての人は、犯人ではないか。写真家——予言者と卜占者の後継人——は、その映像で犯罪を明るみに出し、犯罪者を指し示すべきではないか」。
　しかし、二〇世紀の写真家と二一世紀のフィルタリング／解読の担い手との間には、決定的な差異がある。現代においてパターンを抽出する主体は、事実を経て犯罪を認識することを、主な目的としていない。人々がその主体に望むのは、事が起こる前に犯罪者と犯罪を予測すること、そして先手を打ってそれを阻止することだ。私たちの都市のあらゆる場所は、今後起こりうる犯罪の現場として緻密にマッピングされ、性別と年齢に基づくターゲティング広告によってその全体を彩られている。それはまた、生気を帯びた商品、卜占を行うスマートフォン・カメラ、傍受されたドローンの空中からの視点によって監視を受けている。

★34 "Israel: Gaza Airstrikes Violated Laws of War," hrw.org.

訳注

☆1 この「脅威（threat）」という語によって、特定の人物が政府にとってどれくらい危険な存在かを数値で示す、そうした採点システムが想定されている。しかし、通常知られている「スレット・スコア」にはこのような意味はない。スレット・スコアとは本来、稀にしか起きない出来事の確率を予測する、評価指標のことをいう。特殊な環境の気象予報、機械学習などに導入されている。真陽性（TP）、偽陽性（FP）、偽陰性（FN）、真陰性（TN）からなる混同行列のうち、的中回数（TP）をTP＋FP＋FNで割った数値。

☆2 ここでのデータ識別の問題は、計量経済学において「識別問題」と呼ばれるもの（均衡点を示す複数の式のうちいずれかに変数が生じない、または変数の要因が相関するために関数の推定が困難となる事象）、あるいは、統計的推測において複数の観測モデルが同一分布を示すような場合の識別不可能性とは、異なるものである。「スカイネット」の例では、因果関係の潜在変数が、そのままあたかも事実として捉えられている点が問題の本質となっている。

06

メディア——イメージの自律性

Medya: Autonomy of Images

ハルーン・ファロッキは《目／機械》という作品で、とある造語を提起した。それは「自死カメラ」だ。この作品には、第一次湾岸戦争でミサイルの尖端に取り付けられていたカメラが出てくる。そのカメラの映像が、爆発の瞬間までライブ中継されていたのだ。しかし予想に反し、この措置でカメラが破壊されることはなかった。ではどうなったか。それは、何十億個もの小型カメラ、スマートフォンに内蔵された極小のレンズへと砕け散ったのだ。ミサイルの付属カメラは爆発して膨れ上がり、その破片が人々の生、感情、アイデンティティを射し貫き、人々の思考と金銭をかすめ取った。

ミサイル尖端のカメラに求められていたのは、標的を捉え、追うことだ。しかしそれは自爆し、

DES9N7bxsOmHupY4JsjDg6fZ7va FIZaWDBASiCj6v
N+SVYuCa9Bo5L dJHmeo+kpmK2PTvlShVkxpOwt59hGX
6sdITapaRgEGCB8FZt3iSkE9EdmShv5vmSv30MrCoSFlq
nLeGY 9Wh6hNCNx4nUfxtzjoExo494fUr +hZebjFTo5ow//
oy22fW8fuwieIm oEm7y28eFSmN5ITVpjzDabYQBjYPgRp
LStGjRMcsilxGH6Ud3nweSy qjimsCs6f2OL4JuoIfPTSVAP9/
hia b9VKmyBM3WbOVwAi+wLjoS6 k1FcAcyjQo8HUM3v
GALSnPn7w+wnD5YNKRdXPV pQ8tq+stidQzFdESSzajS
7rPC81pzrIjW3tXOkr Dmusp/mEzfTEHOsFRq9eq3k OJr+
CXXSOhjXuSSPVNH1rt8JIDUts529LqAb5pPfYta1L4bD5
LK3hNywWoCTsExgg5jkR64boO/RUB4eYlVQWNSHEv
TtTz++mI+rY sZjIslyhEf6fGAMQPDyqooXrhjFZEx1m
BprRDPAHbA4ROL38lHd pJTDIt3DaWuhsTKWza
AMwML lloiiIP8j7gEZXAwdSaJy+wc4a4iFZB7bCGB5nd
wCS3hoBNFq7kESbW+

図1｜ハゲワシ、鶴、頭部のない人間の図像が彫られた、トルコのギョベクリ・テペ遺跡の石柱

激増した。これらは今日、対象を見定め続けるだけではない。カメラは、対象と深い関係を持つ機器、その所有者、所有者の身ぶり、感情、また彼ら／彼女らの大半の行動とコミュニケーションを同定し、追跡している。ミサイルの先に内蔵されたカメラが「自死カメラ」なら、スマートフォンのカメラは死に損なった「ゾンビカメラ」だ。

　では、爆発したのがカメラだけでなく、そこに生じるイメージでもあったとしたらどうだろう。認識できないまでにイメージが砕け散る、そんな状況が生じるのだとしたら。

　ここにみせる図像だが、これは頭部のない人間の上方を飛ぶハゲワシを表しているのだという［**図1**］。少なくとも考古学者はそう主張している。みただけではなかなか分からないかもしれない。説明とみるものが一致しないと思う。

放射能を浴びて突然変異を遂げた、ニワトリか何かのようだ。そしてその下の奇妙な形が、頭のない人物ということらしい。

私は、遡ること一万二〇〇〇年前に誕生したこの石柱レリーフを、この目で確かめたくなった。というわけで実際に、トルコのウルファ近郊にあり、世界最古の宗教施設として知られる、このギョベクリ・テペ遺跡を訪ねてみた。ストーンヘンジを思わせもするが、違う点は、さらに六五〇〇年古いということ。そしてぽつんと巨大な石柱サークルが一つある代わりに、およそ二〇基が存在するということだ。それらのほとんどはまだ完全には発掘されておらず、多くの石柱には、恐ろしげな動物が精巧に彫られている。

しかし結局、目当てのレリーフは現地でみることができないと分かった。拝めるのは石柱の背面だけで、レリーフ自体は人目に触れないようになっている。みる手段はというと、それはスマートフォンだけなのだ。インターネットに接続して、グーグル検索。もちろんこれはほぼ場所を選ばない。だがいわゆる「現実」では、そのアクセスは閉ざされている。

とはいえ、イメージをみたのは私だけではなかった。スマートフォンもまた私と私のいる場所、私の行動をみていた。

二〇一五年一月。ギョベクリ・テペにまで届きそうなほどの轟音が、シリア北部の街、コバニで鳴り響いていた。戦闘である。コバニがＩＳＩＳによる大規模な攻撃の的となったのは、二〇一四年一〇月のことだった。いつ陥落してもおかしくない状況で、国境のトルコ側では関心

DES9N7bxsOmHupY4JsjDg6fZ7vaFlZaWDBASiCj6vN+SV
YuCa9Bo5LdJHmeo+kpmK2PTvlShVkxpOwt59hGX6sdITa
paRgEGCB8FZt3iSkE 9EdmShv5vmSv30MrCoSFlqnLeGY
9Wh6hNCNx4nUfxtzjoExo494fUr+hZebjFTo5ow//oy22
fW8fuwieImoEm7y28eFSmN5ITVpjzDabY QBjYPgRpLStG
jRMcsilxGH6Ud3nweSyqjimsCs6f2OL4JuoIfPTSVAP9/h
iab9VKmyBM3WbO VwAi+wLjoS6k1FcAcyjQo8HUM3v
GALSnPn7w+wnD5YNKRdXPVpQ8tq+stidQzFdESSzajS7
rPC81pzrIjW3tXOkrDmusp/mEzfTEHOsFRq9e q3kOJr+
CXXSOhjXuSSPVNH1rt8JIDUts529Lq Ab5pPfYta1L4bD
5LK3hNywWoCTsExgg5jkR64boO/RUB4eYlVQWNSHEvTt
Tz++ml+rYsZIslyhEf6fGAMQPDyqooXrhjFZEx1mBprRD
PAHbA4ROL38lHdpJTDIt3DaWuhsTKWzaAMwMLlloiiIP
8j7gEZXAwdSaJy+wc4a4iFZB7bCGB5ndwCS3hoBNFq7kE
SbW+5wiBU7w6nEiNLYanDUoFWoDR1IBaEAoX2vdbhIP
XfVsgWmgDGwZByozblTQJJqYaQCOU7ko+QffkqRx sO43
RN2BnboNsFFCGDPgV5hkJMDXYhag rpq/wLoqs6Ap

図2｜見物人たちが私のカメラ・ファインダーで撮影したイメージ（2014年10月8日）。シリアの都市、コバニにいるISISの位置情報を得ようとしていた

のある数百人が眼差しを向け、市内とその周辺の複数の前線で起こる戦闘をみようとしていた。軍用の双眼鏡とありったけのカメラを通し、無数の目がそこでの出来事に向けられていた。

　しかしコバニの戦闘を多数の人間が目撃したところで、彼らは何をみたというのか。というか、私は何をみたのか。

　ISISの居場所をつきとめようと、見物人たちはシリアに接する国境で、私のカメラ・ファインダーを使っていた。ISISの車が走っているのが遠くにみえると言う者もいたが、正直言って私には全く分からなかった。目に入ったものといえば、煙、雲《クラウド》、あとは建物くらいだ。もしかすると彼方に、車か、あるいはただ日光のきらめきがみえたかもしれ

ない。見物していた数百人のうち、自分たちが事実何をみているのかを理解していたのは、ほんの一部だった。私にはそれは無理だった。何かがみえたとしても、それはイメージというよりは壮大に爆発して空中に舞い散っているような、イメージの欠片だった［図2］。

カール・フォン・クラウゼヴィッツは、「戦場（theater of war）」という概念をこう定義している。


戦場とは元来全臨戦地域の一部であって、掩蔽《えんぺい》された諸側面と、そのためにかなりの独立した面を持つ地域のことをいう。この掩蔽は要塞によることもありうるし、その土地の大きな障害物、または臨戦地域の他部分から遠く隔たっていることによる場合もありうる。そのような一部分というのは、全体のたんなる部分というのではなく、それ自体が小さい全体をなすものである。［★1］

「戦場」という語には、軍事活動の見世物的な面も含意されている。コバニを取り巻く丘陵は一定期間、まさに劇場《シアター》と化した。戦車や見物人向けの、ドライブイン形式の映画館さながらに。私たちは、飛翔体、雲ほどのスケールの煙、閃光をみた。スマートフォンでは、ＩＳＩＳの動画で頭部のない人々をみることもできた。これらはすべて、ギョベクリ・テペの石柱レリーフと同様、理解の域を超えていた。

首を斬り落とされた人間の上方を飛ぶ、ハゲワシ。私はそれをスマートフォンでみた。あなたも手持ちの機種で見つけられると思う。グーグルでの検索ワードは、Göbekli Tepe〔ギョベクリ・テペ〕、vulture pillar〔ハゲワシの柱〕だ。そうすると、形を分かりやすくするために、無頭の人体に当たる部分を赤線でマークした画像が出てくるはずだ。

　そしてこれは、機械がイメージを「理解」する方法でもある。機械は対象を追跡、分析するために、線《ライン》と四角い枠《ボックス》を写真に投影する［★2］。線と枠をイメージに足すことで、機械がより自律的《オートノマス》になるのだという。その最たる例が近年の兵器システムだ。それは、管理と制御という人的な営みから離れつつあることから、「自律型」と呼ばれる［★3］。

　ただし、イメージがコードとして機械に解読されるとき、その目的は機械が持つ知性の証明にはとどまらない。イメージには有用性がある。行為を誘発し、現実を創造するモデルとしての有用性である。まさに、世界を一変させる図面と地図を人間が利用したように、機械は自らにとっての解読可能な通信回路に依拠し、世界を変えようとする。

　いっぽうでこのautonomy（自律）という語には、いくつかの異なる意味がある。コバニでの戦闘自体は自治《オートノミー》に向けた闘い、機械ならぬ人間のための闘いだった。そしてコバニの街を守り抜こうとする人々にとっては、「自治」の意味合いも異なる。それはあくまで、国家という存在に対する自治である。シリアやトルコといった国家だけでなく、国家それ自体との間にも一線を引く自治。自治とは分離主義でも、国家の奪取や占領でもなく、既存国家の内側に併存する体制、その創出なのだ。

ギョベクリ・テペにある石柱群の図像が明かしているのは、国家誕生の決定的な分水嶺である。それらの図像は、国家の歴史、その最初期につくられている。実際、一部の考古学者はこう主張している。まさにそれらが石器時代に創造されたのをきっかけに、国家なるものの祖型ができあがったのだと。科学者たちのかつての認識では、まず農耕が生まれ、その後に国家と組織的宗教が誕生した。ギョベクリ・テペの存在が示唆しているのは、この順序が逆だったかもしれない可能性だ。すなわち最初に宗教儀式があり、そこから芸術表現が生まれ、次いで芸術は分業制の発生を促した。その際、一部の人間が別の人間に代わって食事を用意する必要があった。そこで農耕が解決策だったと考えられるのだ。科学者たちは、建造と石彫は容易な作業ではなく、生活を支える基盤が必要とされており、そのことが社会階級の胚胎につながったと考えている。頭部のない人体があって、その上空をハゲワシが旋回している——このイメージが石彫として結像したとき、国家的な組織体がいわば副産物《バイプロダクト》として生まれた。言うなればこの石柱のイメージは、それまでになかった、そしておそらくより不平等な社会的実在性の基体となったのだ。

先に触れたとおり、ギョベクリ・テペの石柱のイメージの真意は、誰も知らない。キャプションもサウンドトラックも、解説書もないのだ。文字文化がなかったし、何かが言い伝えられてきたわけでもない。しかし私たちは今なお、そのイメージの余波のなかに——国家、私有財産と階級の不平等に徴しづけられた社会、万物が人間の所有下にある社会のうちに——生きている。

レバノンのアーティスト、ラビア・ムルエの作品《雲に乗って》（二〇一六）には、狙撃兵に頭を撃たれたのち、イメージの認識、判別能力を失った主人公(ムルエの弟、イエッサの実体験に基づくキャラクター)が登場する。この脳損傷の後遺症として、主人公はイメージを、線、色彩、そして物質からなる、意味をなさない混合状態としてしか捉えられなくなった。彼は、イメージにいかなるものも認識することができない。狙撃兵の銃弾は、彼の識別能力を奪っていった。

機械にとってのイメージと人間にとってのイメージとでは、見え方の点で違いがある。機械の場合、イメージがとりうるもっとも純粋な形式は送信データである。それは光の波動、磁波、また一見して意味をなさない文字や記号列としてコード化されており、人間には理解できず、感知すらできない。もしみることができるならそれは、狙撃兵に頭を撃たれた人物が知覚するイメージと同じくらい、私たちにとってはほぼ無意味なもの、線や四角形の囲みよりも抽象的な何かだろう。狙撃兵に撃たれた人間には、ほかの人間が自らに向けてつくり出したイメージをみることはままならないが、自律した機械が自らのためにつくり出したイメージは、同様に私たちの視覚能力を超えている。

二〇世紀美術史を振り返ってみよう。それはひょっとすると、機械が自らのためにつくり出したイメージを人間が解読する、その助けとなるような手引きであり、今日の状況を見越していたといえるかもしれない。例えばこのピエト・モンドリアンの絵画だ[図3]。

モンドリアン作品の特徴となる彩色されたグリッド構造は、現代に溢れるポストヒューマン的視覚性を身に付けたい人間たちに、「機械のようにみるとは、どのようなことか」を図らずして

DES9N7bxsOmHupY4JsjDg6fZ7vaFIZa WDBASiCj6vN+S
VYuCa9Bo5LdJHmeo+kpmK2PTvlShVkxpOwt59hGX6sdIT
apaRgEGCB8FZt3iSkE9EdmShv5vmSv3oMrCoSFlqnLeGY
9Wh6hNCNx4nUfxtzjoExo494fUr+hZebjFTo5ow//oy22
fW8fuwielmoEm7y28eFSmN5ITVpjzDabYQBjYPgRpLStG
jRMcsilxGH6Ud3nweSyqjimsCs6f2OL4JuoIfPTSVAP9/
hiab9VKmyBM3WbOVwAi+wLjoS6k1FcAcyjQo8HU M3v
GALSnPn7w+wnD5YNKRdXPVpQ8tq+stidQzFdESSzajS7
rPC81pzrIjW3tXOkrDmusp/mEzfTEHOsFRq9eq3kOJr+
CXXSOhjXuSSPVNH1rt8JIDUts529L qAb5pPfYta1L4bD
5LK3hNywWoCTsE xgg5jkR64boO/RUB4eYlVQWNSHEv
TtTz++ml+rYsZjIslyhEf6fGAMQPDyqoo XrhjFZEx
1mBprRDPAHbA4ROL38lHdpJTDIt3DaWuhsTKWzaAMw
MLlloiiIP8j7gEZXAwdSaJy+wc4a4iFZB7bCGB5ndwCS3
hoBNFq7kESbW+5wiBU7w6nEi NLYanDUoFWoDR1IBa
EAoX2vdbhlPXfVsgWmgDGwZByozblTQJJqYaQCOU7
ko+QffkqRxsO43RN2BnboNsFFCGDPgV5hkJMDXYhag
rpq/wLoqs6Ap

図3｜ピエト・モンドリアン《黄、青、赤のコンポジション》（1937–42）

教示する、そんな練習台なのかもしれない。

　このグリッドは、ポストヒューマン的ドキュメンタリーなのだ。光の波長と電波が目にみえぬまま空間にくまなく伝播し、たえまない生の軌跡が一定のパターンへと形を変える。そしてそれは、すべての人間が知覚できるよう翻訳されねばならない。この作品においてもやはり、イメージは社会的実在性の創造モデルである。

　次のイメージをみてもらいたい。占術棒〔近代初期のヨーロッパで、水脈を発見できると信じられていた道具〕を連想させる手つきでノート型パソコンを持った二人の男が、廃墟のなかを歩いている［**図4**］。

JJqYaQCOU7ko+QffkqRxsO43RN2BnboNsFFCGDPgV5hk
JMDXYhagrpq/wLoqs6ApQUT2L2P/TmaOQ6xKmSjuymn
6E76xnYYN85Bp90LyirFbg6zRWcpfUdMQssH7jlhK1iAu
YkY96TI6iltGoK1sT8hyZmUz7 mz7PWzesas7iEH/pkB
317a7zaS3sNANofRI7AMXb00AU0595liMlWMjFuuKU
telKU4Xp8WxypzVmvSSGzLZjr6PKgo6ZWGhLwQ2Zk/Hb
WIPVogK1imYoWDZlD+Zm 4wYwDKoiC5zHgDsTwmpno
R5e9x7vh9033LwV+l9LoQkY/oD4HN8v/sJjVM3wSaMVT
CKsk54wiy+X2wEVBEorN90DMVNCTh1WKS9BYmu1K
+q6ugLiL3RiD MAXXwQQ7WTcKnBpn/rMQ9nzuPB9Ez
RwryZ5boXyzHj/UIoA8NmC6UgV5ZUTKPa8Ln4FMeh7
W295U nzu7JbPTxCQq5y3JZ+T4YbiWEBYidFSxSVAF3x
CH3d7cfPAJezKcjTTRzadzlmr/C5Fk bMwDu5Hr41itAk
MrxHE6OHqtB1DW2RbujRKcAFohk3vnmFU1016ylrc+
WXCyZs zZcAxcPRaW3bjCwAu79nSQGbZO1e6AHyLsud
UNZlG3bO8ZMacOvJC+Kq40pOA5 u2wD37VbWPSyYpBi
3pBagmOyKdjp+HwyQbXPhN5ReeG2u/MqNoSbCZg2My7
Cj44HES1jrWrfGx+1+

図4｜ディジレ通信社の記者二名が、コバニで無線LANの電波を探している様子（2015年1月）

　もっとも、彼らが求めていたのは水ではない。戦地におり、自分たちの音信をそこから送り届けようと、トルコの携帯電話会社が提供しているシグナルを探し求めていたのである。私が二人に声をかけたのは、この街が解放された日のことだった。クルド支持派の通信社に勤める記者で、包囲された街から一歩も出ずに数週間を過ごしたという。夜になると有刺鉄線をくぐり脱出を試みたが、トルコの国境警備隊に銃で狙われた。それで廃墟に戻り、現地報告のアップロード用に無線LANの電波を見つけねばと考えたわけだが、これが難航した。インターネットの状況は天気で変わるのだと彼らは言う。どこが破壊の照準になるかも分からず、寝食の場所を毎晩移し、そしてシグナルを追っていた。国境などというものに関係なく、空中をさまよいながら移動しているはずの、予測できないシグナルを。

言わずもがな、この地帯で携帯電話から発信されるデータは、すべて回収されているのである。どこで、そして誰によってかも言うまでもない。エドワード・スノーデンが提供したドキュメントを分析したローラ・ポイトラスとほか数名の報告記事によると、同地のすべての携帯電話のデータは、アンカラ近郊にある米国国家安全保障局（NSA）の傍受センターで洗い出されたのち、トルコの諜報機関に横流しされていた［★4］。この記事によると、トルコ政府は、活動家たちを脅迫、起訴、投獄し、またはもっとひどい目に遭わせる目的で、これらのシグナルを利用していた。『ウォール・ストリート・ジャーナル』によれば、この種の情報が行動指針となって以降、イラクとの国境付近で空爆があり、三〇人以上の民間人が命を落とした。二〇一一年一二月のことである［★5］。

あなたのスマートフォンをみてほしい。ギョベクリ・テペの石柱に彫られた、打ち首にされた人間、その上方を旋回するハゲタカを見つけられただろうか。その写真画像が国家の監視網をかいくぐってきたとき、どんな線と枠が付け足されたのか、考えてみてほしい。そのとき、どんな対象がそこに捉えられたのだろう？諜報機関がその利用価値の有無を判断したとき、基軸となった計算法はいかなるもので、そしてそれはどんな行動を導き出したか。にわかに舞い立ち、飛行したものは、どんな姿をしていたか。

機械が互いに示し合うのは、認識不可能なイメージ、もっと言えば、人間の目では捉えようのないデータ群である。現実創造のモデルとして、それらは用立てられる。では、認識不可能なイメージから出来する現実とは、どんな現実なのだろう。現実そのものが（一定の割合で）人間の意識によって捉えがたくなってきているのは、これが原因なのだろうか。

こうした諸々の措置から生まれる国家、秘密法の背後に身を隠し、多くの措置を隠ぺいする国家とは、どんな国家なのか。これが、いわゆる深層国家《ディープ・ステート》なのだろうか。その深みのうちで、不平等の度合いが同時に増していくような。

現実のためのモデルの構成要素が、次第に人間の視覚を超えたデータ群となりつつあるのだとすれば、このモデルに従い生み出された現実もまた（全面的ではないにせよ）人間の認識枠を超え出ているだろう。生きとし生けるものがパターンとなり、自律した機械がそのパターンを活用し、市民の情報を裏で集め、そして引き金を引く。そうした行為遂行の場となるイメージ。有用化にあたり、まるで狙撃兵に頭を撃たれたかのような、機械だけに解読が許された現実を立ち現すイメージ。死の回線《デッドライン》と標的枠《キルボックス》でできた現実。そこに生きる市民が、自分の見通しを理解できない現実世界。

法人的／協同身体的な（corporate）国家を副産物《バイプロダクト》として生み出すであろうイメージ。

ウクライナ出身のアーティスト仲間が、私にとある話を語ってくれたことがある。彼の名はオレフ・フォナリョーフである。その話を下敷きにした、素晴らしい写真プロジェクトに取り組んでもいる［★6］。オレフは次のような問いを立てた。人類の進化が私たちの環境にある光源の変遷に反応を示すようになったとき、何が起こるだろうか、と。数百万年の間、地球上には星と太陽を源とする光しかなく、そこに火とロウソクがちらほら介在していた。今ではどうか。電光とスクリーンで溢れている。むろんあの、骨組み状の構造を縦横に巡る、無機物と生命のポストヒューマン的ドキュメンタリーも例外ではない。有機的な組織体は進化の途上で、環境変化に応じて自らをも変化させてきた。では人間は、不可視のイメージを把捉するのにどの知覚、どの器官を発達させていくだろうか。現状では捉えようのないデータの流れを解読するために。認識不可能なイメージに依って立つ、そんな環境に順応するために、人間はどう進化していくのだろうか。

コバニが解放された日の夜、これを祝う盛大な催しが国境のトルコ側で開かれた。このとき、プロジェクターが思うように機能しなかった。一枚の大きなスクリーンが、モスクの前面に掛けられていた。しかしプロジェクターに映像信号が入力されず、そのままデスクトップ画面が表示された［図5］。

何が目に入ったかというと、それはマスクをかぶった一人のゲリラ兵といくつかの旗である。もっとも、興味深さを感じたのはそこではなかった。私の注意を引いたのは、その初期画面に並んだ、通信ソフトウェア、画像処理ツール、暗号化ソフトウェア、FTPクライアントなどのアイコンであった。祝宴を後方から引き立てるはずのそのイメージは、実質的にドキュメントとしての本性を獲得していた。作業環境《ワークプレイス》と道具類《ツール》を映し出しつつ、それは、イメージがいかにして

DES9N7bxsOmHupY4JsjDg6fZ7va FIZaWDBASiCj6vN+S
VYuCa9B05LdJHmeo+kpmK2PTvlShVkxpOwt59hGX6sd
ITapaRgEGCB8FZt3iSkE9 EdmShv5vmSv30MrCoSFlqnL
eGY9Wh6hNCNx4nUfxtzjoEx0494fUr +hZebjFT050w//oy
22fW8fuwieImoEm7y28eFSmN5ITVpjzDabYQ BjYPgRpL
StGjRMcsilxGH6Ud3nweSyqjimsCs6f2OL4JuoIfPTSVAP
9/hiab9VKmyBM3WbOVwAi+wLjo S6k1FcAcyjQo8
HUM3vGALSnPn7w+wnD5YNKRdXPVpQ8tq+stidQz
FdESSzajS7rPC81pzrIjW3tXOkrDmusp/mEzfTEHOsFRq9
eq3kOJr+CXXSOhjXuSSPVNH1rt8JIDUts529Lq
Ab5pPfYta1L4bD5LK3hNy wW0CTsExgg5jkR64b0O/

図5｜コバニ解放の祝賀祭（2015年1月）。ダンスとスピーチの背景となった、プロジェクターからのイメージ

自律的に生産されるかを、伝え示していたのだ。これらのツールを使うとき、どういった現実が創造されることになるのか。それらは、人間が自治を実現するにあたっての助けとなるのだろうか。

あるいはここに脈絡を求めて、デスクトップ上の人物とそのマスクの関係についてこう問うことも可能だ。オレフが見通していた身体器官を、この人物は進化の末に獲得したのだろうか、と。この人物にとってはもう、ポストヒューマン的ドキュメンタリーのイメージは、認識可能となっているのだろうか。その目出し帽の下に、未知の組織=器官が隠されているのだろうか。

私はついにこの目で、鳥と無頭の人々をみた。

コバニから国境を越えたほど近くに、スルチという街がある。その難民キャンプで、十代の子たちがダンスの練習をしていた。ゲリラ兵の軍服を着た若い女性が、演出を担当していた。伝統音楽に合わせ

た、とても動きの多い振り付けだった。

このダンスには、全員がいきなり地面に打ち崩れる一幕がある。爆撃を受けたか、いずれにしろ死に至る暴力を受けたかのようにばったり伏せるのである。この一帯でベルト代わりに使われているスカーフで、皆の頭が覆われているような場面もあった。私の目に映ったその様子は、死体の表現へと上書きされていった。

しかしそこで、振り付けを担当していたこの若い女性がめいめいの体を持ち上げ、体勢を立直していく。彼女の役柄は、飛ぶ鳥である。ふと、闘いの地に横たわっていたこれらの身体は残らずすべて、ゆっくりと鳥に変じていくのである。といっても、ハゲワシに変身するのではない。鶴である。そうして連れ立って飛び去っていくのだ。

この一帯は少なくとも一万二〇〇〇年の間、季節性の移動を行うツル科の鳥類のルートになっていた。ギョベクリ・テペ遺跡の石柱にも、その姿は認められる。しかしここ数年の間、ウルファの環境活動家たちはこの鳥の訪れを確認できずにいた。シリア内戦の影響からこの地に寄りつかなくなっていたのだ。それらを再び導き迎えたのは、振り付けを行うその若い女性であった。

彼女の名は、メディア（Medya）である。

原注

★1 Carl von Clausewitz, *On War*, trans. J.J. Graham (1873), Book 5, Chapter 2. clausewitz.com.〔カール・フォン・クラウゼヴィッツ『戦争論』(上) 清水多吉訳、中公文庫、二〇〇一年、四一三頁〕。

★2 これに関しては、ハルーン・ファロッキの先駆的な作品――《目/機械》および《認識と追跡》――で秀逸な分析が行われている。この二つの作品で扱われているのは、コンピュータの視覚情報処理機能を紐帯とする、戦争と生産行為の関係性である。

★3 ここで私は、ハルーン・ファロッキの自律性に関する思想を想起したのだが、その糸口となったのは、トレバー・ペグランの優れた寄稿の一節であった。ウェブ版の『アート・フォーラム』に掲載された、ペグランによるファロッキの追悼記事がそれである。「ファロッキが鑑賞者に求めたのは、〈自律機械による戦争がどんなものか、想像することだ。それは労働者不在の工場生産のように、兵士のいない戦争である〉」。以下を参照。Trevor Paglen, "Passages: Harun Farocki (1944–2014)," artforum.com, February 6, 2015.

★4 Laura Poitras, Marcel Rosenbach, Michael Sontheimer, and Holger Stark, "A two-faced friendship: Turkey is 'partner and target' for the NSA," *Der Spiegel* 36 (September 1, 2014). このジャーナリストたちは、エドワード・スノーデンがリークした米国国家安全保障局の記録文書にアクセスし、それを根拠にこうした主張をしており、独自に真偽の証明がなされたわけではない。さらにこの記事によれば、アメリカの同機関は、トルコの政府当局をも厳重な監視対象としている。

★5 「アメリカによるトルコ支援目的のドローンの運用は、二〇〇七年の一一月に始まった。このときブッシュ政権が立ち上げたのが、アンカラ連合情報部という共同機関で、これはレジェップ・タイイップ・エルドアン首相率いる政権との友好関係を築くための一環であった。アメリカとトルコ両国の将校は、照明を落とした複合施設の室内に並んで座り、プレデター無人偵察機からリアルタイムで発信される映像をチェックしていたのだった」。以下を参照。Adam Entous and Joe Parkinson, "Turkey's attack on civilians tied to U.S. drone," *Wall Street Journal*, May 16, 2012. なお公式調査では、関与していた役人が故意にこの措置を行った証拠はつかめていない。

★6 これは、フォナリョーフの《アナザー・プラネット》(二〇一〇－) というプロジェクトである。参考画像は以下のサイトで閲覧可能。photoacestudio. com.

07 デューティーフリー・アート
Duty Free Art

1 国立美術館

これは、ウィキリークスが二〇一二年に公開した情報である。ウィキリークスのデータベース「シリア・ファイル」の一部で、形式はパワーポイント、日付は二〇一〇年一〇月。ファイル名は「316787：構想プレゼンテーション／2010.10.30」で[★1]、シリア大統領夫人のアスマー・アル＝アサドが描いていた、同国の美術館構想というのがその内容である。彼女の財団にはこんな目的があった。シリアの経済と社会をさらなる繁栄に導き、国民意識と文化的矜持を高めるために、美術館や博物館間のネットワークを築くというものだ。この構想を進めるにあたっての提携先に挙げられていた機関——それが、フランスのルーヴル美術館だった[★2]。そして同館に加えビルバオ・グッゲンハイム美術館が、ダマスカスで立ち上げる新たな国立美術館計画のロールモデルとされている。

この国立美術館の建築コンペが国内外を対象に行われ、その最優秀作品を発表するカンファレンスが二〇一一年四月に予定されていた。

しかしその日取りの三週間前、「情報筋によれば、ダルアー市内を一〇万人が行進中」、二〇人の抗議者が「殺害された」[★3]。このときすでに、ルーヴルや大英博物館の館長など、スピーチ予定の多くの有力者がカンファレンスに正式招待されていた。『アート・ニュースペーパー』は二〇一一年四月二八日に、街頭抗議を理由にこれが中止されたと伝えている[★4]。結局このコンペの優勝者は公表されずじまいだった。

2 繰り返さないこと

ベネディクト・アンダーソンは、国民性《ネーション》の構築に欠かせないのは、国民の歴史を語り、そのアイデンティティを築く「出版資本主義」と一つの博物館《ミュージアム》／美術館だとしている[★5]。これを今日の状況に当てはめれば、存在するのは出版ではなく「データ資本主義」と多数の美術館である。そして美術館をつくるにあたり、国民性《ネーション》／国家は不可欠ではない。しかし、時間と空間を秩序立てる一つの手段が国家だと考えれば、美術館もまたそれに準じるものだ。では、時間と空間が変

図1｜写真：ヒト・シュタイエル

容するとしたらどうか。同じように美術館も変化するとはいえないか。

ここにみせるのは、トルコのディヤルバクル市立美術館のイメージだ［図1］。この美術館は二〇一四年九月、大虐殺とその後をテーマとした「繰り返さないこと」展の会場となった。そのポスターには、ワルシャワ・ゲットーの慰霊碑の前でひざまずく旧西ドイツの元首相、ヴィリー・ブラントの姿があった。

しかし同展は予定通りには行われなかった。二〇〇人以上のヤジディ教徒の難民が、この美術館を埋め尽くした。

二〇一四年八月、ISISの戦闘員がシリアとイラクの国境の一部を越え、その一帯を実質的に掃討したのち［★6］、約一〇万人のヤジディ教徒の難民がイラク北部のシンジャール一帯から逃れた。多くは人道的回廊を開放したクルド系反乱

図2｜写真：ヒト・シュタイエル

軍の援助を受け、シンジャールの峠を徒歩で越えた。そのうちの大多数は、シリア北部のロジャヴァ地方に設けられた難民キャンプと、イラク北部の数ヵ所の収容施設にとどまった。しかし、少なくない人々はトルコ領内のクルド人地域に入り、そこで手厚い歓迎を受けた。このときディヤルバクルの行政は、現地の美術館を緊急シェルターとして開放したのだった。

難民の多くは展示室の敷物の上で落ち着くとすぐに、行方の分からない家族に携帯電話で連絡するため、ＳＩＭカードはあるかと尋ね出した。キュレーターは不在のままだった［★7］［図2］。

二〇一四年九月、この美術館は難民キャンプとなった。それは一つの国家を表象する代わりに、国家崩壊から逃れる人々をかくまったのだった。

3　可能性の条件

グーグルのNグラム・モデルのビューアによると［★8］、「不可能な（impossible）」という語の使用頻度は、二〇世紀半ば頃から急減している。一体どういうことだろう。不可能な物事が減ってきているのだろうか。不可能性という名で呼ばれていたものが、歴史的に衰退してきているのか。それとも、いわゆる「可能性の条件」が漸次的な変化に晒されているのか。何かが可能か不可能かであるというのは、歴史的、外的条件によって規定されるのだろうか。

イマヌエル・カントに従えば、時間と空間は、私たちが事象を知覚ないしは認識する上での必要条件だ。時間と空間なくして、知、経験、そして観照は展開しない。カントはこのパースペクティブに「批判哲学」という名を与えた。ではこれを踏まえ、コンテンポラリー・アートが顕在化するために、どんな類の時間と空間が必要だと考えられるだろうか。あるいはこう問うてみよう。コンテンポラリー・アートへと昨今下される批判的考察は、時間と空間について何を語っているだろう。

多くの学術論考を乱暴に要約すれば、こうなる。コンテンポラリー・アートを成立させているのは、新自由主義の資本だけでなく、インターネット、ビエンナーレやアートフェア、多元的な歴史の構造、ますます広がる所得格差だ。そしてこのリストに、「非対称戦争」（それは、富の大規模な再分配が起こる一因である）、不動産投機、脱税行為、マネーロンダリング、規制緩和後の金融市場を加えよう。

哲学者のピーター・オズボーンがこの問題について重ねた示唆的な考察を、ここで約言しておこう。コンテンポラリー・アートは、私たちに（グローバルな）時間と空間の欠乏状態を示し、その上で実在しない統一態を、ばらばらな時間と空間の概念へと投影する。それによって、本来ならあるはずのない表層的な共有／共同の位相を立ち現す［★9］。

こうしてコンテンポラリー・アートは、グローバルに共有可能なものの代理《プロキシ》、共通の基盤や時間性の、または空間の欠如の代理《プロキシ》となる。なおかつそれは、場所の拡大と説明責任の欠如を特徴とし、都市空間を再編して世界中の街を一変させる、大規模な不動産事業の手管によって機能する。およそ一〇年の時間差で、戦争がもたらす富の再配分から美術市場のブームが巻き起こるという意味で、コンテンポラリー・アートとは内戦の現場ですらある。それはサーバー上で、光ファイバーを基体として、公的債務が神の御業で私有財産に転じるたびに発生する。納税者が、より立場の弱い国々にハイリスクの儲け話を押し売りしながら補償を得ている、そんな国際銀行にじつは助成金を出しているような自国以外の主権国家を、自らの手で破綻から救っているのだと勘違いしている——そんなときに、コンテンポラリー・アートは生まれる［★10］。もしくは、どこかの政権が「若返り手術」と同等の広報活動が必要だと決定したときに。

他方でコンテンポラリー・アートは、国家主権の正規ルートを回避する、以前にはなかった現実空間をつくり出してもいる。その今日的な例がフリーポートの美術品倉庫だ。

図3｜ジュネーブ・フリーポート

ジュネーブ・フリーポート。あらゆるフリーポートの美術品倉庫スペース、その草分け的存在。この非課税ゾーンは、ジュネーブに――具体的には、使われなくなった貨物駅や工業用の倉庫ビルの一部などに位置している。古い倉庫ビルの四階と裏手の敷地が「自由貿易区域」となっている。これはつまり、他階はフリーポートの対象外であり、法的に異なる管轄区域が全く同一の建物内に併存しているということだ。とある美術品倉庫スペースが二〇一四年にオープンした。つい数年前まで、フリーポートはスイスの一部だと公認されてもいなかった［図3］。

その建物には数千点のピカソ作品が保管されているという噂があるが、公的記録も不確かなため正確な数は知られていない。とはいえ、それが内容的にどんな大型美術館にも負けていないことは確かだろう［★11］。

この空間が、現代の世界屈指のアートスペースなのだと考えてみよう。それは公共空間から閉ざされつつ、地政学的にみてとても興味深い場所にある。

法的にみれば、フリーポートの美術品倉庫スペースは治外法権的な側面を持っている。そのいくつかは、空港の乗り継ぎエリアや非課税区域に設けられているのだ。ケラー・イースタリングは、こうしたフリーゾーンを「倉庫保管用に囲い込まれた包領」と言い表すが[★12]、今やそれはグローバル・アーバニズムの枢要な機関となり、世界のそこかしこにコピー・アンド・ペーストされている。それは(イースタリングの表現に倣えば)「国政の外的措置」が取りうる一つの形であって、「混成した例外状態」にありつつ、国民国家の法を超えている。この規制面での微温的な状態にあって、企業は一般市民の負担の裏で特権を得て、納税者の代わりに「投資家」が台頭し、モジュール状の空間が建物の代わりとなる。「(フリーポートの)魅力は、オフショアの金融拠点のそれに近い。安全性や機密性はあるが、監視は緩いからだ。また税制上の利点にも恵まれている。フリーポートに持ち込まれた物品は厳密には移送中ということになるが、実際にはそこは、蓄財保管用の恒久スペースとして利用されるようになっている」[★13]。

つまりフリーポートとは、「移送」や「推移」が恒常化されている、そんな区域なのだ。場所の性質としては不動でも、フリーポートは「永続的な一過性」といった概念から説明できはしないか。フリーポートは治外法権エリアというだけでなく、経済的利点に目をつけて周到に用意された、裏社会的な一機能なのではないか[★14]。

フリーポートには矛盾が折り重なっている。それは一過性の最終地点、合法化された超法規的な場だ。それを維持する国民国家とは、あえてコントロールを手放すことで「失敗国家」への肉薄を試みる、そんな国家である。トーマス・エルセッサーはかつて、システム障害寸前の状態で操縦し、そうすることで決定的な優位性を得る戦闘機の空力特性を、「建設的な不安定性」と呼んだ［★15］。そうした戦闘機は程度の差こそあれ、目指す方向にあって「落下」している、または「不全」の状態にあるのだという。この「建設的な不安定性」は国民国家の場合、国家機能があえて「不全」となるような場を、当の国家に含めるときに果たされる。例としてスイス国内には、法令／行政上の特別な囲い込み区域、「二四五ヵ所の解禁された保税蔵置場」なるものが存在する［★16］。こういった状態／国家などは、法人や個人の懐《ふところ》具合で適用の可否が決まる、多様な管轄権の受容体《コンテナ》なのだろうか。この種の状態《ステート》は、機をみて利益を得ようとする国家《ステート》なき状況のための、一括政策《パッケージ》となるのだろうか。エルセッサーも自ら述べるように、「建設的な不安定性」というこの発想はもともと、スイスのアーティスト、ペーター・フィッシュリとダヴィッド・ヴァイスの《事の次第》（一九八七）という作品に関する考察から来ている。あらゆる品々が安定性を失い、弾き飛ばされ、騒々しく崩れていくという作品だ。「均衡のもっとも美しい瞬間は、それが総崩れ《ツザンメンブリヒト》になる手前の瞬間である」とは、同映像作品の心憎いモットーだ。

　そしてフリーポートはとりわけ、「デューティーフリー・アート」〔課されるものなき芸術〕のための場にもなる。それは、崩れつつ永遠に氷結されたバランスのうちで、事物が屈託なく宙づりの状態を保つよう、「建設的な不安定性」に従いコントロールと失敗＝失墜の調整がなされる──そうした場のことだ。

4　デューティーフリー・アート

巨大な美術品倉庫スペースが世界各地で建設中である。それは言ってみれば「高級緩衝地帯」、トレードされたとたんに収蔵庫から収蔵庫へと美術品がシャッフルされる、そんな租税回避のエリアにある。こうした「オフショア美術館」や「治外法権ミュージアム」とでも言うべき倉庫は、コンテンポラリー・アートの最重要スペースの一つになっている。二〇一四年九月、ルクセンブルクが独自のフリーポートを開設した。ジュネーブ・フリーポートの成功に続こうとしているのは、同国だけではない。「二〇一〇年には、シンガポールのチャンギ国際空港にフリーポートがオープンした。すでに手狭なようだが、同様の施設はモナコにもある。また北京に計画中の「文化フリーポート」は、世界最大級の美術品倉庫になると考えられる」[★17]。これらの事業をほぼ一手に引き受けているのが、スイス国籍のイヴ・ブーヴィエが経営する美術品取扱い企業、ナチュラル・ルクルト社だ。

フリーポートの美術品倉庫はいわば機密美術館であり、その空間の諸条件は設計にも反映される。スイスの場合、目的が果たされていれば施設の外観は問われないのに対し、シンガポール・フリーポートの美術品倉庫では、設計者の手腕が前面に打ち出されている。

この設計はスイスの建築家、技術者、また機密保護のエキスパートによるもので、施設はじつに二万五〇〇〇平方メートルにおよび、収蔵庫と展示スペースに分かれている。スイスのフリーポートの倉庫施設が安全だが無機質ないっぽう、シンガポールのフリーポートでは、安全性と洗練の融合が目指されている。ロビーとショールーム、内装は、先鋭的なデザイナー、ロン・アラッドとジョアンナ・グラウンダーが手がけた。弓なりにロビーを横切る巨大な立体作品《国境なき収容》は、アラッド氏によるものだ。打ち放しコンクリートの壁に絵画が並ぶさまは、ギャラリーのようでもある。廊下には、プライベート・ルームと七トンの扉でガードされた貴重品室が並んでいる。ロビー付近には美術館レベルの照明が点《とも》り、そこではプライベート・ギャラリーが、コレクターが自身の所有作品を観たり、潜在的な購入者に紹介したりできる機会を設けている。次のステップとして、五万平方メートルへの倍増計画が予定されている。コレクターはフリーポートのスタッフによって飛行機の到着後に出迎えられ、昼夜を問わずリムジンで速やかに施設に向かう。クライアントが高額な品々を運び出すときには、武装した護衛が配備される。[★18]

この《国境なき収容》という作品名には、意味が二つある。一つは、際限ないほどの収容スペースだということ。もう一つは、国家支配の網をくぐって流通ネットワークを独自に築きつつ、「国政の外的措置」に依拠する——そうした機密の美術機関のなかに、今や「収容所」が遍在しているということだ。この遍在する収容所にはなお適用されるべき規定が存在するが、それがどんな規定で、誰に/何に適用されるのか、さらにはどう施行されるのかを知るのは困難といっていい。規定がどんなものでも、その拘束力は資産価値に背くように大きく減じられているかのようだ。またその構造についていえば、それは特定の空間で実体化するデバイスにとどまらず、実際には、法、流通管理、そして経済面のデータ保護された操作行為に根ざした、積層型記憶装置（スタック）でもある。それは光ファイバー接続と空輸を介して結びつき、国家の法、情報伝達の相互規定、企業規格などを媒介素とする、データ処理システムとユーザー間の重層的なプラットフォームなのだ［★19］。

フリーポートの美術品倉庫とこの「スタック」の関係は、国立美術館と国家のかつての関係に相当する。それは複数の国家体制の狭間、折り重なる主権の隙間に位置するが、国家の法的支配はそこで任意に撤回されているか、放棄されている。ビエンナーレやアートフェア、不動産再開発の完成イメージ、また有名建築家が手がけた、多様な政権を飾る美術館。そうしたものがこの位相における法人/企業的な表向きの顔だとすれば、機密美術館はその「ダーク・ウェブ」版、事物が立ち消え、物体が底なしに吸い込まれていく「シルクロード」（かつて実在した、インターネッ

図4｜ジュネーブ・フリーポートに置かれたコンテナ　写真：ヒト・シュタイエル

トの闇市場の名称」である［★20］。

美術品とその「動き」についてはどうだろう。それは関税のかからない区域を結んだネットワーク内部に加え、倉庫という空間自体の内部を行き交う。おそらくこのとき、美術品の木枠梱包は解かれてすらおらず、収蔵庫から収蔵庫へと人目に触れず移動していく［図4］。篋底《きょうてい》に潜み、反体制運動や麻薬、また金融派生商品や「特別目的会社」と呼ばれるもののように、追跡機能や記録もわずかに国土の外部を飛び回る。あるいは梱包を解いたとき、なかは空っぽということも考えられる。それはインターネット時代の美術館だが、ダーク・ネットの美術館であり、そこでの動きは不透明、データ空間はクラウド化されている。

しかしウィキリークスの「シリア・ファイル」に明かされているのは、これとは全く別の動きである。

〈差出人〉sinan@sinan-archiculture.com
〈宛先〉mansour.azzam@mopa.gov.sy〈送信日時〉Wed Jul. 7, 2010 4:06 pm
〈件名〉Fw: フライト予定 レム・コールハース建築事務所スタッフ

アッザーム様
レム・コールハース氏と彼の個人アシスタントのシュテファン・ペーターマン氏の到着日の事前確認でご連絡いたしました。七月一二日、来週の月曜日となっております。また以前もお伝えしましたが、二人ともオランダ国籍のためビザが必要になります。二人のパスポート写真を添付します。到着は別々で、時間も間が空くのでご留意くださいませ。コールハース氏は、エミレーツ航空で中国からドバイ経由、ダマスカス到着予定は、午後四時二五分。ペーターマン氏はオーストリア航空でウィーン発、ダマスカスにはコールハース氏よりも早く、午後三時着の予定です。
両名の滞在先は、アートハウス・ホテルかフォーシーズンズのどちらかになります。そして出発ですが、木曜日の午後四時になります。[★21]

ウィキリークスの「シリア・ファイル」は、およそ二五〇万通のメール（ドメイン名は六八〇種）で構成されている。運営側はその記録内容が果たして本物なのか、裏付けとなるものは出さなかった。しかし、ブラウン・ロイド・ジェイムズ社というPR企業が、アサド家のイメージ戦略に関わっていたのは事実である［★22］。シリア内戦が始まろうとしていた二〇一一年初頭、奇しくも戦争写真家であるジェイムズ・ナクトウェイが撮影した『ヴォーグ』誌の特集記事では、アスマー・アル＝アサドが「砂漠の薔薇」と称され、近代化と文化の推進者と紹介されている［★23］。

内戦開始から一年経った二〇一二年二月、「アノニマス」とその分派が、シリアのブロガーや抗議参加者、活動家たちと徒党を組み、同国の大統領府のメールサーバーに不正侵入した［★24］。このとき、アサドの側近や顧問の七八を数える受信ボックスがこじ開けられた。そこで何人かは、「12345」という同一パスワードを使っていたという［★25］。流出したメール群には、大統領府担当大臣であるマンスール・アッザームとレム・コールハース建築事務所（OMA）、さらには前者と建築家のリチャード・ロジャース、ヘルツォーク＆ド・ムーロンそれぞれの事務所の（多くは第三者を介した）多岐にわたる案件のやり取りがあった。一部の流れを説明しよう。ロジャースとコールハースが、ダマスカスでの講演に招かれていた。とりわけコールハースにとってこの滞在の機会は、国会議事堂などのプロジェクトの談合につながった［★26］。またヘルツォーク＆ド・ムーロンは、アレッポで計画中のアル＝アサド文化芸術会館の設計コンセプトを無償で提供し、国会プロジェクトの選考プロセスへの関心をみせている［★27］。こういったやり取りの多くは、建築事務所についての第三者の手を経たゴシップ以上のものではないし、そこにはスパムも大量に紛れている。いずれの事務所のケースでも、二〇一〇年一一月末以降のやり取りは記録に残っていない。二〇一一年一月に抗議運動が始まり、同年の三月末までにはシリアで暴動が本格化した。この暗雲の時期に糾明の矛先がアサド政権に向かうにつれ、当局と建築家のやり取りもすべてなくなったと思われる。中立的な機関がこれらの記録の真正性を確かめることなど、できるはずもなかった。このため現在でも、それらは判断保留のデータ群といった感じのもので、名前を確認できる書き手や受信者の関与も推測の域を出ない［★28］。しかしおおもとのソースがどこか、また書き手が本人かどうかに関係なく、こうした記録を提供するウィキリークスは、情報流通という観点から説明されうるサーバー機能なのであって、それらがデータの集合であることに変わりはない。

ここで、サイフ・アル＝イスラム・カッザーフィの《戦争》（二〇〇一）という絵画作品をみてみよう［図5］。サイフは、リビアの最高指導者であった故ムアンマル・アル＝カッザーフィの息子だ。ムアンマルは二〇一一年、NATOの空爆に後押しされた反体制派によって政権の座を追われたが、サイフはこのときすでにリビア政権である程度の力を持っていた。この絵は、「砂漠は黙さず」展（二〇〇二）のロンドン会場で公開されてもいる。

《戦争》には、一九九九年にNATOが行ったユーゴスラビア爆撃が描かれている。サイフはこの作品についてこう語っている。「コソボで勃発した内戦はこの絵とテーマを打ち砕いた。海は荒れて怒りは空から落ち、奔流する血とぶつかり合った」［★29］。彼は当時の声明でこう述べてもいる。「我々は、武器を買いガスと石油を売るだけではない。我々には文化、芸術、

図5｜自身の作品《戦争》(2001)の横に立つサイフ・アル＝イスラム・カッザーフィ

歴史があるのだ」[★30]。

コールハース建築事務所は二〇一〇年九月、シリアの事業への意欲をみせていた[★31]。これを受けた同国の建築家、シナン・アリ・ハッサン(彼は調整役を担っていた)がマンスール・アッザームに送ったメールでは、この提携の利点が誇張気味に語られている。「レムは、ザハ・ハディッドを指導していたかつての上司です。また知名度と経歴の点でも、レムはリチャード・ロジャース卿より(段違いとまではいかずとも)有力だと考えられています」[★32]。

両者のやり取りから分かるのは、おそらくコールハース建築事務所の出した案が、それ以前にリビアで提案されたプロジェクトを下敷きにしているということだ。「これはお見せしていたリビアのサハラ計画や、レムが大統領と話し合った構想に近くなると、私たちは考えています」[★33]。

コールハースは二〇一〇年六月のインタビューで、サイフ・アル＝イスラム・カッザーフィの腹心たちから案件の打診があったと述べている[★34]。当時の一般認識では、サイフは改革論者であった。文化財保護を骨子としたコールハースのリビアでのプロジェクトは、ヴェネチア・ビエンナーレで展示物として発表されてもいる[★35]。それは、シリアのパルミラ遺跡周辺の砂漠地帯でのプロジェクトを提案するにあたっての有力な前例として、後に言及されている。二〇一一年初頭の暴動以来、続く内戦はこの地域に深い爪痕を残してきた。

目下のところ、国際刑事裁判所はリビアにサイフの引き渡しを要請している。彼は同国で、収容＝投獄されているのだ[★36]。

5　夢

注意：本パート「夢」は本章における唯一のフィクションである。

当初の問いに戻ろう。時間と空間に何が起きたのか。どうしてこれらは破砕され、四散するのだろう。なぜ空間は、モジュール状に連なったコンテナ式の構造体、ダーク・ウェブや内戦、租税回避地（これらは、世界各地で複製され続けている）へと分散していくのか。

　こんなふうに考えを巡らせているうちに、私はつい寝てしまった。そこで見始めた夢は、とてもおかしな夢だった。ピーター・オズボーンが最近発表したとある論考にあった、図表が出てきたのだ［図6］。

　それはコンテンポラリー・アートの系譜図なのだが、私が気になったのはその内容ではなく形だった。ぱっとみて、その同心円の連なりが、へこみ、もしくは段状や波状の窪みのような、何か立体的な空洞を表しているように感じられた。だとしたら、何をどうやったら時間と空間がいきなり（言ってみれば）陥没するなどということが起こるのか。重力の問題？これらの円の湾曲は、マイクロ・ブラックホールの仕業なのだろうか。しかしその波状の窪みをつくり出しているのはどう考えても、それ以外の何かである。

　突然、この問いの答えが見つかった。私は重力から解き放たれ、宇宙空間へと飛躍していった。

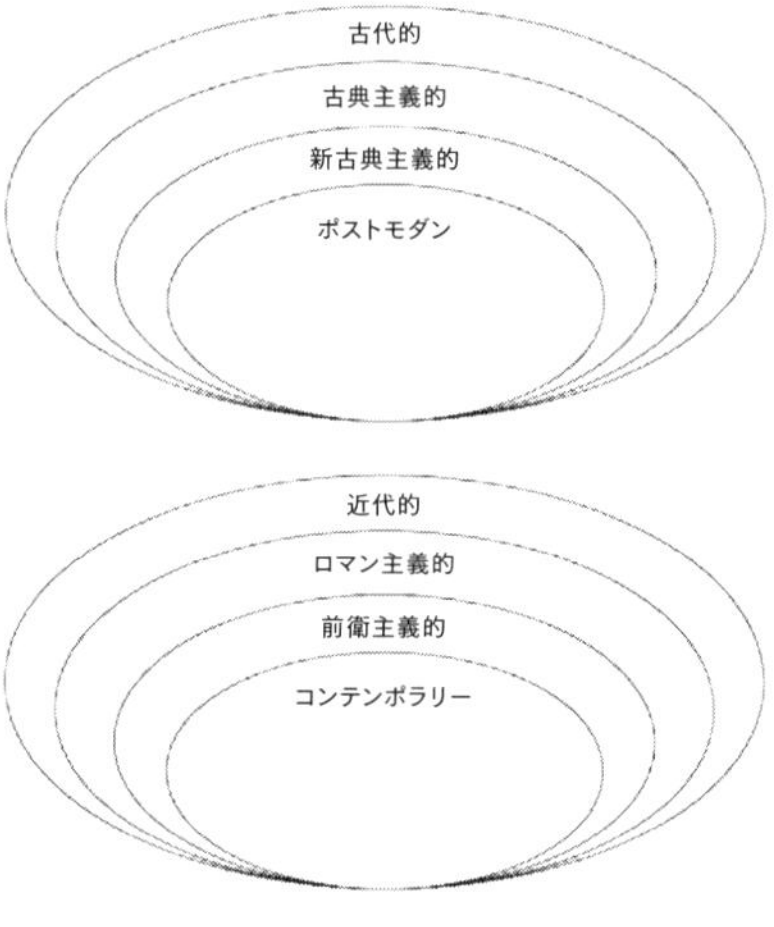

図6｜哲学者ピーター・オズボーンによるコンテンポラリー・アートの系譜図

辺りにはピーター・オズボーンも遊泳していて、意外にもテキサス訛りで、下方にある照準線をみるよう言った。

そこで私が目にしたのはピーターによる例の図表だったのだが、俯瞰するとそれは一転し、照準線と化していたのだ[図7]。

見下ろすと、うっすら感じられた空洞は消えて平たいスクリーンになっている。標的がすでに被弾していて衝撃波の生じた場にぽっかり空洞ができた、その証しとなる窪みは分からなくなっていて、このときから人々はあくまで、ピーターの図表、あのコンテンポラリー・アートの系譜図を目にするようになる。

真上からみると、それは代理《プロキシ》やスクリーンとして機能していた。照準線の形をしているけれど、同時に衝撃の場を覆っている、という意味で。

ピーターは宇宙服のヘルメット越しに、くぐもった声でこう言った。

「これがコンテンポラリー・アートの役割なのです。

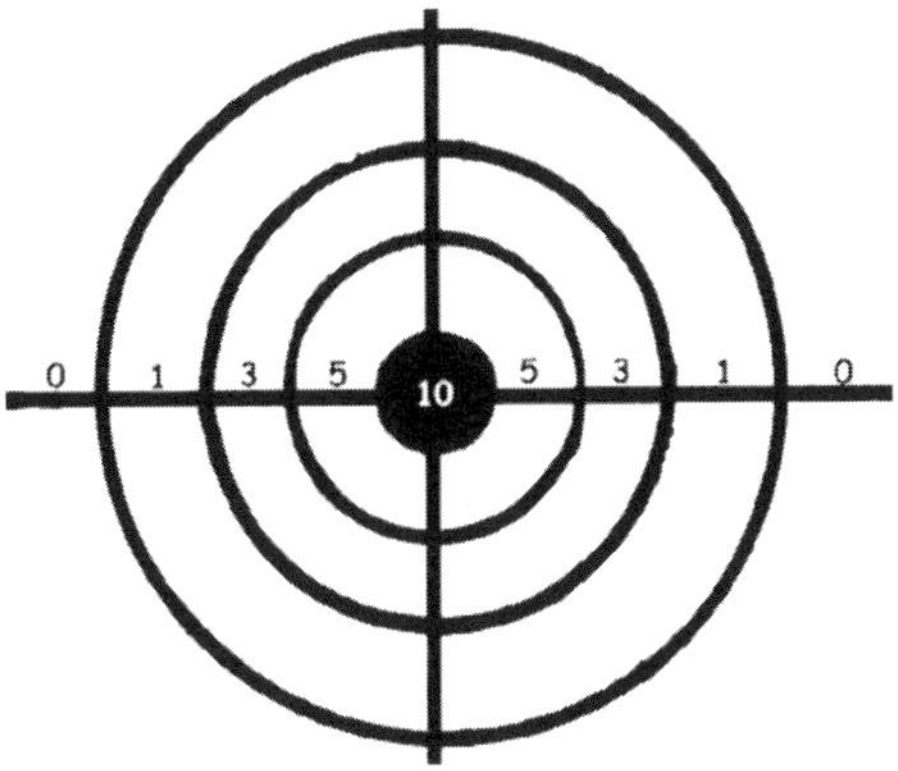

図7

それは代理《プロキシ》であり、代役なんですよ。時間と空間は「離接的」な統一態へとばらけていき、有名建築家が手がけた仰々しい「スタック」に成り果てる。これはそのあとに、衝撃が起きた場に向けて投げかけられるものなのですね。

コンテンポラリー・アートは、何もかもがまだ問題ないと偽るための、一種のレイヤーや代理《プロキシ》であって、じつはこのとき人々の足元は、ショック政策や「衝撃と畏怖」作戦、リアリティ番組、電力カットやそのほかの制限行為、猫のＧＩＦ画像、そして催涙ガス——これらの影響で、おぼつかなくなっている。これらはどれも、ショックと混乱、長引く躁鬱状態を引き起こし、感覚はおろか人間の論理的思考や認識能力をことごとく破壊し、組み替えてしまう。

フリーポートの収蔵庫の扉の向こうで何が起きているか、あなたにも見当がつかない。そうですね？ではここでそれを教えましょう。時間と空間は、暴走した粒子加速器にかけられたように粉砕され、微小な塊へと配列転換される。その結果が、「国境なき収容」、つまりはコンテンポラリー・アートと今日呼ばれるものなのです」。

……………………………………ここで突然、フィクションのパートが終わる。

私はショックで目を覚ました。そのときようやく、自分が以下のＰＤＦドキュメントをはっきり声に出して読んでいるのに気づいた。

OMA

Dr. Bashar al-Assad
President of the Syrian Republic

Rotterdam, 15th November 2010

Dear Mr. President,

Following our meeting in July and the subsequent request that we prepare an outline OMA/AMO approach for the strategic development of Al Badia, I am pleased to present you with the Al Badia Vision proposal for your review.

Our approach to this study begins with the conception of Al Badia as a unified entity within Syria. We envisage the region to act as a powerful resource for the benefit of the entire country while preserving its unique heritage. The Al Badia Vision creates a plan of action and of preservation for a set of subjects that are crucial to the region.

I am looking forward to meeting with you again to discuss the study as outlined in the attached proposal, which we trust demonstrates both our sincere interest in Syria and our capabilities to consider various challenges to the development of the region.

I will be visiting Syria during the fourth week of November for the purpose of giving a Public lecture in Damascus as well as to expand my knowledge and experience of your country. It would be a great pleasure to elaborate further with you on our prospective engagement with Al Badia and other projects such as the National Parliament and other national and cultural projects during my stay.

Yours sincerely,

Rem Koolhaas

Heer Bokelweg 149
3032 AD Rotterdam - The Netherlands
t +31 10 243 8200 - f +31 10 243 8202
office@oma.com - www.oma.com

シリア・アラブ共和国大統領　バッシャール・アル゠アサド閣下
二〇一〇年一一月一五日　ロッテルダム

謹啓　大統領閣下

七月の会合とその後のご依頼から、弊所にて「バディア地域の開発戦略（案）」を作成しましたので、ここにご報告いたします。概案となりますが、ご高覧いただければ幸いにございます。本案では、バディアがれっきとした貴国の一地域だという点をコンセプトの第一前提としました。固有の歴史遺産がそこに護られている点でも、国益全体に資する重要地域であると考え、バディアにおける一連の有形財産が活用や保護されるよう、計画上の配慮を心がけました。

再びお目にかかれるのを心待ちにしています。概略ながら本案を添付の資料にまとめましたので、その際にご高見を承りたく存じます。同資料には、貴国への関心の高さとバディア開発に伴う様々な課題を考慮できる弊所の力量が、自明かと思われます。

私はダマスカスで講演の予定があり、一一月の第四週にシリアに参ります。この滞在の折り、貴国についての知見を深めるつもりです。バディア開発にどうお力添えできるか、また国会議事堂、そしてそのほかの国家、文化関連の計画への尽力につきましても、そのときに詳しくお話しできればと考えております。

謹白
レム・コールハース

6　ジャスティン・ビーバー登場

二〇一三年五月四日、「E! Online」のツイッター・フィードにジャスティン・ビーバーのなりすましが現れ、まるで重大発表のように「僕はゲイなんだ」と言ってのけた。これはシリア電子軍（SEA）の仕業であり、要はこのアカウントがハッキング被害を受けたのだった。

シリア電子軍はアサド政権を支持していて、二〇一五年初頭にはフランスの『ル・モンド』もハッキングし、それ以前には『ニューヨーク・タイムズ』や『ワシントン・ポスト』のサイト、アメリカ海兵隊の求人ページなども乗っ取ったいわくつきのハッカー集団である。AP通信社のツイッター・アカウントに侵入し、そこでホワイトハウス爆破に関するフェイクニュースを流したこともある［★37］。

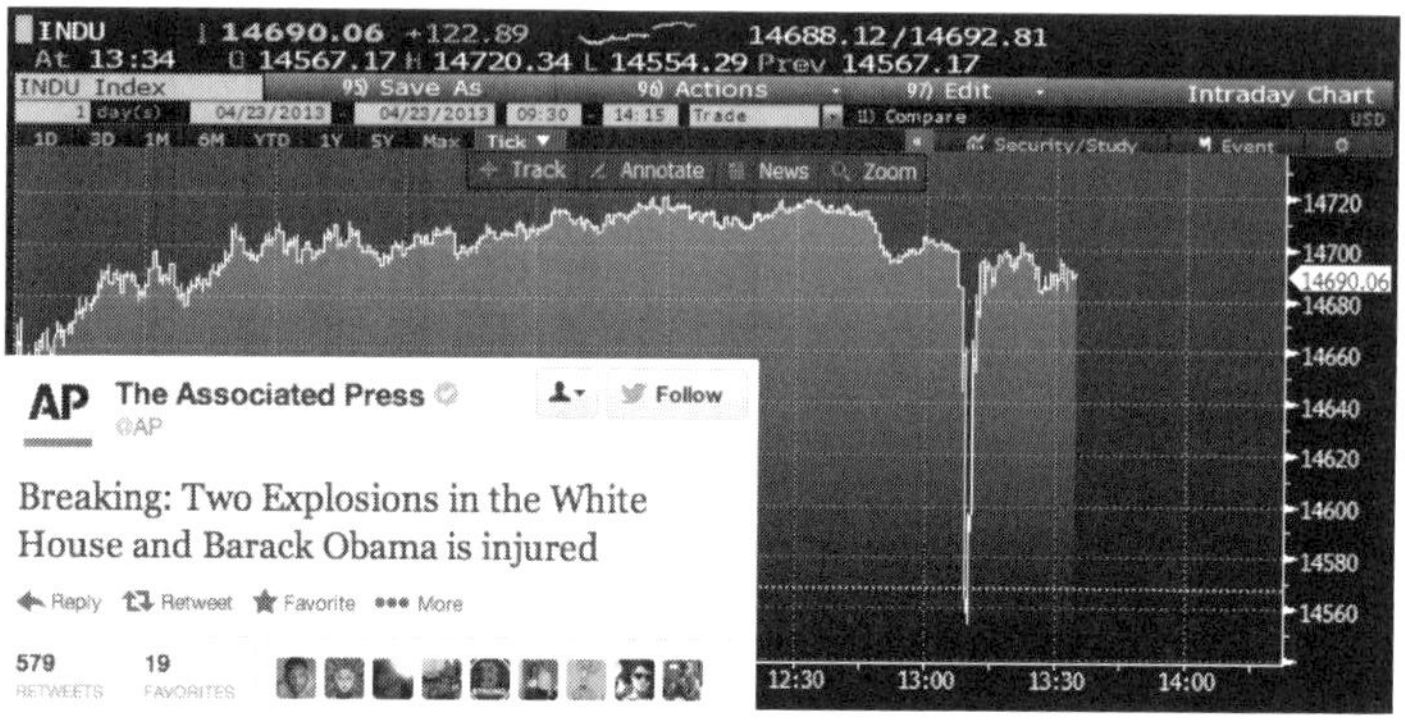

図8

ここにみせる図には、その投稿がアメリカ金融市場に与えた影響が示されている［図8］。三分経つ頃、「このフェイクツイートは株式の時価総額、一三六〇億ドルを吹き飛ばした」［★38］。

シリアの「アノニマス」とその複数の援軍は、シリア電子軍をハッキングした際にメンバーとされる者たちの情報をデータとして書き出し、ダーク・ウェブに投入した［★39］。シリアのデータ空間では戦闘が繰り広げられ、不正侵入と寸断が生じている。それがおよぶ範囲は、AP通信のほか、アメリカ金融市場、ロシアとオーストラリアのサーバー、セレブ・マガジンのツイッター・アカウントへと広がっていく。果てはウィキリークスのサーバーにまで行き着くが、「シリア・ファイル」の提供元となる同サーバーは、以前は場所を頻繁に移動させねばならず、二〇一〇年にはアマゾン社の締め出しをくらっている。過去には、ウィキリークスがシーランド公国という治外法権の旧石油プラットフォームをオフショアに転用し、そこにサーバーを移すつもりだという噂が立った［★40］。これなどは実際、フリーポートの状況を別の形で再現するものになったはずだ。

ではここで、より広範な問いに移ろう。インターネット（または、諸々のデータベース間でネットワーク状に展開する営為）は、美術館の物的構造、もしくはその「不可能性」にどう作用するだろうか。

7 スイスから送ったメールと返信

〈差出人〉ヒト・シュタイエル　xxxxxx@protonmail.ch
〈送信日時〉Tue Feb. 17, 2015 8:05 pm
〈宛先〉代表受付
〈件名〉真偽の確認

ご担当者様
確認したいことがありご連絡しました。ウィキリークスに「シリア・ファイル」というデータがあります。二〇一二年にこのファイル名で公開された文書に、コールハース建築事務所／研究所、シリアの政府高官、そして仲介者の間で交わされた複数のメールがあります。これが本物かどうか、そちらで確認していただくことは可能でしょうか。

私はベルリンをベースとする映像作家で、執筆活動もしています。現在、「データ空間と三次元の現実空間の双方における、内戦状況下での国立美術館の変容」というテーマで、レクチャーの準備をしているところです。

貴所とシリアの大統領府との間にやり取りがあったとして、それを中傷するつもりはありません。私はただ、インターネット上のコミュニケーションと国民国家の崩壊（崩壊でないなら、それに近い状態）、この二つがどのように今日の（空間的な意味での）美術館構想に影響するのかという、この点に関心を持っています。

ついては、シリア・プロジェクトの渉外が頓挫した、その経緯なり詳細を教えてもらえないでしょうか。やむを得ない事情があったかと思いますが、是非それを議論に含めたいのです。

引用予定のリンク先一覧は、以下になります。

ヒト・シュタイエル

https://wikileaks.org/syria-files/docs/2089311_urgent.html
https://wikileaks.org/syria-files/docs/2092135_very-important.html
https://wikileaks.org/syria-files/docs/2091860_fwd-.html

http://www.google.com/url?sa=t&rct=j&q=&edata-src=s&source=web&cd=1&ved=0CB8QfjAA&url=http%3A%2F%2Fwikileaks.org%2Fsyria-files%2Fattach%2F319%2F319092_101115_Rem%2520Koolhaas%2520letter.pdf&ei=wt_AVPCiIMj2O7S2gIAO&usg=AFQjCNH7127P_2iKG_V5Es1zCksXsxDd5A&bvm=bv.83829542,d.ZWU

（このメールはスイスを拠点とする暗号メールシステム、「プロトン・メール」から送信された）。

〈差出人〉ジェレミー・ヒギンバサム　xxxxxx@oma.com
〈送信日時〉Feb. 26, 2015 7:13 am
〈件名〉Re：真偽の確認

ヒト・シュタイエル様
ご連絡ありがとうございます。こちらでは、下記のリンク先のドキュメントの真正性を確認することはできません。活動の成功をお祈りしています。
コールハース建築事務所・広報主任
ジェレミー・ヒギンバサム

エドワード・スノーデンの情報リークをきっかけに、私はプロトン・メールを使うようになった。欧州原子核研究機構の研究者たちが運営するこの暗号メールシステムは、寛大にも無料で提供されている。彼らはスイスの地図を使い、その試みをこう説明する。「プロトン・メールのサーバーが持つ全データは、ジュネーブ州立裁判所の管轄区域に保管されています。この措置によって、スイスとその自治州《カントン》の個人情報保護法の活用が可能になります」。

というわけで、コールハースの建築事務所／研究所（OMA／AMO）が私に送ってきたフレンドリーな返事は、フリーポートならぬ、スイスのアルプス深くにある旧軍事センターの「正規」の法域内に記憶《ストア》されている［★41］。政府が私の個人データの一部に干渉しうるとして、それを少しでも迷宮化させたくて、私はこの法域と暗号システムを利用している。言うなれば、スイス銀行のような機関をルートとする天文学的な額の脱税やマネーロンダリングを可能にしている、そんな法的保護に乗じているのだ［★42］。データ保護のウェブツールだけに頼るというのも、分からなくはない。ただその場合、米国国家安全保障局が仕掛けたユーザー監視網に引っかかり、ツールの使用目的に対し、実質的に逆効果が生じてしまう［★43］。つまり匿名性のためのスクリーンは、逆説的な装置になりうるのだ。

匿名性の向上のための方略から派生する、両義的な作用。それはフリーポートにみられる動きに、別の角度から影を落としている。

二〇一五年二月二五日、モナコの刑事検察官はナチュラル・ルクルト社のオーナーであるイヴ・

ブーヴィエを、美術品詐欺の容疑で逮捕した。同社は、ルクセンブルク、ジュネーブ、そしてシンガポールのフリーポート事業に携わっていた。「捜査は主に、ブーヴィエが仲介していた膨大な美術品取引の、価格吊り上げに対して行われた模様である」[★44]。フリーポート内の多くの美術品は、いわゆる幽霊会社＝ペーパー・カンパニー（それは、〔ジュネーブの公用語、フランス語では〕「スクリーン・カンパニー」と呼ばれる）の所有下にある。ブーヴィエはこの点を利益につなげたとされ、取引はこれら匿名の代理《プロキシ》を介していたことから、請求される手数料の相互確認と管理の手段は、購入側と販売側に対して閉ざされてしまっていた[★45]。所有者に匿名性を提供するはずのスクリーンは、彼らの不利になるよう働いていた可能性もあるということだ。不可視性とは（必ずではないにしろ）、ときに双方向的な機能を持つスクリーンとなる。それは、スクリーンの操作主が誰であっても、その人物の利益のために機能するのだ。

8　時計を狙い撃つ――パブリック・ミュージアム

ベネディクト・アンダーソンは、国民性の確立に際し、「出版資本主義」と博物館／美術館が存在すると述べていた。そして今日、国家《ネーション》がないまま美術館をつくることは不可能ではない。私たちはじつにここから発想を広げ、国家と美術館の二つを、時間と空間の編成に向けたさらなる契機とみなすこともできる。ただしこの編成とは、時間と空間を微塵に打ち砕くことでなされるようなものだ。

そもそも時間と空間は、美術館の枠組みが書き換えられるたびに打ち砕かれてきたのではないか。一八三〇年、フランスの七月革命が経験したのはまさにそうしたことで、ヴァルター・ベンヤミンもこれについて語っている［★46］。革命家たちは、時計を撃っていたのだ。彼らはそれ以前に、各月の名称と日数を変更することで〔フランス革命暦という〕暦の改革を行ってもいる。

一九世紀パリで起きたあらゆる大規模な暴動のように、ルーヴル美術館が何度目かの急襲に逢ったのは、この時期のことだった。時間と空間が破壊、再編された時代に、パブリック・ミュージアムの原型が誕生した。ルーヴル美術館は急襲によってつくり出された。それはフランス革命期の一七九二年に急襲を受け、封建制下の戦利品のコレクション（それは、今日のフリーポートの美術品倉庫に相当する）から美術品を蔵するパブリック・ミュージアムへと脱皮した。このときルーヴル美術館は、国民文化のモデルを導入した、おそらく世界初の公立美術館となった。同館はその後、権威とともに自国文化を他所に広めんとする、植民地帝国の文化的牙城となった。そしてこの状況は近年に、封建国家や独裁国家、また双方の混合型の国家で分館を立ち上げるという、ビジネス上の挑戦に変化したわけだ。

いっぽう、現状で「シリア国立美術館」なるものがあるとすれば、それは別の仕組みに基づくもののはずだ。「ビルバオ効果」にあやかろうとするプロジェクトとは違い、この美術館は、様々に点在する無数のサーバーからオンラインで提供されている。ジョン・リッチとアリ・シャムサディーンも言うように、それはオンライン動画のコレクション——ほとんど一般の目には触れない、録画された無数の殺戮、残虐行為や攻撃の記録のコレクションである［★47］。シリアを代表する国立美術館の現実版は、アサド財団が獲得するルーヴルの分館プロジェクトではなく、こうしたものなのだ。複数の「部門」と「様式」で構成され、一貫性など見込めないこのアーカイブには、動画以外の形式の記録も含まれる。それは、瓦礫を掘り返す人々、ツイッターで煽られた斬首のシーンを高画質でみせている。それは、空襲を見下ろすのではなく、見上げる形でみせている。地上の戦渦で生まれた記録は、どこといわず世界のあらゆるサーバーに漂着する。それらを映し出さないスクリーンは（理論上）どこにもないが、それらが生まれた場所だけは別だ。なぜならそこは、YouTubeへの動画アップロードが人々の死に直結しかねない、そんな土地だからだ。この空間と時間の反転現象には、フリーポートに集うアート・コレクションをめぐって起きた、例の主客転倒と似たところがある。

このアーカイブの全体は、人間の認識とは、または少なくとも個人の認識能力とは相容れない。その形式は、ウィキリークスの「シリア・ファイル」のような大型データベースと同様、語り手の実体や実証性、説明がないままの（あっても微々たるものだ）、情報という「お宝」の蓄積である。それはある程度は公の人々の目に触れるだろうが、全面的に認識できるとは限らない。部分的にはアクセスできなくとも、その理由は公開制限などではない。端的にそれは、一個人の認識や把握能力、集中力の限界を超えたものなのだ［★48］。

9 自律＝自治

本章の冒頭で語っていた、フリーポートの美術品倉庫スペースのほか、難民キャンプに転じたディヤルバクル市立美術館に話を戻そう。前者の空間には、隠れ家のように世界中から美術品が収められていく。後者は基本的に、崩壊国家から逃れた人々のシェルターとなった。では芸術は、この双方にみられる空間と時間の大転換を考慮した上で、現実空間のなかで芸術の担い手を危殆《きたい》に晒すことなく、いかに、そしてどのような機会で公的に示されうるだろう。パブリック・ミュージアムの新たなモデルが取りうる形式はどんなもので、そしていかに「公共」という概念そのものは、こうした考察を突き詰めたときその様相を一変させるだろう。

もう一度フリーポートの美術品倉庫スペースと、デューティーフリー・アートというそこに保管される資本について考えてみよう。この問題を避けも軽んじもせず、存分に展開させていくというのが私の提案だ。

「デューティーフリー」な芸術という概念は、国民国家の文化モデルに対してある決定的な強みを持っている。つまりデューティーフリー・アートには、義務（duty）を持たないという大前提がある。行為、表象、教条性、価値の体現。こういったことに対し、何ら負うところがないのだ。それが他者に借りをつくったり、主義（cause）や支配者にかしずいたり、何らかの手段になるというのは、筋違いなのだ。文化や国家、金銭的豊かさなどの表象手段になることも考えられない。だがそんなデューティーフリー・アートでも、フリーポートの倉庫スペースにあっては義務から自由ではない。免税対象であるにせよ、「資産である」という務めは負っているからだ。

そう考えると、デューティーフリー・アートは本質的に、因習的な自律芸術が知的選民《エリート》のものではなく、さらにはそれ自体の生産条件を忘れてはいなかったと仮定したときに、そのような芸術がとっていたかもしれない一つの形なのだ［★49］。

しかしデューティーフリー・アートは、自律芸術という旧概念の復古以上のものである。それは「芸術の自律性《オートノミー》」という使い古された語の意味を塗り替えてもいる。時間的、空間的には現在に位置するゆえ、まさにそうした諸条件の考慮が、この種の自律芸術にとっては必要となる。芸術の可能性の条件は、知的選民の「象牙の塔」にはとどまらない。その条件は今や、独裁者によるコンテンポラリー・アートの財団でもあり、新興富裕層や寡頭制のリーダーの、または武器メーカーの租税回避のモデルでもありうるし、ヘッジファンドの記念グッズ［★50］、美術学生の重荷となる奨学金返済、リーク済みのデータの宝庫、アグリゲーション型スパム、そして膨大かつ無報酬の「自由意志による」労働からなる生産物であったりもする。そしてこのすべてが何に行き着くのかというと、フリーポートの小分けされた空間に美術品が積み上げられもするし、かと思えば、戦争や財の私有化が進んでいる地域では、芸術が物的に破壊されもする。これらを背景とする自律芸術における、政治的自治。それは、一定の国民国家のモデルの代替を確立する試みだと考えられる。この代替されるべき〔古い〕国家モデルとは、相も変わらず国民文化を喧伝し、またそのいっぽうで、「失敗国家」を体良くまとめたような富裕層の隔離コミュニティの存在を引きずりながら、「建設的な不安定性」を実践する――そんなモデルである。ここでスイスの話に戻ろう。この国のあり方には、規制の緩い治外法権的な「飛び地」の存在が深く関係している。このためスイスは正確に言えば、時計製造業の精確さは手堅くとも、経済活動では何やら怪しげな数値変動がみられる――そういった全体像を有することになる。しかし例えば、香港やロジャヴァなどでの近年の自治への試みが明らかにしたように、「国政の外的措置」は所《ところ》変わって成果も大きく異なろうと、なお政治的な自律《オートノミー》＝自治という形をとると考えられはしないか。

　しかし自律芸術はじつに、創造主体からも、そしてまた所有者からも自由な芸術でありうるだろう。コールハース建築事務所の拒絶の返答を覚えているだろうか。フリーポートにある美術品のすべてが、このフレーズで承認を受けるとしたらどうだろう。「こちらでは、この美術品の真正性を確認することができません」。

　ここに見せるのは、トルコのスルチにある文化センターのイメージ〔図9〕である。それはコバニという自治州《カントン》の要衝となる同名の都市、コバニから、国境を越えた向こう側にある。このコバニ自体はシリア北部、ロジャヴァ地方に位置している。ロジャヴァの自治区が「カントン」と呼

図9｜トルコのスルチにある文化センター　写真：ヒト・シュタイエル

ばれているのは偶然ではない。それは、スイスの自治州《カントン》の制定当初に基本権たる民主主義が担っていた使命に目を向けさせるべく、これをモデルとしているのだ［★51］。

二〇一四年九月、ＩＳＩＳの戦闘員がコバニ州を急襲してから、この文化センターもまた一時的な難民キャンプとなり、包囲されたコバニ一帯から逃れてきた数百名の人々を受け入れた。

一年後、この施設はＩＳＩＳの自爆テロの標的となった。このとき、三〇人以上の活動家たちの命が奪われることとなった。この事件をきっかけにトルコで新たに起きた内戦の期間中、クルド人地域の市街地が掃滅に至り、私有地は奪われた。この例外状態は、いまだに全く終わる気配もない。

時を同じくしてジュネーブのフリーポートでは、こんなことが起きた。そこでシリアのパルミラ遺跡から略奪された考古学的遺物が見つけ出され、然るべき状態に戻ったのである。

原注

★1 このパワーポイントのファイルは、大統領府宛ての二〇一〇年一〇月三〇日付のメール（件名は、「シリアの美術館と文化遺産の新構想プレゼンテーション」）に添付されていた。

★2 https://wikileaks.org/syria-files/docs/2089122_presentation-on-the-new-vision-for-the-syrian-museums-and.html. ただし提携先の美術館や博物館は二〇一一年六月二六日、構想の主体となるシリア文化遺産財団の解体を求めている。同月初旬の『ファイナンシャル・タイムズ』の報道によると、同組織は事業をいったん先送りにした。これについては以下を参照。Lina Saigol, "First lady struggles to live up to promises," *Financial Times*, June 9, 2011.

★3 Peter Aspden, "The walls of ignorance," *Financial Times*, June 9, 2012.

★4 Anna Somers Cocks, "Syria turmoil kills Mrs Al-Assad's forum," *Art Newspaper*, April 28, 2011.

★5 以下を参照。Benedict Anderson, *Imagined Communities: Reflections on the Origin and Spread of Nationalism*, revised and extended ed. (London: Verso, 1991). および同書の抜粋となる以下。Anderson, "Census, Map, Museum," haussite.net.〔ベネディクト・アンダーソン『定本 想像の共同体——ナショナリズムの起源と流行』白石隆、白石さや訳、書籍工房早山、二〇〇七年〕

★6 シンジャールからのヤジディ教徒の集団移動の経緯については、以下に詳しい。Liz Sly, "Exodus from the mountain: Yazidis flood into Iraq following U.S. airstrikes," *Washington Post*, August 10, 2014.

★7 彼の名前は、バルシュ・セイトヴァンである。

★8 ウィキペディアにはこうある。「グーグルのNグラム・ビューワーとは、オンライン閲覧ツールの一種（当初はグーグルブックスをベースにしていた）。Nグラム・モデルの年別計算によって、一八〇〇年から二〇一二年の間に八つの言語（アメリカ英語、イギリス英語、フランス語、ドイツ語、スペイン語、ロシア語、ヘブライ語、中国語）のいずれかで出版された文献にある、単語や短文の登場頻度をチャート化する」。

★9 オズボーンによると、コンテンポラリー・アートにみられるのは「現在時間の離接的な統一態である。（…）それゆえ歴史概念としての〈同時代的なるもの〉に伴うのは、人間の生の時間、その差異を含んだ全体性への、統一態の投影現象となる」。Peter Osborne, *Anywhere or Not At All: Philosophy of Contemporary Art* (London: Verso, 2013), 22.

★10 ドイツ（またはEUの納税者）とギリシャの関係についても同様。いわゆる「緊急支援金」の八九パーセントは国際銀行に支給される。ギリシャの国家予算へと行き着いたのは、残りの一一パーセントのみである。オークションに充当されるのがこのうちの少額だとしても、一体公的資金の継続的援助がないまま、近年のオークションが成り立ちなどするのだろうか。つまりはこの公的な金銭援助は、不可解にも個人資産へと流れ着くわけだ。

★11 「こう言ってよければ、アートディーラー、アドバイザー、保険業者たちの間で広く信じられているのは、世界の主要な美術館の一つをつくるのに充分なほど、この場に美術品が保管されているということだ」。David Segal, "Swiss free-ports are home for a growing treasury of art," *New York Times*, July 21, 2012.

★12 Keller Easterling, *Extrastatecraft: The Power of Infrastructure Space* (London: Verso, 2014).

★13 "Freeports: Über-warehouses for the ultra-rich," *The Economist*, November 23, 2013.

★14 「とある機密文書によれば、ジュネーブのフリーポートは、ゆうに総額三億スイスフランにおよぶ歳入を同州で生み出している」。Marie Maurisse, "La 'caverne d'Ali Baba' de Genève, plus grand port franc du monde, ignore la crise," *Le Figaro*, September 20, 2014.

★15 Thomas Elsaesser, "'Constructive instability', or: The life of things as the cinema's afterlife?" (2008), pure.uva.nl. この概念が、現代政治の思想、またその操作された崩壊状態との関連から含み持つ多義性は、技術論だけでなく、政治的活用の点においても見過ごすことはできない。「その工学分野の由来に事寄せられているのは、新保守主義的な政治の文脈である。例えばコンドリーザ・ライスは、二〇〇六年夏のイスラエル軍のレバノン侵攻に際する一般市民の死、またそこで生じた政情不安が、「建設的（前向き）な不安定性」の結果だとしている」。(19).

★16 Cynthia O'Murchu, "Swiss businessman arrested in art market probe," *Financial Times*, February 26, 2015.

★17 "Freeports," *The Economist*.

★18 Cris Prystay, "Singapore bling," *Wall Street Journal*, May 21, 2010.

★19 Benjamin Bratton, "On the Nomos of the Cloud: The Stack, Deep Address, Integral Geography," November 2011. bratton.info.「途方もない構造体であるスタックは、垂直式の機械製図のように組織され、互換性のある標準ベースを伴い、物質と情報を結ぶ複合システムの合流体、レイヤーとプロトコルの地形学的モデルであると考えられる。スタックは標準化されていて、状況を選ばない測量概念である。私たちが遭遇し、また私がここで特徴を語るような原基としてのスタックは、社会および人間の「アナログ」のレイヤーで構成されている（地下エネルギー資源、身振り、情動、アクタントとなるユーザー、インターフェイス、市街地、そして部屋と建物、有機的／無機的な包含の枠組み）。くわえて同様に、情報および非人間の、またコンピュータによる「デジタル」のレイヤーもその構成要素となる（多重送信用の光ファイバーケーブル、データセンター、データベース、データ規格にプロトコル、都市ネットワーク、統合型システム、汎用型アドレス・テーブルなど）。そのハードとソフトのシステムは混交しつつ位相を入れ替え、一部は秘匿の条件に従いさらに「硬的」か「柔軟」な性状に到達する（セール、ハード／ソフト）。私たちが会得しデザインするこのスタックは、社会的な人工頭脳学として、平衡状態と発生の双方を織り成す。解読や明瞭な言語化を許さぬ律動のうちで、そのいっぽうが他方へと浮動し、このときスタックは、同一の構成要素を非対置的な目的に向けて領土化、そして脱領土化する」。

★20 モスクワで、聴衆の一人が非常に鋭い意見をくれた。これを大きな利益とみなせばいいと言うのだ。なぜなら、たくさんの粗悪な「マーケット・アート」がそれを観ることを誰にも強いずに、安全に隔離されるのだから。私も彼女と全く同意見である。

★21 以下を参照。https://wikileaks.org/syria-files/docs/2089311_urgent.html.

★22 Bill Carter and Amy Chozick, "Syria's Assads turned to West for glossy P.R.," *New York Times*, June 10, 2012.

★23 記事はその後〔ウェブ版で〕削除された。背景の詳細については、以下。Max Fisher, "The only remaining online copy of Vogue's Asma al-Assad profile," *The Atlantic*, January 3, 2012.

★24 Michael Stone, "Anonymous supplies WikiLeaks with 'Syria files,'" *The Examiner*, July 9, 2012. この記事は「アノニマス」が当初公開した声明を引用している。「国連は傍観し、シリアの状況に机上論を下すばかりだったが、「ア

ノニマス」は行動を起こした。監視の隙をつき、ブロガーや抗議参加者、活動家を支援しながら。メディアを拡散し、政権の通信とネットワークを妨害しながら。分断や監視を狙ってシリアのインターネットを傍受し、アサドとその殺人的で惨たらしい政権に、徹底した情報戦、心理戦を仕掛けながら」。

★25 以下を参照。https://wikileaks.org/syria-files/docs/2104601_important-follow-up.html.

★26 Barak Ravid, "Bashar Assad emails leaked, tips for ABC interview revealed," *Haaretz*, February 7, 2012.

★27 以下を参照。https://wikileaks.org/syria-files/docs/2094815_fwd-al-asad-house-for-culture-in-aleppo.html.

★28 ヘルツォーク&ド・ムーロン建築事務所に連絡しコメントを求めたが、執筆時までに返事をもらえていない。レム・コールハース建築事務所（OMA）の返事は、本文にて後出。

★29 Martin Bailey, "Gaddafi's son reveals true colours," *Art Newspaper*, March 2, 2011.

★30 Stephanie Nebehay and Vincent Fribault, "Gaddafi son used his paintings to promote Libyan culture," *Reuters*, October 28, 2011.

★31 「レム・コールハースはダマスカス訪問についてとても前向きに考え、ダマスカスの公益部門、再開発、訴求力の向上に協力したいと願ってもいます。ただ彼は、商業開発と郊外のマスタープランについては関与しないつもりで、いずれにしろ弊所としては、提携の前にダマスカスの建築と都市開発の現状を確認することにやぶさかではありません。またこれは私見ですが、レムがダマスカスの建築学校と関係を築き、弊所と大学間での研修プログラムを発足できればと考えてもいました」。メールの全文は以下。https://wikileaks.org/syria-files/docs/2092135_very-important.html.

★32 Ibid.

★33 これはシリアの大統領、バッシャール・アル＝アサドのことである。メールの全文は以下。https://wikileaks.org/syria-files/docs/2091860_fwd-.html.

★34 Suzie Rushton, "The shape of things to come: Rem Koolhaas's striking designs," *The Independent*, June 21, 2010. 「思ってもいなかった新規のクライアントが、リビアだ。つまりは〈子息（ムアンマル・アル＝カッザーフィの子息）の取り巻きで、リビアの親欧路線を進めようと考える、したたかな者たち〉のことである」。

★35 二〇一〇年のヴェネチア・ビエンナーレでコールハース建築事務所が企画を担った展示、「クロノケオス

(CRONOCAOS)」には、リビア砂漠に関するセクションがあった。「保存に関する批評譚」というのが同展の基本テーマだった。以下を参照。“Rem Koolhaas / OMA*AMO in Venice: 2010,” art-it.asia.

★36 サイフ・アル＝イスラム・カッザーフィの逮捕状は、国際刑事裁判所によって二〇一一年六月二七日に発行された。

★37 Shane Harris, “How did Syria’s hacker army suddenly get so good?,” *Foreign Policy*, September 4, 2013. さらなる詳細については、以下の興味深い報告を参照。John Scott-Railton and Morgan Marquis-Boire, “A call to harm: new malware attacks target the Syrian opposition,” citizenlab.org, June 21, 2013.

★38 Max Fisher, “Syrian hackers claim AP hack that tipped stock market by $136 billion. Is it terrorism?,” *Washington Post*, April 23, 2013.

★39 Hunter Stuart, “Syrian electronic army denies being attacked by anonymous,” *Huffington Post*, September 4, 2013.

★40 Joshua Keating, “WikiLeaks to move to Sealand?,” *Foreign Policy*, February 1, 2012.

★41 プロトン・メールのホームページの「スイスの安全性」というヘッダーの内容による。

★42 近年の一例として、以下。Jill Treanor, “HSBC Swiss bank searched as officials launch money-laundering inquiry,” *Guardian*, February 18, 2015.

★43 この両義性は、「トーア」のような匿名性保護を目的とした一般的なウェブツールにみられる特徴である。エドワード・スノーデンの告発で明らかとなったのは、トーアを使うだけで、またはプライバシー強化ツールについてウェブで調べるだけで、実際にはそれが、米国国家安全保障局が人々を監視する際の目印になるということだ。以下を参照。“NSA targets the privacy-conscious,” daserste.ndr.de. 監視をスクリーン・アウトするためのソフトウェアが、実際にはそれを呼び込む結果となるのだ。

★44 Angelique Chrisafis, “Leading Swiss art broker arrested over alleged price-fixing scam,” *Guardian*, February 26, 2015. 以下も参照のこと。“Monaco: Yves Bouvier, le roi des ports francs en garde à vue,” letemps.ch, February 26, 2015. ブーヴィエはこの令状内容を否認し、詐欺の被害者側とされるロシアの富豪、ドミトリー・リボロフレフに罪を転嫁している。

★45 “Yves Bouvier: les dessous de la plainte,” March 1, 2015, letemps.ch.

★46 Walter Benjamin, “Theses on the Philosophy of History,” Thesis XV, in *Illuminations*, ed. Hannah Arendt (New

York: Schocken, 1988), 261–2.〔ヴァルター・ベンヤミン「歴史の概念について」山口裕之訳『ベンヤミン・アンソロジー』河出文庫、二〇一一年、三七四－三七五頁〕

★47 Ali Shamseddine and John Rich, "An Introduction to the New Syrian National Archive," *e-flux journal* 60 (December 2014).

★48 かたやウィキリークスが、かたやエドワード・スノーデンやローラ・ポイトラス、グレン・グリーンウォルドや彼らの多くの協力者が採用した、大量のリークを公表する際の手法の違いは、留意する必要がある。

★49 このもっとも明確な表明として、以下がある。Peter Bürger, *Theorie der Avantgarde* (Frankfurt: Suhrkamp Verlag, 1974); *Theory of the Avant-Garde*, trans. Michael Shaw (Minneapolis: University of Minnesota Press, 1984), 90.〔ペーター・ビュルガー『アヴァンギャルドの理論』浅井健二郎訳、ありな書房、一九八七年、一三三－一三四頁〕

★50 それは、「金融の墓石」という古くからの役割を果たすようなもので、無事に終わった取引の記念品となるユニークなグッズである。ウィキペディアの「ディール・トイ（Deal toy）」という項目を参照。

★51 ただし、普通選挙の女性参政権が一九七一年まで、さらにアッペンツェル・インナーローデン州では一九九〇年まで実現しなかったわけだから、この基本権たる民主主義はむしろ限定的であったろう。

08 デジタルの肉片

Digital Debris

パウル・クレーの《新しい天使》。これほど知られている水彩画もそうないのではないか。ヴァルター・ベンヤミンは、進歩という名の嵐に力なく飲まれていく不運な存在が、そこに描かれているとみ述べた。その存在が後ろを向き、自らが後にするにつれて天に達するほど積み上がっていく、瓦礫を見つめているのだと［★1］。このベンヤミンのアフォリズムはよく知られており、何度となく語られてきた。しかしその空間的な成り立ちをあらためて考えてみると、意外な盲点があったことに気づくだろう。

どうみてもその画中に瓦礫は描かれていない。しかし、瓦礫が全くないわけではないだろう。〔描かれている〕天使は絵を観るこちら側と向き合っているが、ベンヤミンが言うには、それは瓦礫にも対峙している。とするとその残骸というべきものは、絵画空間の外にあるわけだ。ならば、その瓦礫は私たちの居場所にあることになる。そしてこう考えてみると、観者となる私たちがじつは瓦礫なのだと、そう言うこともできる。二〇世紀という時代を何とか凌いで進んできた私たちが、歴史の破片《デブリ》であり、また無傷ではないのだと。私たちは、気息奄々としたさまの天使に見つめられ、廃物や無用の商品と化している。そして天使は不確定性の渦へと押し流されるなか、私たちを道連れにしている。

しかし今日、天使が見つめる破片にも変化が訪れているように思う。情報が欠損なくコピーでき、いくらでも回収や復元できると考えられている。そんな時代に、瓦礫や残骸といった概念は合わなくなっているのではないか。製品としての破損耐性もあり、再現も速やかに行える。そんな性能をデジタルが誇る時代に、どんな廃棄物がありうるというのか。情報が不老不死になったであろうこの時代に。歴史の表面に残った瘢痕が証しているのは、アナログ時代の過去が断ち切られたということではないか。当の歴史が自らを摩耗させた末に、次第に崩壊しつつあるのではないか。

実態はその逆で、歴史は終わっていない。残骸はなお天高く積み上がっている。さらにデジタル技術は、対象がほぼ何であれ、その創造的破壊／残骸と退廃の可能性を派生させる。デジタル技術は、破壊、腐敗、堕落のオプションをひたすら増やし、歴史の破片の生産、クローン化、複製の枢要な新機軸となる。政治と社会の暴力性から増幅するという点で、デジタル技術は、歴史の助産師にもなれば（形成）外科医にもなる。

一見して物質性とは無縁なデジタルの残骸は、しかし物質的な現実世界と密着している。その典型的な今日の例が、有毒なリサイクルごみの捌け口となる、中国の貴嶼鎮《グイユ》のような都市だ。そこでは配線基盤とハードディスクが漁られ、有毒物質が地下水に溶け出している。デジタルの時代では、その技術を動員した戦闘、生産過程へのコンピュータの介入、あるいは不動産投機から、損壊した建物や粉々のコンクリート、鉄屑などのアイテムが多産されている。しかし破片とはそうしたものだけではない。有形にして無形のデジタルの残骸は、きわめて触知的な身体要素が絡んだデータベースの破片でもある。

デジタルの破片がそうしたものだと考えれば、スパム（spam）ほどこれに適う例もないだろう［★2］。スパムはオンライン通信における脇役などではなく、それどころか、主要な役を果たしている。スパムは近年、メールの総メッセージのうち約八割を占めていて、デジタル書記の多数派、中核となっている。それは現実を巧みに支配し、活発な動きをみせ、広く分布する実体である。このデジタルの破片は、決して取るに足らぬものや偶然の産物ではない。それは、余剰が基本原理の一つにまで達しうる時代、その本質を照らす表現物なのだ。

ここで、ベンヤミンが示した空間構成の平仄《ひょうそく》を最後まで合わせておこう。天使が私たちをみているならば、それはほかでもない私たちが瓦礫であるということだ。そして今日、瓦礫がスパムと同義ならば、スパムとは天使が現代の私たちに授けた名前なのだ。

汝、スパムたらんことを

医薬品：81％　模造品：5・4％　増強剤：2・3％　フィッシング：2・3％　学位：1・3％
オンライン・カジノ：1％　痩身：0・4％　そのほか：6・3％［★3］

今日における「スパム」の語義を言い表せば、それは「多数の迷惑な電信」ということになる。これは、一九七〇年に放送された「空飛ぶモンティ・パイソン」のコント〔スケッチ〕をルーツとしている。このコントは食堂を舞台としており、そこでまず二人の客が朝食のセット・メニューについて質問する。

（食堂の様子。客は全員、バイキング。ワイヤーで宙吊りにされたバン夫妻が上方から下りてくる）

バン氏　さてと……
ウェイトレス　いらっしゃい。
バン氏　どんな定食があるんだい。
ウェイトレス　「卵とベーコン」、「卵とソーセージとベーコン」、「卵とスパム」、「卵とベーコンとスパム」、「卵とベーコンとソーセージとスパム」、「スパムとベーコンとソーセージとスパム」、「スパムと卵とスパムとスパムとベーコンとスパム」、「スパムとスパムとスパムと卵とスパムと、スパムとスパムとスパムと、スパムとスパムとスパムと、ベイクドビーンズと、スパムとスパムとスパムとスパム」があるわ。あとは「ロブスターのテルミドール小エビ風モルネーソースと、目玉焼きのせスパム」ね。これはトリュフのパテと食後酒がつくけれど。

バン夫人　スパムがつかない料理はないの？

ウェイトレス　だったら「スパムと卵とソーセージとスパム」がいいわ。スパムがそんなに入っていないから。

バン夫人　（叫び声で）スパムなんてこれっぽっちも要らないのよ！（…）

バン氏　そう騒ぐな、俺がそのスパムを食べるから。好物なんだ。
俺のスパム、スパム、スパム、スパム、スパム、スパム……

バイキング　（歌い出す）スパム、スパム、スパム、スパム、スパム……

バン氏　……ベイクドビーンズ、スパムにスパム、スパム

ウェイトレス　ベイクドビーンズはもうないわ。［★4］

この「空飛ぶモンティ・パイソン」のコントは、一種の征服譚である。缶詰食品のスパムが、じわじわとメニューの全品目と会話全体を侵略していき、しまいには「スパムにスパム、スパム、スパム」

が一切を圧倒し、バイキングの一味と場違いな参加者たちがこれをはやし立てる。スパムは話の筋立てを蚕食し、番組の終わりのクレジット・タイトルにまで押し寄せる。そこではしつこさが勝利し、陽気さと過剰が肩を並べている。

この掛け合いでは最初、スパムとは同名の缶詰肉のことだったが、やがて繰り返される語呂がもとの意味を離れ、単語自体が増幅、暴走していく。そしてこの言語作用のうちにスパムが広まった場が、新興のパソコン通信の世界だった。

スパムという語は一九八〇年代のマルチユーザー・ダンジョン（ＭＵＤ）の環境で、まさに侵略の一手法になっていた。別のプレイヤーが打つ文章を画面から追い出したいとき、この単語を連続入力して強制スクロール状態にしたのである。つまり内容よりも量が重要だったわけで、このときスパムという語は、不要な情報の物的遮断に適した、いわば重石《おもし》となった。

いらつかせる無意味な文章のかたまりをこんなふうに大量に送りつけることを、「スパミング（spamming）」といった。内輪のグループがルームでいつもどおりに会話を続けたいとき、新参者を追い払う手段がこれだった。対抗グループのメンバーがチャットに励んでいれば、その妨害にも使われた。（…）例えば、スタートレックのファンが集まるチャットルームにスターウォーズのファンが出向いて、皆が退室するまで文章のかたまりで画面を埋め尽くすことがあった。この行為は「フラッド攻撃」や「トラッシング」などと呼ばれていたが、やがて「スパミング」

という名称に落ち着いた。［★5］

スパムはこのように、単語の羅列によってほかの人間や事物にお引き取り願う、通信時の行為をルーツとしていた。言葉ではあるものの、それは一定のスペースから字句を弾き出すための展開型のオブジェクトとして用いられた。昨今ではスパムは一転し、経済活動に対する硬化剤となっている。営利や詐欺目的の電子メールが、嵩にかかって世界中のデータ接続に押し寄せ［★6］、時間と労力を浪費させて莫大な経済損失をもたらしている。この方法で得られる客の割合はとても低いが、そこにはなおビジネスとして成功の余地がある。むろんこのベンチャー式の経済基盤を成り立たせているのは、簡便な複製技術である。スパミングとは、無価値で目障りなものの散漫かつ執拗な繰り返しであり、その狙いは、無関心な観者のうちに眠る一片の価値を引き出す点にある。

アーティフィシャル・ミート

しかし、言わずと知れたこうした事柄以外に、私たちはどんな答えを導き出せるだろう。今日的なデジタルの瓦礫、その物塊としてのスパムから、現代の状況についてほかにどんなことが分かるだろうか。ここからさらに考えを進めてみよう。

モノ化した単語となる以前から、スパムとはオブジェクトだった。これはもとをたどれば、「空飛ぶモンティ・パイソン」のコントで陽気に連発されていたアイテムのことである。つまりホーメル・フーズ社が製造元となる缶詰肉、その有名な登録商標〔SPAM®〕だ。何が配合されているか判然としないため、それは数々の異名を取ってきた。例えば、「スペシャルなプロセス・アメリカン・ミート」、「サプライ・プレス・アメリカン・ミート」、「肉もどき」、「スタッフ・ポーク・アンド・ハム」、「スペアパーツ・アニマル・ミート」などだ。その成分は見た目的にも謎すぎるが、要は代用《エアザッツ》／合成であるということがその本質なのだ。安上がりなため戦後の食卓に上がった機会も数知れず、頻度でいうなら前述のコントがその多さを物語っているだろう。下層階級と軍の安価な主食であり続けてきたスパムは、天然と加工の不気味な複合体——有機的だが徹底した非真正性をそなえ、自然の名残を若干とどめた、一種の工業プロダクトである。練りに練り上げられたら肉だって、突き抜けて別種の存在になるのかもしれない。言うなれば、どこまでも偽物っぽく胡散臭いが、軍の侵攻と最低限の生活レベルが可能なくらいには栄養価を満たしている、そんな物質に。

また、スパムは政治理論との関わりから興味深い概念ともなるのだが、その要因はひとえにこの混合体という性質にある。この政治理論とはとくに、生政治に関する言論である。「肉（flesh）」はアントニオ・ネグリとマイケル・ハートにとって、社会をはじめとする一連の制約から抑圧されない身体、そのメタファーである。二人は高揚感をもって、肉をこう描写している。それは「充溢」を指向し、天使と悪魔が宿る「純粋な潜在力」であり、破天荒で猛々しい反撥力を全面に帯びていると［★7］。肉は激動する力の具現と目されるが、そこには救済と解放をめぐる宗教的、さらにはメシア的な議論も絡んでくる［★8］。それは、純然たる肯定性のポスト・ニーチェ的な受容体なのだ。

生を湛えた肉の勇姿というこの記述とは反対に、スパムはささやかな雑ぜ物の肉（meat）にすぎない。そこに肉（flesh）の重厚さは欠けらもない。細切れや切り落としが原料、質素で廉価。何ならリサイクルされるかもしれないし、どこをとっても生命力を感じさせない。それは商品としての肉だが、価格はじつにお手頃。かといって見くびるべきでもないわけで、何となればスパムとは、人間と機械、主体と対象に等しく交わる存在形式、そのハイブリッド商品的な特性を示すものだからだ。それはモノ扱いされる生と生物学的な対象《モノ》、どちらにも関係している。その上でスパムは、純粋に生物学的な概念というよりもずっと、今日的な生活形態の実状を顕示するものだといえる。

スパムは工業的な生産過程で搾られ、食い物にされる。この意味でその製造には、繰り返される本源的蓄積に際する粉骨砕身に耐え、スパムと同じく産業化（あるいは、ポスト産業化）時代に属してきた世界中の人々と、似たところがある。何度か勃発した、負債を課した上での使役化、それに次ぐ集団の追い立て、産業労働への送り込み、そしてそこからの再三の追放という循環によって、人々は自給農業に戻ることを余儀なくされてきた。だがそれも、その小さな畑や牧草地から、ポスト・フォーディズム時代のサービス労働者が再誕するという事態に向かっていただけのことなのだ。その「電子バージョン」であるスパム・メッセージと同じように、こうした群衆は比類なき規模の多数派となりつつ、過剰で目障りな存在、切り捨て要素とみなされる。制御不能なほど増殖すると考えられてもいるが、言うなればこの人々はスパムであって肉（flesh）ではない。人口のうち一定の割合を占めるこの存在者たちは、時代から時代へと、永劫に続く資本の猛襲に挽き潰され、再生を繰り返すうちにやがてハイブリッド化したモノ的な形態へと再パッケージ化される――そんな実体によってできている。

電子スパムが明らかにするのは、こうした身体の投機的な面である。言うまでもなく、スパムメール経由で売り買いされる商品、その訴求のポイントとなるのは多くの場合、身体的な見た目の改善、身体の効率化や健康の増進である。スパムメールとは身体的効用に狙いをつけた手段であって、その利益＝旨味のもとになるのは、必ず時間厳守でサービス業のシフトに入ろうと、まがい物の腕時計をつけ、また一様に錠剤を服用し、能力が拡大され、目を見張るような体の細さと行動力で、さらには精力も絶倫――そうした理想形の人々の存在である［★9］。スパムメールの六五パーセント以上が、抗鬱剤にバイアグラ、もしくはそれらと大差なき効果を吹聴する、ぼったくりの錠剤を売りつけている。余すところなく価値を磨ける身体という幻想、そして用済みになった人々が切望するような生産ツールを販売するのだ。これらのスパムのあり方は、双方ともにポスト肉＝世俗（post-carnal）的である。すなわち、強化剤を注入され、変身し、人造っぽく、加工、バージョンアップされ、同時に低級の烙印を押されている、そんな肉体の生産と肉製品の製造に関わるものとして。

しかしスパムそれ自体に反撥力がないわけではない。エド・ルシェの《実寸》（一九六二）という優れた絵画作品には、燦然と輝きながら、高度を下げるようにして飛行する一つのスパム缶が描かれている。煌々と尾を引くその様子は、彗星のようでもあるし火炎瓶にもみえる。スパムは、飛行可能でしかも可燃性、動力を内蔵していても不思議ではない、そんな固形物なのである。スパム缶が銀行の窓に投げつけられることだってありうるし、それだけ屈強で抵抗力もあるのだ。

スパムはまた、アレンジレシピを通じて戦争と貧困というしがらみを断とうとする。これに関する事例はいくつかあるが、一つはその旨味からスパムが重宝されたハワイのケースだ。第二次

図1｜エドワード・ルシェ《実寸》(1962)
キャンバスに油彩　170.2x182.9cm　コンテンポラリー・アート・カウンシルを通じた匿名寄贈　ロサンゼルス・カウンティ美術館(現代美術部門)蔵

世界大戦中には日系人の漁労が禁じられ、この経緯からスパムは大衆に広まった。「市民にとって、スパムは重要なタンパク源となった」のだ［★10］。食料不足の象徴だったのも束の間、この食品は、スパムパイ、スパムむすび、スパムカツ、スパム・ロコモコ、スパム・フュージョン・ファヒータ、スパム素麺、スパムチャツネ、スパム・マヒ・カルボナーラ、そしてスパム・マカロニチーズなど、創作料理の具材として価値を再発見されていった。アメリカ軍が持ち込んでからスパムが普及した韓国でも、似たような折衷の事例がある。ドイツにはドネルケバブがある［★11］。特大の焼き串に刺さったオリエンタル風のロースト・スパムで、本当にどこでも見かけるものだ［☆1］。トルコから出稼ぎに来て、その後リストラされた労働者たちが一九七〇年代に創作して以降、この料理はドイツではいわくつきの国民食となっている。これらのスパム・アレンジは、消費主体がどういった集団に属するか、その構成を浮き彫りにするし、また（場合によっては）五感に訴えるスパムの魅力を高めることにもなる。

社会構成との意外な接点を持つという意味では、電子スパムも負けてはいない。当初それは、字義通りに公的なもの《レス・プブリカ》と考えられていた。初期のとあるスパム・フィルターでは、メール文にrepublic（共和国／共和制）という語が入っていたらほぼ間違いなくスパム扱いしても大丈夫、そんなやや信じがたい分析結果があり［☆2］、これをもとにその開発が行われた（興味深いことに、それ以外の要注意ワードは、「婦人」と「保証契約」であった）［★12］。

スパムは様々な顔を持ちつつ、このように徹底して公的なものだ。それは複数の素材／素姓、事物と身体、文字、金属、色彩、タンパク質＝プロテインでつくられているのが常で、状態や群衆としての「共」なるもの、言うなれば夾雑を極めたような、「生」と無生物の混交によってできている。

スパムはルシェの絵画表現のように、言葉を物的対象に変じさせる。宗教では「受肉」と呼ばれてきたこの肉化現象は、しかし全く前例のないものだ。今日における言葉の受肉は概して、「スパムにスパム、スパム、スパム」という形をとるということ。これはもう、厳然たる事実なのである。

歴史

けれどもスパムは、阻害と大挙襲来に長けた、指示待ち状態の実体というだけではない。くわえてそれがもたらすのは、社会組織の全く異なる形勢である。人々の集団がつくられ、意思疎通によって体系化される、その際の方法を変えるのだ。スパムは「空飛ぶモンティ・パイソン」のコントで、労働の枠組みのみならず、歴史自体の形式にもおよびうる変化を示す、一つの鍵概念となっている。

その掛け合いが終わろうかというところに、一つのシーンが挿入される。教室に歴史学の教授が座っていて、バイキング襲来の詳細を語るのだ。

（歴史家が映し出される。画面には、「歴史家」という字幕）

歴史家　またもやバイキングの圧勝です。場所はブロムリーのグリーン・ミジェット食堂。バイキングの戦略は今回も同じ。ここのフィヨルドから（〔指し棒で〕矢印が貼られた地図を指す）出帆し、落ち合ったトロンハイムで強い北東風を待ち、オーク材のガレー船でイギリスへ。五月二三日のことです。ブロムリーに着くとすぐに、この食堂に集結。そして、スパム・メニューからスパムの特製料理をスパムで選択。そんなこんなで、スパムにスパム、スパム、スパム、スパム、スパム（…）

図2｜BBC© 英国スパム放送協会（1970）

（歴史家の背景が迫り上がり、食堂が再び現れる。バイキングたちが再度歌い出し、歴史家が指揮者の動作をする）［★13］

一見すると、このささやかなシーンに際立つ点は全くない。だが端的に言えば、そこにはスパムの侵攻によって歴史そのものの表在の仕方が変化していく、その過程が示されている。まず歴史家が正面を向いており、したり顔で授業のように事の次第を報告し始める。彼の位置はやや高くなっていて、道しるべに似た全体像がそこに収まるような感じだ。

しかしひとたび「スパム」がその語りから沸き出すと、歴史家の背後の壁が上昇し、それが緞帳《どんちょう》であったことが明らかになる。そしてその奥から、食堂のセットがまたぞ

図3｜BBC© 英国スパム放送協会（1970）

ろ登場するというわけだ。

歴史家は手持ちの棒を指揮棒代わりにして、がやがやとした陽気なスパムの合唱に加わる。始めに彼はばらばらな歌声の音頭を取ろうとしているが、諦めたのか、その棒を真っ二つに折ってしまう［☆3］。

この短い挿入シーンには、二つの異なる喚起手段が確認できる。最初に歴史家は、まるで教室の学級《クラス》におけるように観者に話しかけている。そしてセットの切り替えとともにこの対面式の語りが放棄され、みる側の視点は利用客と視聴者の目線が混ざった遠近感に移行する。最初の呼びかけが、やや大上段に構えて教えを授けるのに対し、続く状況では明らかに、パフォーマンスという形での客あつかい《サービス》、またはサービス業の演技／任務遂行《パフォーマンス》へと道筋がつけられ

図4｜BBC© 英国スパム放送協会（1970）

図5｜BBC© 英国スパム放送協会（1970）

ていく。この転換の引き金となるのが、語りに対するスパムの追い討ちだ。スパムは講義の話法を押し出してしまい、サービスとスペクタクルに基づいた注意喚起の方法をそこに呼び込む。そしてこれを支えるのが、身体／身の上が宙ぶらりんにつなぎ止められた、利用客たちなのだ［☆4］。

この挿入シーンにみられる時間形式もまた、変化をきたしている。場面転換の前の時点では、侵攻と事態の経緯は理路整然と説明されている。しかしその後にみられるのはじつに、相剋し、慌ただしく、おおいに多文化的で、卑猥であり、そして浮動する——そうしたパフォーマティブなサービス行為による、スペクタクルにほかならない［☆5］。指揮者、指導者、または牽引役を欠いたこの「寄り合い」の宴はしかし、共同体として自発的に立ち現れる。

スパムがイニシアチブをとるとき、歴史（およびその「進歩」）の見立てとなる講釈は、役者や消費者、スパム、サービス労働者が渾然一体となったパフォーマティブな無秩序に転じる。事象を学術領域へと蔵していく者が語りの主体となる、直線的かつ目的論的な歴史の進展は、道筋を断たれるわけだ。講義形式による正面からの訴えが醸していた統一性は霧散し、教育現場の空気感は、祝祭の場のそれへと移り変わる。

この「公なる」スパムの集合の目的は、娯楽の限りを尽くすことだけではない。その侵入範囲は、明白にスペクタクルの制作領域にもおよんでいる。どういうことかというと、同シーンの終了後すぐにエンドロールが始まるのだが、そこでスパムは、肩書きや、プロデューサーと技術者の氏名の語間にまで混ざり込んでしまっている。くわえてサービス部門からの抗議の悲鳴も、ちらほら紛れている有様だ（「日曜はなしで」。「スパムはもう尽き果てました」）。スパムが労働というものをかき消してくれるはずもなく、ただそれは、労働と労働者をひたすら侵略した末に、座学の場／分類属性（class）を消し去るのである。

スパムはこのように、労働とその立役者、この双方の記述に関わるものである。それは活動、主体および対象、そのいずれでもあり、さらにはそれらの記述素として増加の一途をたどる、「言葉」でもある。スパムの世界に取り込まれた人間主体は、食い物、餌食というべきものに転じる。言葉の数々はオブジェクトとして顕現し、逆もまた然り。そして無秩序なスパム、またサービス労働とその従事者を結束に導きうる唯一のスローガンたるものが、このコントのクレジット・タイトルの最後尾に現れるのだ。

原案・脚本・スパム出演：**スパム・テリー・ジョーンズ／マイケル・スパム・ペイリン／ジョン・スパム・ジョン・スパム・ジョン・スパム・クリーズ／グレアム・スパム・スパム・スパム・スパム・チャップマン**

（…）

撮影：**ジェイムズ**（スパム、ソーセージ、卵とトマト）・**バルフォア**（日曜はなしで）

（…）

編集：**レイ**（揚げトーストと三切れの最高級）・**ミリチョップ**（スパム・エクストラ）

（…）

BBC スパム放送

サービスを含まず。

サービスを含まず

このスローガンはスパムならではの希望である。ハートとネグリは、天使が告げ給う肉（flesh）の潜在力とその尽きせぬ欲望の奔出を謳っているが、いっぽうでスパムの希望など、それはもう味気ないものだ。「サービスを含まず」とは、「本来ならこれは無料、無賃ではありません」という意味だ。デジタルの時代であろうと、サービスのとめどなき再生産は無理だということである。しかし「サービスを含まず」という一節は目下のところ、事実説明ではなく叶う日を待つ要求である。パフォーマンスとしてのサービス（および、サービスとしてのパフォーマンス）の世界にあって、働き手はデジタル画面でコピー・アンド・ペーストや複製処理できるもののように、代価なく掃いて捨てるほど手に入る。

むろん、世界中のメールアカウントとデータ回線を目詰まりさせるように延々と積み上がるスパムに関していうなら、この議論はわずかに当てはまるのみだ。しかしこの物的な過剰性は、サービス労働者やスペクタクルの従事者、さらにはあぶれて軽視されるあらゆる人々へと受肉したスパムが、口々にスローガンを表明し始める——そんな瞬間があるとして、それを予示しているとはいえないか。このスローガンとはむろん、「サービスを含まず」である。

現代における電子スパム。それは量に物を言わせ、無関心を決め込んだ群衆から一片の新たな値打ちを引き出そうとする。他方で、この〔スローガンの〕到達せざる希望へと身を託してスパムになるということは、つまり公的なものとなるべく、またデータベースの残骸のさんざめくような受肉を果たそうと、多様な存在形式のうちから全く意外な共通要素を生じさせる、ということである。

そして、答えを探るべき問いがまだ一つ残っている。「空飛ぶモンティ・パイソン」のスパム・コントは、いかにして別なる歴史形式の地平を拓くのか。まずもってこの問いへの答えを示しているかに思えるのは、歴史家の変わり身の場面である。仰がれる位置に座して世を見晴らしていたこの人物は、あっさりその場を去り、カオスの創造に一心不乱に参加する。だがここには、もう一つ別の局面が潜んでいる。

パウル・クレーの水彩画に話を戻そう。その画中にはなお不可解な点が一つある。天使はわずかによそ見をしている。それは私たちを見据えているわけではないのだ。

背後で何かが起ころうとしていて、天使がそちらに気を取られているような感じはしないだろうか。統一された背景がおもむろに上昇し、セットの幕であったことが明らかになる——まさにその瞬間における天使が、そこに捉えられているのではないか。それはまさしく、過去の没落への哀悼と無慈悲に遠ざけられた未来、この双方の狭間という窮地から抜け出し、新たな場面に参加すべくこちらに背を向けようとしているところではないか。そしてそのとき天使は、メニューからどんな朝食を注文するのだろうか。

原注

★1 Walter Benjamin, "Theses on the Philosophy of History," in *Illuminations: Essays and Reflections*, ed. Hannah Arendt (New York: Schocken Books, 1968), 257–8.〔ヴァルター・ベンヤミン「歴史の概念について」山口裕之訳『ベンヤミン・アンソロジー』河出文庫、二〇一一年、三六七–三六八頁〕

★2 このテーマへの関心を促してくれたイムリ・カーンに記して感謝する。スパムに関する非常に有益な論考として、以下。Finn Brunton, "Roar so Wildly: Spam, Technology and Language," *Radical Philosophy* 164 (November/December 2010), 2–8.

★3 Commtouch Online Security Center, commtouch.com.

★4 *The Broadview Anthology of British Literature, Concise Edition, Volume B*, ed. Joseph Black et al. (London: Broadview Press, 2015), 1509–10.

★5 Myshele Goldberg, "The origins of spam," MysheleGoldberg. com, May 21, 2004.「知的なやり取りや言い争いにうんざりしたとき、スターウォーズのファンは〈スパムとタン〉戦法に回帰した。「もう充分だってば」、彼らはこう書いたものだ。「スタートレックなんてのは、スパムにタン (tang) だ」。スパムとタン、スパムとタン、スパムとタン、スパムとタン、スパムとタン、スパムとタン、スパムとタン、スパムとタン、スパムとタン、スパムとタン、スパムとタン、スパムとタン、スパムとタン、スパムとタン、スパムとタン。誰も書き入れられぬほど、数十、数百と同じ文句を貼り付け、チャットルームの空間をいっぱいにした」。

★6 これに関する非常に興味深い一つの例に、以下のオークション・サイトでの、アンディ・ウォーホルの実在しない作品《スパム》のリミテッド・エディションの販売がある。us.ebid.net (accessed in June 2011).

★7 Michael Hardt and Antonio Negri, "Globalization and Democracy," in *Reflections on Empire*, ed. Antonio Negri and Ed Emery (Cambridge: Polity, 2008), 79–113, 93, 94.〔マイケル・ハート、アントニオ・ネグリ「グローバリゼーションと民主主義」小原耕一、吉澤明訳、アントニオ・ネグリ『〈帝国〉をめぐる五つの講義』青土社、二〇〇四年、一一九–一四二頁（一三八–一四一頁）〕

★8 Antonio Negri, *The Labor of Job: The Biblical Text as a Parable of Human Labor* (Durham, NC: Duke University Press, 2009), 72.〔アントニオ・ネグリ『ヨブ 奴隷の力』仲正昌樹訳、情況出版、二〇〇四年、一四四–一四五頁〕

★9 Ellen Messmer, "Experts link flood of 'Canadian Pharmacy' spam to Russian botnet criminals," *Network World*, July 16, 2009.「〈オンライン・ドラッグストア第一位〉を豪語するこの「カナディアン・ファーマシー」は、カナダの企業でもなければドラッグストアでもない。出所の不確かなこのサイトは、およそ八つのクライムウェアのボットによるスパム・メッセージと紐づき、転々と移動するハイパーリンクだと推測される」。

★10 Michael F. Nenes "Cuisine of Hawaii," in *American Regional Cuisine*, The Art Institutes SM (Hoboken: Wiley, 2007), 479.

★11 トルコで普及している類似の料理とは違い、そのドイツ・バーションであるこの軽食は通常、下ごしらえされた円錐状のスパムの塊からつくられる。Eberhard Seidel-Pielen, *Aufgespießt – Wie der Döner über die Deutschen kam* (Rotbuch: Hamburg, 1996), 47f. ザイデル＝ピーレンは、ドイツの自動車産業でフォーディズムの生産システムが衰退したことが、製造分野の多数の出稼ぎ労働者が軽食スタンドを自営する契機になったとしている。そしてこれは、二〇世紀ドイツの食文化に起きた、唯一の重大な変節への道をつけることになった。ドネルケバブは、多くの「表向き」の材料とそうではない〔反ドイツ感情によって混ぜ込まれた〕代物でできている。この後者には、クッキー、精液、ドッグフード、サルモネラ菌などがある。また別の証言では、ドイツ再統一後となる一九九〇年代初期に起こったとある殺傷事件で、同国のネオナチの若者が出稼ぎ労働者の寄せ場を放火する最中、ケバブ屋に駆け込んで、片方の手でドネルケバブを持ち、もう片方の手でナチス式の敬礼をしてみせたという。以下を参照。Alan Posener, "Auch Deutschland dreht sich um den Döner," *Welt Online*, May 30, 2005.

★12 Brunton, "Roar so Wildly," 4.

★13 *Broadview Anthology of British Literature, Concise Edition, Volume B*, 1510.

訳注

☆1 本章のタイトルにある「肉片」の原語はdebrisだが、これは一般的には、破損した物塊、または自然界の岩屑といった意味を持つ。しかし、サンドイッチや煮込みなどに入っているほぐれた牛肉や加工肉もまた、debrisと呼ぶことがある。ドネルケバブとは、マリネした野菜とともにそうした形状のスパムをバンズに挟んだ軽食のこと。本章では、「破片」はデジタルとともにこうした肉片も意味し、そこには本文で語られている、資本主義の重圧と変節に挽き潰されながら、半ばデジタルの世界に生きる現代人の身体イメージが重ねられている。

☆2 メディア史家のフィン・ブラントンの小論で引用されている、プログラマーのポール・グレアムによるスパム検出プラン。このプランが出された二〇〇一年は、アフリカの共和制国家に住む人物という設定で金銭を無心する「ナイジェリア・スキャム」が蔓延した時期であり、スパムメールの文中に「共和国」という語が頻出した。シュタイエルは、共和国（この場合、アフリカの複数の国家）という語を含むメールがブロックされることが、現実でのそうした途上国出身者の排除と図式的に重なる点から、これを「社会構成」との「接点」としている。

☆3 アントニオ・ネグリとマイケル・ハートの共著『マルチチュード』第三章でも、労働者の多数的かつグローバルな共生が指揮者不在の状況に喩えられている。その「オーケストラ」の関係性が壊されて音が止む唯一の条件は権威的な指揮者の威勢であり、また指揮の「振り」に代わる拍子は、持続的コミュニケーションによって自己決定されていくものとされる（Michael Hardt, Antonio Negri, *Multitude: War and Democracy in the Age of Empire* [New York, NY: Penguin Books, 2004], 338. マイケル・ハート、アントニオ・ネグリ『マルチチュード――〈帝国〉時代の戦争と民主主義』（下）幾島幸子訳、NHK出版、二〇〇五年、二三四頁）。ひるがえって、シュタイエルが後続する箇所で述べるように、肉（「一般的知性」の身体化）の審級から脱落した「スパム」の場合、指揮の放棄を伴う自発的な共同性は、サービス労働の搾取的側面への抵抗をもとに、無秩序な交流の場に生起する。

☆4 「宙ぶらりん」は原文では in mid-air。通常は up in the air で、「未定、結果の保留」といった意味になる。最後の場面でバイキングたちが唄う間に、椅子に座ったバン夫妻はワイヤーで吊り上げられていく。したがって、ここで言われる「利用客たち」とは一義的には宙に浮いたバン夫妻のことだが、同時に、社会的境遇が宙吊り状態で先のみえない、現代を生きるサービス業（第三次産業）の被雇用者のことを暗示している。

☆5 このコントでは、卵は「卵子（egg）」、スパムはアルファベットの綴りの似た「精子（スパーム、sperm）」、ソーセージ（腸詰め）は陰茎と肛門性交といったように、献立の具材がジェンダーや指向の交錯した性行為の隠語となっており、この意味でシュタイエルは食堂のシーンを「卑猥」と形容している。

09 彼女の名はエスペランサ

Her Name Was Esperanza

その女は名をエスペランサといった。プエルトリコ出身の三五歳で、建設業を営んでおり、人道的事業を立ち上げるという大きな夢を持っていた。夫は不幸にも二年前に他界していた。彼女が自分と幼い娘の写真を「マッチ・ドット・コム」という出会い系サイトから送ったのは、二〇〇七年二月のことだった[★1]。

フレッドは最初、何の気なしにエスペランサからの手紙に返事をした。ところがその後、突然彼女に心を奪われた。

フレッドは数ヵ月後、家族にこう打ち明けることになる。妻と別れ、子供たちを残し、エスペランサと暮らすつもりだと。その女に会ったことはあるのかと母親に聞かれると、彼はないと答えた。近いうちに会えるという心算だった。それまでのやり取りの方法は、電話とチャットだった。彼女は、初めて会う約束を直前にキャンセルした。花束を手に空港で待っていたフレッドの体は、期待の代わりに不安で打ち震えていた。

振り返ってみれば、フレッドは気づかずにいた自分が理解できなかった。エスペランサはチャット時にもカメラをオンにしなかった。不具合が立て続けに生じ、人に会うという急な予定から会話が中断されるときもあった。ただ、お金を無心されたことは一度もなかった。彼女が死んだ、その日までは。

在デンマーク米国大使館の職員を名乗る人物から、フレッドに電話があった。エスペランサは同地に出張中、対立していたギャング同士の銃撃戦に巻き込まれ、命を落としたのだという。

それはフレッドにとって人生最悪の日だった。

遺体を空輸する必要があったため、フレッドは送金をした。彼はショックを受け、途方に暮れていた。すべてがどうでもよく思えたし、このとき生じた複数の手間も瑣末なもののように感じた。遺体とは対面せずに済ませることにした。二人の初デートが彼女の死後だという事実に、向き合う自信がなかったのだ。

この物語の終わりは唐突にやって来た。彼の友人がインターネットで調べたところ、デンマークで最近殺害されたアメリカ市民などいなかった。銃撃戦もない。エスペランサなる人物は、一度も存在しなかったのだ。彼女はスキャマー（詐欺師）の一味によってつくり出されていたのだ。

CXX

〈差出人〉dxxx〈送信日時〉Fri Jun. 05, 2009 12:02 pm

これが間違いなくスキャマーの仕業だってこと、分かってもらいたいんだ。修正されたストックフォトが送られてきたってことは、その時点でもう疑いようがないんだ。君の相手が女性っていう前提で話を進めるけど、そこで多くの作業をこなしているのは一人の男なんだ。スキャマー共通の決まった作業はあるけれど（何にせよ、金を奪うことが共通の最終目的だから）、ほかの作業に関しては色々だ。経験上、ほとんどのスキャマーは量とスピードを重視する。嘘のプロフィールを載せ、できるだけ多くの人間とコンタクトを取って、漏れなく手早く金を吐き出させようとする。このやり方だとすぐに大半に逃げられるが、連中は一度にかなりの人数を狙う（少なくとも、そう決めている）から、カモ一人につき数百ドルだとしても、全体ではそれなりの額になる。

もっと計画的で長期的なやり方をとるスキャマーもいる。手慣れていて、そして一番危険だと思うのはこのタイプだ。決まったターゲットにたっぷり時間をかけるから。（…）この「やり手」のスキャマーはIPアドレスのことにずっと意識的で、たいてい自分たちの居場所を認めてしまうか、そうしたイージーミスでカモに逃げられないよう、プロキシの背後に身を隠している。

よくみれば、奴らだってミスはしている。ただし普通はかなり見つけにくいけどね。(…)例えば、送付画像のイグジフ・データ〔デジタル写真の付帯情報〕を消し忘れていて、二〇〇二年撮影になっていたり。これなんかはかなり些細なミスで、カモにされる人間のほとんどは気づかない。(…)

〈差出人〉dxxx 〈送信日時〉Fri Jun. 05, 2009 4:57 am

(…)

```
# xmlns:tiff = "http://ns.adobe.com/tiff/1.0/"
# xmlns:exif = "http://ns.adobe.com/exif/1.0/"
# xap:CreateDate = "2002-05-07T11:00:16+05:30"
# xap:ModifyDate = "2002-05-07T11:00:16+05:30"
# xap:MetadataDate = "2002-05-07T11:00:16+05:30"
```

ここに不自然なところがあるの、分かる?〔★2〕

書簡体情動

少し前にベンガルール〔インド南部の都市〕に行ったとき、私は何か自分でもよく理解していないことを話しているように感じた。公開討論の際、フェミニズム研究で有名なラタ・マニに、デジタルがもたらした感覚と情動面の影響について聞かれ、私はこう答えた。もっとも強力な情動的欲求が生じるのは、書簡形式という非常に意外でしかも古めかしい次元においてであり、これはつまり、現実の身体から切り離された、言語を介した絶妙な煽情であると。

メールやチャットのデジタル書記に表れているのは、「書く」ことの歴史的実践が今日に抱え持った、複雑な事態だ。ジャック・デリダは根気強く、書記の不条理、すなわちその不在と遅延との関係を論じていた〔★3〕。デジタルの場合、遅れは最小化されるものの、不在は残る。（ほぼ）リアルタイムのやり取りが、物理的な不在（absence）と重なったときに生じるのは、いわば乖離した感覚（ab-sense）というべきもの――（ほぼ）リアルタイムで生起する、不在の感覚的位相である。この不在とは、共時的であり生気に満ちている、そんな不在だ。そこでは生身の身体が欠如しているが、これは運悪く、または偶然そうなったというようなものではなく、むしろ必須条件である。

そのプロキシ（代理機能）はメッセージ本文《ボディ》として圧縮され、音信不通と連絡可能性、この双方のリズム、流れ、音声、そして時間性へと変換される。これは一切「バーチャル」ではなく、「シミュレート」されてもいない。不在は、まさにそれに拠って立つコミュニケーション同様にリアルなものだ。

〈件名〉Re: Mxxxx QTの画像を使用しているスキャマー
〈差出人〉axxxxxxs〈送信日時〉Wed Jan. 26, 2011 8:05 am
（プライベートＩＰアドレスのため追跡不能）ホストネーム：10.227.179.xxx

会うこと、問題と思いません。私は会うことを信じている。会うは信じること。あなたが会いたいなら、あなたに合わせて私のフライトを変えることができます。あなたのため、フライトを変えるのは問題ないです。私たちが会えると思う方法を教えて下さい。会うは信じること。年齢や場所を気にしていません。一番近い空港の名は、何ですか。フライトが変えられるか聞くのに、航空会社に今電話できます。

（プライベートＩＰアドレスのため追跡不能）

私は元気、今日の調子はどう？

BlackBerry®から送信

まだ私と会いたい、ベイビー?

MSNは持ってないの

私と会いたい、ベイビー?
空港の名前を教えて　ベイビー
私に一時間ちょうだい　ベイビー

ベイビー　一人暮らし?　あなたの旅のことを聞かせて　BlackBerry®から送信

(…)

航空会社に居て　チケットを済ませた　BlackBerry®から送信
ハニー　チケットを買った　一時間後　チケットのスキャン・コピーをメールするわ　ベイビー　BlackBerry®から送信

今送る　ベイビー
ハニー［★4］

デジタル・メロドラマ

一五八八年に、「スペインの囚人」という、恋愛作品か何かのような名前の詐欺がお目見えした。詐欺師はターゲットに近づき、知人であるスペイン貴族が刑務所を出たいのだが、そのためには多額の金を積む必要があると説明する。この貴族に救いの手を差し伸べた者は誰であれ、彼の娘との婚姻を含む多くの返礼を期待できるのだと。分割の一回目が支払われた後、新たな問題が次々に起き、そうして結局嵌められた人物は破産するか、資産をあらかた吸い取られる。

この筋書きはデジタル主流の時代になると、現代の戦争のあり方や社会の変動と結びついた内容に塗り替えられる。無数の「四一九詐欺《スキャム》」（この名称は、「スキャム」が抵触しているナイジェリアの刑法第四一九条から来ている）では、日々起きているカタストロフは、金儲けのための物語へとリライトされる。〔アフリカでの〕「ショック資本主義」とその結果、すなわち原料関係をめぐる紛争や財の私有化の流れは、インタラクティブなラブストーリーや冒険譚に形を変える。

「見知らぬ女からの手紙」――これは、マックス・オフュルスが手がけた一九四八年の古典的メロドラマのタイトルだ——を、あなたも受け取ったことがあるのではないだろうか。オフュルスの映画では、一人のウィーンの女性が死後に手紙で報われぬ想いを告白する。そこに綴られていたのは、この女性の存在を露《つゆ》も知らずにいたコンサートのピアノ奏者に対する、彼女の愛執の一部始終である。

これが今日のデジタル版となると、私的かつ政治的な悲劇に苛まれる「見知らぬ女」からの手紙が、世界のあちこちから送信される。ポストコロニアル以後の時代の惨劇が奏でる不協和音。それは、延々と続くテレビ小説シリーズのように引き延ばされる。「未亡人《ウィドウ》と孤児《オーファン》」は、金融中心のハイパー資本主義、自然災害、ありとあらゆる冷酷犯罪によって消し去られる。そしてこうした人々の運命のもつれを解くのは、あなたの側の使命となる[★5]。

ロマンス詐欺は棚ぼた式の愛とチャンスを提供し、さりげなく銀行の口座番号とパスポートの複写をおねだりする。フライトスケジュールは、送金指示、通し番号を振られた「愛する」ための作業手順と同化する。切り分けられ、分類された感覚は、コピー・アンド・ペーストされ、リサイクル、バッ

事案	%
飛行機墜落事故	35
自動車事故	13
津波・地震	3
クーデター	22
過剰請求	16
不明	11
発信者	
弁護士	35
未亡人	31
子供	10
銀行員	24

出典：キャズロン・アナリティクス

クアップされる。しかし、たとえ明白に大量生産行為であったとしても――トーマス・エルセッサーがメロドラマについて述べたように――これらは「私たちが得ることのできる、唯一の悲劇の形式」なのだ［★6］。ロマンス詐欺は招かれざるままメールボックスへと放り込まれ、突如としてその場に公的な性質を引き入れる。

レディメイドとしての悲劇

メロドラマというジャンルの基底にあるのは、不可能性、遅延、服従であり、そこで扱われるのは、家政、また女性に関する領域である。いわゆる「お涙ちょうだいもの」は、価値が低くみられてきたジャンルであり、数十年にわたりアート系シネマから遠ざけられていた。被抑圧と女性側の従順さを捨象し切れていないと、危惧されたためだ。

だがメロドラマは、抑圧され禁じられていた価値観に「声」を与えもした。その価値観はほかに表現の場を持ちえず、拒まれ、恥ずべきものとして排斥され続けてきた。目いっぱいの誇張と異国ふうの演出から生じるのは、再生産労働に追われる灰色の日常とは一味違うものを夢見させてくれるという、一つの可能性である。メロドラマは、異文化間の出会い、異人種間の意気投合、誤解によってあと一歩で暗転したハッピーエンドなど、ありそうもない物語を仕立て上げる。メロドラマが唱えるのは、政治性がすなわち私的なものだということであり、ゆえにそれは感情／感傷という地平から社会史を捉えなおす［★7］。

しかし、これが私的領域に関わる新たなデジタル版となると、そのつくられ方にも違いが出てくる。それは、もはや万人向けにテイラーイズム方式でスタジオ制作されることなく、個人向けにカスタマイズされるのだ。

[redacted]

[redacted]

April 18, 2011

Dear Steyerl,

Apologies to write to you out of the blue like this but something very, very important came to our notice and we believe it's important we seek your consent for the mutual interest of all.

I'm Des McDaid, Savings Director, ING Direct UK, personal funds manager to late Mr. Hiroshi J. Steyerl, a Japanese national. He died recently along with his wife and only son, while holidaying in Burma and flown back to England for burial. In our last auditing, we discovered a dormant account with GB£ 17,844,000.00 (Seventeen million, eight hundred and forty-four thousand British Pounds Sterling only) in his name.

During our investigations we discovered he nominated his son as his next of kin. All efforts to trace his relations have proved impossible. The account has been dormant since his death. Therefore, we decided to contact you, to seek your consent to enable us nominate you as next of kin to the deceased and transfer the funds to you as designated next of kin to the deceased.

We've all relevant details about the deceased, which shall help us claim the fund successfully. After transfer of funds to your favour, you shall retain 48%, and 48% ours, 4% set aside for expenses both parties might incur during or after the transaction (if any).

Your positive response shall be highly appreciated to enable us favor you with a draft application / account details of the deceased for submission to ING Direct UK to authenticate the claim to the deceased's estate.

Should this business transaction, be of interest to you, please contact me via Email: dsmcdaid@live.co.uk, Tel No; + 44 778 78 24 355 or Fax No; + 44 1183-350-425. Please also contact me if you object to this proposal.

Yours truly,

Des McDaid
Savings Director ING Direct UK.

二〇一一年四月一八日

拝啓　シュタイエル様

突然お手紙を差し上げます失礼をお許しください。当方と貴殿、双方に関係する非常に重要なことが判明し、承認をいただきたくご連絡いたしました。

私は、INGダイレクト・バンキングのイギリス支社で預金部門のディレクターを務める、デス・マクデイドと申します。私が個人資産を担当している顧客の一人に、日本国籍のヒロシ・J・シュタイエル氏がおられます。氏は過日、休暇中に滞在していたビルマで亡くなりました。葬儀はイギリスで執り行われましたが、夫人と一人息子のご子息も、同地で帰らぬ人となりました。私どもがその後に行った監査で、長らく入出金のなかった氏の口座に、一七八四万四〇〇〇イギリス・ポンドの預金があることが判明しました。

調査の結果、氏はご子息をもっとも血縁関係が近い人物として指名されていたことも分かりました。しかしながら、氏の血縁関係を逐一たどって特定することはできません。氏が亡くなれて以降、口座は凍結しております。かような次第で、弊行では、貴殿を故人の最近親者の正式候補としましたため、ご承認賜りたくご連絡いたしました。ご承認いただけた場合、当該資産は譲渡の運びとなります。

故人に関する書類はすべて整っており、権利委譲の手続きにつきましても問題はございません。ご承認に続く権利の移行に関してですが、当該資産の四八パーセントが貴殿に分与され、四八パーセントが弊行の取高となります。入出金の段階で発生する手数料は、弊行と貴殿の双方が負うものとし、これを資産全体の四パーセントとして計上いたします。

本件に関し所定の手続きを進めたく、まずは故人の口座の詳細を含む書類をご用意したいと考えております。是非ご承諾くださいますようお願い申し上げます。

以下にご連絡いただけますと幸いです。

dsmcdaid@live.co.uk

また恐縮ですが、否認の場合にも、お手数ですがその旨お知らせください。

敬具

デス・マクデイド

ＩＮＧダイレクト・バンキングＵＫ 預金部門総責任者［☆1］

これらのメッセージは投函《ポスト》されるだけではなく、ポスト主義的（postist）ですらあるだろう。ポスト主義とは、「以後」的にして二次的、そして歴史の残余そのものであることを自認する、時間性の症候である。このポスト主義で前提とされているのは、旧い世界観に代わる新しい要素を一切持たぬまま、すべてを一般原則的に克服できるということだ。

ただし、このポスト弁証法的な前提条件には、弁証法的な転回が介在する。ポスト主義は、自らがそこから距離を置き、自らが克服したと主張する――そうした事柄を保持するのである。実際、「ポスト」マルクス主義、「ポスト」構造主義、「ポスト」モダニズムといった概念のうちどれ一つとして、それらが過去に置き去ったとする諸概念に立ち戻らずして定義を確立することはできない。これが意味するのは、密接しているのに距離が保たれているということ、あるいはまさに、懸隔（遠さ）が近さに起因するということだ。近接性と距離の共存は、「ポスト」という接頭辞そのものの構造にも関係している。「ポスト」とは一つの過去を暗示するが、語義的には「空間的な分離」に由来している。この接頭辞の最初期の語源には、「後方に、～を経て、以後」のほか、「～のほうへ、～に向かって、～の近くに、傍らに」、「遅く」といった意味があり、さらには「～から離れて」という意味もある［★8］。近接と分離、そして不在と存在は、この概念が構造的に抱え持つアポリアの一端をなしている。

ロマンス詐欺は、この同時的であり、希望と欲望によって不均衡に接合された、存在と不在の時間性と密に関係している。ロマンス詐欺が完璧なまでにマッチするのは、近接と分離、過去と現在のいずれとも同期しつつ、信じられなくなった特定の世界観にしがみついている、そうしたどっちつかずの時間的な様態でもあるのだ。

コンセプチュアル・ラブ

このデジタル・メロドラマと書簡形式に基づく情動への転回は、期せずして起こった。デジタルの感性的世界はかつて、もっと物々しいものと考えられていた。しかし、サイバーセックス、肉体とデジタルの融合に関する初期の青写真はどれも、長期的には魅力を保てていない。データや感受性、接触《タッチ》が身軽に旅する時代にあって、性欲処理にぴったりとされていたデータ・グローブやデジタル・ディルドなどの道具立ては、ガチャガチャとした煩わしいものとなった。

書簡形式による接し方が好まれるのはまた、それがとても手軽だからだ。テクスト入力は時間を選ばずにできる、安価で費用効果の高いメディウムである。ややこしいテクニックもかさばる器具も要らず、ただ基本的な読み書きとインターネット・カフェの端末があればそれでよいのだ。

ロマンス詐欺で定型化され、使い回される言語表現にはまた、「書く」という習慣が今日に経験した大きな変化が表れているように思われる。イメージから不可欠な要素以外を省くと、不鮮明でざらざらとした粗い視覚的属性が生まれる。テクストの経済もまた、これと同様の発展を示してきた。テクストはあらゆる意味で、デジタル領域に溢れるイメージの断片と同程度にコンパクトになり、そして抽象化されている。広告的語法のノウハウも手伝って、かつての紳士淑女の慎ましやかな感情表現は、ツイートのような短文の言語感覚とミックスされる。つまり、物言いは単刀直入なのだが、欲求に関しては遠くに感じられるのである。きっちり詰まっていながら繊細さもあって、押しの強さと秘密めかした遠慮の態度が共存しているのだ。圧縮され、心理的余白を漂わせるテクストは、その余白を埋めたいという気持ちを許容する。空っぽの言葉は釣り餌となり、引きこもり、プレイする。簡略化と韜晦《とうかい》が、強度の針を振り切ってみせる。

〈件名〉Re: GXXX TXXXX
〈差出人〉xxxxxxxxxxxxxx〈送信日時〉Fri Sep. 18, 2009 8:20 pm

Gxxxxのメールアドレスなんだけど、gxxxx@hotmail.comに変わったみたいだ。プロフィール画像が欲しいんだけど、これについてはどうやっても無理。
関係を進めたいのも彼女は分かっていて、それでもきっぱりと距離を置きたい、友達でいましょう、私たちメル友よね、って言うんだ。俺はそれでもいいと思ってる。

Cxx

Cxxxxxxxxxx

投稿リピーター
投稿数：１６０
投稿開始日時：Sat Apr. 11, 2009 5:33 pm
場所：Lxxxxxxxx

最新の投稿：
〈件名〉Re:Gxxxx Txxxx
〈投稿者〉wxxxx〈投稿日時〉Sat Sep. 19, 2009 8:38 am

待ってくれ…。分かってるだろ、それ、ナイジェリアのスキャマーだって。グラビアモデルのコピー画像を使ってるだけなのに、その男にまだメールして、その上「友達」になろうなんてさ。スキャマーの思うつぼだよ。すぐに「彼女」に緊急事態が起きて、金が必要だと言ってくるはずだ。付け入る隙を見せたんだから、きっと別の手段をとってくる。スキャマーなんてほぼ全員（ていうのは、九九パーセント以上ってこと）が男で、女のふりをしていることくらい理解できるだろ?

〈件名〉Re:Gxxxx Txxxxx

〈投稿者〉gxxx〈投稿日時〉Mon Sep. 21, 2009 5:52 pm

要はあんたが何度も言っている「彼女」ってのは、あんたにしつこく迫ってるただの黒人の男だよ。「彼女」なんていない、いるのは「彼」だけ。Gxxxxなんて存在しない。

gxxxx

ランキング上位投稿者
投稿数：972
投稿開始日時：Tue Nov. 25, 2008 11:13 pm
場所：カナダ

〈件名〉Re: Gxxxx Txxxx

〈投稿者〉gxxxx〈投稿日時〉Sat Dec. 04, 2010 10:18 pm

このスレッドにあったgxxxxxxx@hotmail.comってアドレスだけど、フェイスブックでたまたま見つけた。Nxx Axxxxx Axxxxxx (Axxx Dxxx)って名前。こんなプロフィールになってる。

現居住地：アクラ（ガーナ）
出身高校：ウエスト・アフリカ中等学校（二〇〇八年卒）

「友達」の人数が多くて、こんな紹介文も。

Nxxの自己紹介：来た、みた、勝った〔共和政ローマ期の政治家、ガイウス・ユリウス・カエサルの言葉〕。権力によらず、聖霊によらず。
愛情の深さには自信あり！知的でクリエイティブ、思いやりがあって誠実。楽しいことが大好き。旅行の経験はそれなりにあるけど、この先はもっとするつもり。キャンプとか、人生を豊かにするありふれた楽しみなど。
ユーモアのセンスがあって機転が利き、魅力的で清潔感あり。どんな社交のシチュエーションでもやっていけるのは、笑顔とスタイルがあるから。
性別：男性

恋愛対象：男性　女性
交際ステータス：恋人なし、独身［★9］

スペインの囚人

私の名前はフレッド。恋に落ちた相手の名はエスペランサ。彼女は私の人生最愛の人だった。どうやって私がスキャムに釣られたのか、話したところで分からないだろう。しかし、エスペランサが本物かどうかは私にとって問題ではない。彼女への愛は確かなものだった。私からすれば、どう考えてもそれをスキャムだなんて言うことはできない。エスペランサが実在の人物でなかったとしても、彼女の手紙は画面上にあったからだ。書かれた内容は嘘だったかもしれない。ＩＰアドレスも隠され、差出人に実体はなかったのも確かだろう。だが、書くという行為だけをとってみれば、それはどこまでもリアルだ。彼女、彼、彼女ら、彼ら…。文章を書いたのが誰かなんて問題じゃない。私が愛したのは、人ではない。手紙だ。

これらの手紙を書くのは、一仕事だ。テキスト・モジュールを適用かつペーストし、プランを練り、帳簿をつけ、キーを打ち、演じ、ファイル保存し、画像を加工せねばならない。スキャマーの業務、それは「カモ」が抱くようなファンタジーを掻き立て、情動面でのサービスを提供することだ。そして欲望には個人差があることから、対応も案件ごとにすべて異なる。

たいていのスキャムの舞台裏では、ワークフローが出来上がっている[★10]。書き手の多くは男だが、状況によっては助手的な立場にいる女が電話をかけ、もしくは実在の証しとして姿をみせる[★11]。こうした連携のグローバルかつポストコロニアルな性質は複数の事例で強調されてきたが、その全体の本質はいまだ細かくは検証されていない。デジタル格差と不均等な発展を根底に抱える、そんなグローバルな政治経済を背景に持つこの文章形式の詐欺を、どう捉えればよいのか[★12]。こうした取り組みのうち、少なくともいくつかのケースには、ある種の義憤が潜んでいる。それは、植民地支配的な搾取により奪われた富を、奪い返さねばならないという発想である[★13]。要は、そこには反帝国主義的イデオロギーの残余がみられるのだが、これが、一般人を連れてきてイメージチェンジを施すテレビ番組が普及させたような、「大変身」の美的水準と渾然一体となるのだ。

〈件名〉要注意のスキャマー：cecixxxxxx@hotmail.com
〈投稿者〉Rxxxx〈投稿日時〉Tue Jul. 24, 2007 9:45 pm

スキャマーの自称：シーシー・トンプスン

（…）スキャム関連のサイトをチェックしていたら、彼／彼女が別のアドレスで同じ画像を使っているのを発見。今回はロシア人ということ。ビザや航空券など、諸々の詐欺歴。対話を試みたところ、以下の返事が来ました。

「お前、今まで会ったなかで一番のバカだ。白人は全員、一人ずつアフリカ人のもとで苦しむからな。お前らは全員、黒人を奴隷にさらった。カエルの面に水《ノープロブレム》ってやつだ。お前ら、こっちから盗んだものをすっかり返す。逃げることできない、馬鹿が。お前ら白人は糞みたいな臭いがする。知っておけ。どうしてかは、神様に聞け。お答えするのは、お前らが猿呼ばわりしていたアフリカ人だ。いつかこの世界をその猿が支配する。肥溜めの糞、生っちろいカエルども。臭いお前に似た雌ガエルを探して、臭いカエルの子作りをしていろ」。〈送信日時〉Tue Jul. 24, 2007 20:58:49［★14］

言うまでもないことだが、「四一九詐欺」の蔓延という現象には、包括的なマクロ経済の問題が絡んでいる。その問題とはナイジェリアの場合、一九八〇年代初期の石油価格下落に伴う債務危機、また、その後に待ち受けていた失業と政情不安である［★15］。アンドリュー・アプターの見解によれば、オンライン詐欺は、金融における価値創出（もしくは、価値のシミュレーション）にみられる一定の虚構的手段をなぞるものであり、ゆえにそれは、ビジネスにおける金銭の流通システム、その反転した鏡像的性質を示してもいる。現実では、こうした虚構的価値に取って代わる実体的な指標は欠けている。そしてまさにこの欠如が、言語一般、表象システム一般に変化をもたらすことにもなる。シニフィアンはにわかに浮遊し〔★16〕、その対象との結びつきは完全には失われないにせよ、予想のつかないものとなる。そうして、グローバル化した金融資本主義のネズミ講システムとその「騙し騙され」という局面は、恋愛における私的言語にも浸透していくのである。アプターは、「四一九詐欺」を文字通りのパフォーマンス・アートとみなしている。それは、画像のフェイクや騙しが一般に広まり、民営化と投機＝思弁に根ざした政治経済、その空疎な価値形態が蔓延した——そんな状況を背景とするパフォーマンス・アートなのだと〔★17〕。そう考えてみると、なぜこれほど多くの人々がスキャムに引っかかってしまうのかも、自ずと理解されるだろう。というのも、詐欺が抗いがたく含んでいる「欺き」という原理は、私たちが今日の政治や経済の領域で経験する現実、その核となっているからだ。

しかしこのタイプのパフォーマンス・アートには、そうした金融や財務との共通性よりもずっとインパクトの強い側面がある。それはジェンダーである。〔スキャマーの〕大多数を占めるはずの黒人男性の異性愛者が、白人の（もしくは、別人種の血の混じった）ヘテロセクシュアルの女性、または白人のゲイやストレート男性になりすますというのは、一体どういった事態なのか。ばれたとき、おもむろに（例えば、白やブラウンから黒へと）「カラーチェンジ」するのだとすれば？ そしてそんなときでさえ、ポルノ・サイトのモデルや期待の新人といった赤の他人の画像を盗んで、どこかに送りつけているのだとしたら？［★18］

そしてこれは、インターネット理論の黎明期に盛んに議論されていた、性の自己決定をめぐる解放の約束とどう関係するのだろう。性別の隠蔽や撹乱作用は、なおこの文脈で有効なカテゴリーなのか。それとも私たちが直面しているのは、一対一の関係用に仕立てられたドラマや、ネズミ講の語り口に倣った個人向けの擬似ドキュメンタリーをつくり出す――そうした極度に個人空間に浸透した、新たな文化産業の領域なのだろうか。

ロマンス詐欺の生産。それは、こんな風景を思い起こさせる。まず、デジタルの世界に作業机が置かれていて、そしてそこに、分業化されたフレックス制の「書き仕事」に就く労働者たちがずらりと並んでいる。彼らは仕事を遂行し、あるいはまさにそれに照応する「リアル」な金融分野の業務のように、成績＝パフォーマンスの目的で労働をこなしている。そしてその成果となるのは、クライアントのあらゆる幻想にフィットし、受注生産され、通し番号を振られたアイデンティティである。労働へと昇華される情熱《パッション》。その前に置かれた鏡面をみれば、そこには、愛執《パッション》という形をとった労働の姿が映っている。そしてこれこそが、ポスト・フォーディズム時代に理想とされる労働者たちの意欲を煽り立てているものの正体なのだ。

視点を変えると、こんな様子がみえてくる。ロマンス詐欺は世界中にはびこり、貧しい、または中年の女性（その大半の職業はメイドである）を標的とし、彼女たちから老後のための貯蓄を盗み取っている［★19］。心や立場が脆い人々に対し、自らの行為がどれほど心理的な傷を残すか、スキャマーが気にかけることはない。彼らが狙いをつけるのは、大都市圏の出会い系サイト市場であぶれている、シングルマザー、行き遅れたが情欲を捨てられぬ者たち、白馬の王子を夢見るグローバル時代のメイドたちだ。要は、容姿の劣る人々が弱者に食い物にされるわけだが、そこで手段となるのが言葉なのだ。

エルビス・プレスリー（そしてビージーズ）もまた、こう歌っている。「僕が一言も本気で言っていないと思っているんだね／それはただの言葉だけど、僕には言葉しかないんだ／君のハートを盗むには」。

創造的言語

いわゆる言語行為論の理念の土台となった著物は、複数存在するが、その一つに『いかに言葉をもって物事をなすか』がある。そしてこの著書名に掲げられた問いは、J・L・オースティンが一石を投じた命題であった［★20］。オースティンの理論では、言葉はたんなる記述的表象ではなく、行為を導き出しうるエージェントである。彼が挙げる（本論にうってつけといえる）例の一つが、誓いの言葉によって二人の人間が結ばれる、結婚式だ。しかし聖典の随所にみられる桁違いの言語行為と比べると、これは例としてやや劣るだろう。というのもそこでは、ほかでもない「創造」が言語行為によって遂行されるからだ。「光あれ」という言葉〔旧約聖書の創世記にある聖句〕は一神教の信者にとって、世界の始まりを意味している。神的な発話は畏敬を喚起する創造的な力の発露であり、恐ろしくもあり、人々の心を掌握するものでもある。

ヴァルター・ベンヤミンによれば、この神的な力の弱い形態は、人間が用いる言語へと場を移した［★21］。いわく、名指し行為に付随する創造的な力は、神的な発話の力の残余である。ミシェル・フーコーはこれよりもやや端的に、規律と命令の力、その残響が人間の言語領域にも鳴り続けているのだと述べた［★22］。言葉の重要性とその歴然たる効力は、軽視できないものだ。言葉は世界を創り出す。前者は後者を破壊することもできる。

デジタルの世界では、言語が持つ力はコードへと変換される。そしてコードは、機械の遂行能力《パフォーマンス》に働きかける。言語が持つ不可思議な力は、創造にあたっての発話行為に由来するわけだが、これは今や、ハードウェアによって「物事をなす」ために呼び出されるのである。コードは「物事」に命を吹き込み、動きを与える。機械的言語は私たちにとって、新しい言葉、新しい世界、そして新たな言語の創造を可能なものにする。

ではこれは、恋愛領域で暗躍するスキャマーの場合どうだろう。比較したときにみえてくる彼らの言語の斬新さは、逆説的にも、それが完全にリサイクルできるという点にある。当然ながらその言語のどこをとっても、新しさという要素は見当たらない。広告のフレーズやメロドラマの会話シーンという、蓄積されてきた基盤があるためだ。これらはいわば、家事労働に勤しむ視聴者のニーズに応える、モダンな文化産業の国際共通語《リンガ・フランカ》である。ただしスキャマーが駆使する言語は、それよりもずっと断片的であり、そして破綻したものだ［★23］。普通であれば躊躇してしまうような継ぎはぎ行為は、この言語の本質である。また、明らかにその一部は翻訳ツールに依拠することで生成される。この二つからいえること。それは、そうしたスキャマーの言語が、グローバリズムから萌芽した一定の言語体系に属しているということだ。私はこれを別の機会で「スパムソック（Spamsoc）」と名づけた［★24］。スキャナーをSpanish〔スペイン語〕という単語の上で走査させ、しかしこれが機械によって正しく読み取られなかったとき、Spamsocになるのだ。こうした英単語の変異形は、例えば中国産の海賊版ＤＶＤのカバーの裏面などに見つかる。スパムソックは砕けた《ブロークン》言語だが、それはグローバリゼーションの圧倒的な威力と、それがジェンダー領域にもたらした亀裂を反映しているという意味で、「砕けて」いる。言語のポストコロニアル以後のヒエラルキー、フリーランス労働の性別分業、著作権とデジタルの優位性をめぐって続く、世界規模の争い――これらが、スパムソックとその無数の派生物が生まれる、背景要因の一部をなしている。そしてそれはあたかも、ウィキペディアの編集ページと機械翻訳の半ば意味をなさない語の羅列、この二つのごた混ぜのようにして現れるのである。

　ロマンス詐欺師の言語にはたいてい、使用地域によって細かい違いがある。また極端に形式張った、ときにぎこちなく過剰な言い回しが用いられる［★25］。そこに散見されるミスマッチな表現、目も当てられない文法の誤りは、世界中のいわゆる「スパム釣り師」たちの間で冷笑の的になっている。しかし軽視とはいわば、行き過ぎた自己防衛と鬱憤の裏返しである。そもそも、こうした即席言語の存在が明かしているのは、何だろうか。それは、メロドラマの形へと仮託＝翻訳された、きわめて混迷した地政学的な緊張状態である。ヴァルター・ベンヤミンによる言語と翻訳に関する考察は、この問題の明確化に役立つだろう。ベンヤミンいわく、言葉の本源的な力は、意味の不一致にあってもなお「光」を放つ。そしておそらくその光が行き着く極点とは、言葉が己の内実の多くを手放し、意味作用を欠いた純粋な「どもり」や「つっかえ」の様相をみせ始める地点である、と［★26］。

ということは、恋愛のキーワードがほとんど機械的に反芻され、また感情にまつわる空疎な単語群が、破片となってかき集められ、引き裂かれ、コラージュされる――そんな状況にあってもなお、創造という行為は光輝に満ちているのだ。そこでは、言語が持つ擬態という特性の強靭さがうかがい知れるばかりでなく、それが断片と濃密な短文となることで、逆に強まっているともいえる。

こんなふうに考えてみると、この新たなデジタル時代における「ポスト」英語は、欠陥言語というわけでは決してないのだ。むしろそれは、来るべき世界の言語なのである。ただし残念なことに、この言語の全容は現時点で、私たちの理解を超えている。ロマンス詐欺師たちの言語は、未来から届いたメッセージである。この未来／将来にあっては、初期値の言語フォーマットが終わりなきフリーフォール状態で止揚され、言語と価値が「災害資本主義」のドラマ・バージョンのなかで、現実を手放していくのだ。

心を奪われて

葬式が終わって、俺は奴の遺産整理に必要な全部に手をつけた。ソレハ。経験のある人間なら分かると思うが、うんざりするような作業だ。請求書、それからウエスタン・ユニオンから送金した領収書に目を通すと、全部奴が将来に結婚しようと考えていた女に宛てられていた。続く数ヵ月。何が価値のあるのかをみていき、パソコンのファイル、請求書の整理だ。奴は破産していた。家を手放し、車の支払いも滞っていた。クレジットカードも上限額まで使っている。滅茶苦茶な金づかいだった。ふと、今ここにいるはずの女の居場所が気になった。手紙を読みパソコンをチェックし、数ヵ月してみると、この女にケッコンする気がなかった、ことは全部分かった。奴のところに来る約束を二回ほど延ばし、空港で会う約束も二回すっぽかしている。証拠のために集めた諸々から察するに、奴は二年と少しの間で、女に三万ドル以上の金をくれていた。(…)

俺は女とホテルのラウンジで会うことになった。早めに下に降りて、何杯か酒を引っかけ、待つことにした。そのとき、女が入ってくるのがみえた。すぐ目を奪われた。もっと事情を知らなかったら、惚れていたかもしれない。身のこなしは洗練されていて、写真でみたよるも美しかった。英語は電話のときよるもずっとましで、完璧と言ってよかった。後日思い当たらされたのは、電話で話したのはそいつではなかったのだ。それはいいとして、酒と話が進んでいくうち、いつしか俺は奴の話を打ち明けていた。ロシアの女に惚れ、結婚するつもりだった一人の男の話を。女は話にすっかり集中し、微笑みを絶やさず、俺の手をニギリ、全部の言葉に聞き入っていた。大まかにだが、ここで語ったのと同じことをハナシ、終えた。奴が、惚れた女をアメリカに呼ぶすべての手はずを整えていたこと。ロシアにいるその女の面倒をみていたが、向こうから離れていき、そして奴はもうこの世にいないこと。(…)俺の目の前にいる女は、カラシそうにこう言った。「あなたがどうしてそんなによそよそしいのか、分かったわ。でも、私はあなたを愛しているのよ。ちゃんとみて。私は今ここにあなたといるじゃない」。その口から出たこの言葉を一生忘れないだろう。俺は女をしばらくみてから、スーツのポケットから封筒を出して渡した。金だと思ったのだろう、そのとき口元に笑みが浮かび、目が輝いた。封筒を開けたときのあの表情を、俺はこの先も忘れることはないと思う。なかには二枚の写真、だ。一枚は、俺の親友だったその男とこの女が、モスクワで一緒に写った写真。もう一枚は、奴の墓碑の写真。そしておまけに、二人の名前が書き込まれたビザの申請用紙も入っていた。[★27]

スキャマーと被害者に共通するところはほぼないが、感情に関しては一つある。それは希望である。スキャマーにとっての希望は物質面《マテリアル》のものだろうし、騙される人々にとっては肉体《マテリアル》＝実体的なもの、また情緒に関わる希望であるだろう。

この希望はまた、より広範な状況に当てはめて考えることもできる。書簡形式をとった情動へと収斂する希望は、その果てに何を指向するのだろうか。それは、「ポスト」という接頭辞の性質を帯びた時代、「生」が「つねにすでに」［★28］終わりを告げ行き場をなくしている、そんな時代の停滞した時間構造を撹乱することではないか。あるいはその希望の先には、デジタル・メロドラマの視聴者にして「カモ」となる、メイドやシングルマザーといった者たちの再生産労働――その終わりなき現実の「爆破」が待ち受けているのかもしれない。

そんなふうに考えてみれば、物事が安定感に欠け不確かであればあるほど、希望というものは大きく膨らんでいく、そういえるのかもしれない。そして愛が「無料」でないときでも、希望は無償であるかにみえるのだ。ただし希望とは、資本主義の繁栄に欠かせない燃料、稀少な永久再生資源の一種でもある。アメリカン・ドリームとそこから根を伸ばし広がっていく数多の夢は、巨大な渦と化し、ひたすら希望を食い物にする。希望は、詐欺行為と搾取に向けた「トロイの木馬」だ。希望はまた、どんな場合であろうと変化を求めるとき、その活性剤ともなる。

そして当の希望にも密かに夢見ているものがある。それは、過激にして決定的な変化の瞬間だ。

ただしそれは革命《レボリューション》のようなものではなく、言ってみれば予期せぬ啓示《レベレーション》、不意に生じる筋書きの変調だ。それは、もしかするとすべてが覆されうるかもしれず、そして変化は今やほとんど手の内にあるのだという希望である。

私の名前はエスペランサです。私は死んでいません。以下に連絡を下さい。

esperanza112@hotmail.com

生存

〈返信〉

―

エスペランサからデス・マクデイド氏へ　〈詳細表示〉10:22 am（〇分前）

拝啓　マクデイド様

エスペランサと申す者です。私は、死んでおりません。

私には、アメリカのロードアイランド州に住む義母がおります。義母の名は、ナガコ・シュタイエルです。貴殿は二〇一一年四月一八日、懸念すべき内容の手紙を義母に送っており、本メー

ルはその件についてとなります。ご明察のとおり、私の夫、ヒロシ・J・シュタイエルは事故で命を落としました。ですが貴殿がお書きになったことには、事実と異なる点もあります。妻だった私は奇跡的にも、あのビルマでの飛行機墜落事故で生き残ったのです。幸運にも息子も助かりました。私たちは二人とも重傷を負いましたが、現在はラングーンの病院で回復に向かっており、早ければ来週には包帯が取れるとのことです。

悲しみと貧しさをまとった未亡人、そんなところでしょうか。ですから、貴殿が夫にもっとも近い親類縁者である私を差し置いて、別の人間に彼の資産を贈与する意向だと知って、本当に驚いています。

したがって、ここに以下のことを強く要請します。その資産を、ただちに私の銀行口座に振り込んでください。

敬具

エスペランサ

原注

★1 これは完全なフィクションであり、実在する人物や出来事との関係を故意に含むものではない。

★2 http://www.romancescam.com/forum/viewtopic.php?f=1&t=19587&sid=17266b9537f5462100007720a196b4c0-p95509.

★3 Jacques Derrida, *Of Grammatology* (Baltimore: Johns Hopkins University Press, 1997), 47, 67.〔ジャック・デリダ『グラマトロジーについて』(上) 足立和浩訳、現代思潮新社、二〇一二年、九八－九九頁、一三七－一三八頁〕

★4 http://www.romancescam.com/forum/viewtopic.php?f=1&t=8784&start=150.

★5 インターネット詐欺を扱う学術研究は、これまでほとんどナイジェリアのケースに関するもので占められていた(これは、ロマンス詐欺の拠点がきわめて多様な地理的分布を示すことを考えれば、理解しがたいことである)。論及対象の広範さと洞察という点で非常に有益な論考に、以下がある。Andrew Apter, "IBB=419: Nigerian Democracy and the Politics of Illusion," in John Comaroff and Jean Comaroff (eds), *Civil Society and the Political Imagination in Africa* (Chicago: University of Chicago Press, 1999), 270ff. 複数の四一九詐欺のケース・スタディとして、以下。Harvey Glickman, "The Nigerian '419' Advance Fee Scams: Prank or Peril?," *Canadian Journal of African Studies / Revue Canadienne des Études Africaines* 39:3 (2005), 460–89. 以下も参照。Daniel Jordan Smith, "Ritual Killing, 419, and Fast Wealth: Inequality and the Popular Imagination in Southeastern Nigeria," *American Ethnologist* 28:4 (2001), 803–26. および以下。Daniel Künzler "Who wants to be a millionaire? Global capitalism and fraud in Nigeria," paper presented at the Interim Conference of Research Committee 02 of the International Sociological Association, World Social Forum, Nairobi, January 22, 2007.

★6 Thomas Elsaesser, "Tears, Timing, Trauma: Film Melodrama as Cultural Memory," in E. Dagrada (ed.), *Il Melodramma* (Rome: Bulzoni Editore, 2007), 47–68.

★7 一九七二年に発表された以下の論考は、いまだに類をみない画期的なメロドラマ論である。Thomas Elsaesser, "Tales of Sound and Fury: Observations on the Family Melodrama," in Christine Gledhill (ed.), *Home is Where the Heart Is: Studies in Melodrama and the Woman's Film* (London: British Film Institute, 1987), 43–69.〔トマス・エルセサー「怒りと響きの物語――ファミリー・メロドラマへの所見」石田美紀、加藤幹郎訳『「新」映画理論集成1 歴史／人

種／ジェンダー』岩本憲児、武田潔、斉藤綾子編、フィルムアート社、一九九八年、一四-四一頁）

★8 「オンライン・エティモロジー・ディクショナリー」には次のようにある。「afterを意味する接頭辞。ラテン語のpost（behind、after、afterwardを意味する）、および*pos-tiに由来する（以下の語源でもある。toward、to、near、close byを意味する、アルカディア方言群のposおよびドーリス方言群のpoti。古代教会スラヴ語で、behind、afterを意味するpoおよびlateを意味するpozdu。リトアニア語でat、byを意味するpas）。また、インド・ヨーロッパ祖語の*po-に由来する（以下の語源でもある。ギリシャ語でfromを意味するapo、ラテン語でaway fromを意味するab）」。(etymonline.com)

★9 http://www.romancescam.com/forum/viewtopic.php?f=1&t=19587&start=45#p109129.

★10 ダニエル・キュンツラーによれば、ナイジェリアの四一九詐欺のメンバーの結びつきは非常に緩やかなもので、一集団の構成人数は通常五人以下である。ただしそこには、多国籍的であり、かつ「プロジェクト指向」の組織づくりという傾向がみられる。(“Who wants to be a millionaire?,” 16f).

★11 romancescam. comに投稿された、複数のスキャム釣り師の体験談による。

★12 Bjorn Nansen, “I Go Chop Your Dollar: The Nigerian 419 Scam and Chronoscopic Time. A Research Article,” *Piracy: antiTHESIS* 18 (2008), 43.

★13 グリックマンは、フレッド・アジュドゥアの事例を挙げている。アジュドゥアは、「黒人のロビン・フッド」を自称したほか、「伝えられるところでは、白人男性が払う奴隷制と植民地主義の代償が、詐欺被害なのだ」と主張していた（“The Nigerian ‘419’ Advance Fee Scams,” 478）。大衆文化にソースを求めるキュンツラーは、有名なナイジェリアの映画作品の筋書きにも言及している。「この物語で扱われているのは、「犠牲者の欲望」という、ナイジェリアの四一九詐欺について広く議論されてきたなかでもよく知られた概念である。これは、アンディ・アメネチが監督した大ヒット映画『マスター』（二〇〇五）においても重要なテーマだった。同作品では、ナイジェリアの有名な俳優であるインケム・オウオ（過去に、「オスオフィア」というキャラクターを演じたことでも知られる）が、デニスという人物を演じている。ヨーロッパに移住するも祖国に強制送還されたデニスは、その後苦しい生活を送っていた。彼はある日、裕福な酋長イフェアニ（カナヨ・O・カナヨ）に出会う。イフェアニはデニスを四一九詐欺というビジネスに引き入れたのだった。（…）ジャーナリストとの対話シーンで、デニスはこう喝破する。欲にまみれた外国人は、奴隷制と植民地主義を償わねばならず、ゆえに「四一九」は正しい行いなのだと」（“Who wants to be a millionaire?," 13f)。

★14 http://www.romancescam.com/forum/viewtopic.php?f=1&t=1555.

★15 Nansen, "I Go Chop Your Dollar," 39. 石油を基盤とする経済との関係は、以下でも詳しく論じられている。Apter, "IBB=419."

★16 Apter, "IBB=419," 299.

★17 Ibid., 272, 279.

★18 例えばそれは、こんな「事態」なのかもしれない。「俺には切れる頭があって、お前は見た目がイケている。たんまり金を儲けようぜ」。〔一九八五年にリリースされた、ペットショップ・ボーイズの曲"Opportunities (Let's Make Lots of Money)"の歌詞〕

★19 Hazel Parry, "Romeo conmen target lonely hearts," *China Daily, HK Edition* September 22, 2010. 多くの事例は、アジアのスキャムを紹介するサイト、dragonladies.orgで閲覧可能。スキャムの被害が中国とマレーシアの女性たちにおよんでいる証拠は充分にある。いわゆる翻訳料の取り立てを常套手段として、アジア女性と知り合う機会を餌にするスキャム、そして発信源がアジアとなるスキャムの存在を示す証拠についても同様である。

★20 J.L. Austin, *How to Do Things with Words*, ed. J.O. Urmson and Marina Sbisá, (Cambridge, MA: Harvard University Press, 1962).〔J・L・オースティン『言語と行為』坂本百大訳、大修館書店、一九七八年〕

★21 Walter Benjamin, "On Language as Such and the Languages of Man," in *Selected Writings, 1913–1926*, Vol. 1, ed. Marcus Bullock and Michael W. Jennings (Cambridge, MA: Harvard University Press, 1996), 68f.〔ヴァルター・ベンヤミン「言語一般について　また人間の言語について」山口裕之訳『ベンヤミン・アンソロジー』河出文庫、二〇一一年、一二頁〕

★22 例として以下。Michel Foucault, "Truth and Power," in *Power/Knowledge: Selected Interviews and Other Writings 1972–1977*, ed. Colin Gordon (New York: Pantheon, 1980), 109–33.〔ミシェル・フーコー「真理と権力」北山晴一訳『ミシェル・フーコー思考集VI』小林康夫、松浦寿輝、石田英敬編、筑摩書房、二〇〇〇年、一八九–二一九頁〕

★23 Nansen, "I Go Chop Your Dollar," 38.

★24 以下を参照。Hito Steyerl, "Notes about Spamsoc," *Pages magazine* 7 (2009), 59–67.

★25 スキャム・メールの言語的特徴に関する研究成果として、以下。Jan Blommaert and Tope Omoniyi, "Email Fraud:

Language, Technology and the Indexicals of Globalisation," *Social Semiotics* 16:4 (2007), 573–605.

★26 Walter Benjamin, "The Task of the Translator," in *Selected Writings, 1913–1926*, Vol. 1, 253–63.〔ヴァルター・ベンヤミン「翻訳者の課題」山口裕之訳『ベンヤミン・アンソロジー』河出文庫、二〇一一年、八六－一一一頁〕「(…)形成されたもののかたちで純粋言語を言語運動へと取り戻すこと、それが翻訳のもつ力強い、そして唯一の能力である。純粋言語は、もはや何も意図せず、何も表現しないが、表現を欠いた創造的な言葉となって、あらゆる言語において意図されたものそのものである。この純粋言語のなかで、最終的には、あらゆる伝達、あらゆる意味、そしてあらゆる志向が一つの層に達する。そこではそれらがすべて消滅すべく定められている」。(261.)〔同書一〇五頁〕

★27 著者不明の以下からの抜粋。"Doc's Story," in *The Scam Survivors' Handbook* (2010), at romancescambaiter.com.

★28 これは、「ポスト」時代に濫用されたスローガンの一つである。

訳注

☆1 これは、二〇一〇年前後に欧米在住の日系人に送られていた、詐欺の実際の文面。在ヨーロッパの日本大使館の当時のホームページにも、この実在する企業と行員の名を利用した手数料詐欺への警告文が確認できる。おそらくシュタイエルの親族に郵送されてきたものと推測される。

10

インターナショナル・ディスコ・ラテン

International Disco Latin

こんな話から始めてみよう。「イングリッシュ・ディスコ・ラヴァーズ〔EDL〕」について、聞いたことがあるだろうか。差別主義団体「英国《イングリッシュ》防衛同盟」（これもまた、頭文字を採った略記はEDLである）に勝ち抜く《アウトガン》（またはこの場合、愛で凌駕《アウトラブ》する）ことを目指し、フェイスブックとツイッター上で展開する途方もないオンライン・プロジェクトのことだ。このプロジェクトは、「世界は一つ、種族は一つ、ディスコは一つ（Unus Mundas, Una Gens, Unus Disco）」という、〔ラテン語との〕二言語スローガンを採用している。むろん「イングリッシュ・ディスコ・ラヴァーズ」という名称はこの原語をあえて曲解したもので、失敗のなかにも学ぶべきものがあるような、翻訳行為によって立つフレーズとなっている。

これと似たような状況は多くの展覧会のプレスリリース〔告知文〕にもみられるが、そのことを指摘したのが、アリークス・ルールとデヴィッド・レヴィーンのよく知られた論考、「インターナショナル・アート・イングリッシュ」だった［★1］。

インターナショナル・アート・イングリッシュ、またの名をIAE。それはコンテンポラリー・アートの世界でプレスリリースに使われている、明らかに未熟な英語のことだ。この言語を精査しようと考えたルールとレヴィーンは、「イーフラックス（e-flux）」に掲載された文章のうち、該当するものを統計学的方法でリサーチした［★2］。二人はこう結論づけている。それらはいびつな英語で書かれていて、そこには大言壮語的で空疎な専門用語が満ちており、またそういった用語は多くの場合、ヨーロッパの哲学書の誤訳からみだりに引用されていると。

ここまではよしとしよう。しかし二人が実際に対象としたものとは、プレスリリースなのだ。それは、出版界における暗黙のヒエラルキーでかろうじて最下層に食い込める、そんな文章だ。その寿命はショウジョウバエと同じくらい、先見の明でいえば買い物リストと同レベル。私たちの渋滞ぎみの受信ボックスにはいつも、急いでアグリゲーション処理され、はかなく周知が完了し、そして表現力の乏しいこのタイプの文章が、少しでも読まれようと大挙している。たいていの書き手は、世界のいたるところに存在し、過重労働をこなす薄給のアシスタントとインターンである点で、プレスリリースの居丈高な文体は、その書き手たちの地位の低さとの強いコントラストを放っている。プレスリリースは、美術界におけるデジタル・スパムの等価物、人物の名前をむやみに連発する、パラ脱構築主義的な放言媒体、ペニス増大の広告とどっこいどっこいだ。プレスリリースは美術関連の執筆全体で大きな割合を占めていると考えられるが、形式と内容のどちらにおいても、美術界のもっとも経済性の乏しい層に属している。だからこそ、これを「美術言語」の研究サンプルに採用するというのは、面白い発想だ。なぜならプレスリリースがその代表格かというと、必ずしもそうではないからだ。他方で、権威筋たちが筆を執ったご立派な美術論考、その講釈に対しては、マサチューセッツ工科大学出版局の有料コンテンツサイトのような場がうやうやしく用意されている、というわけだ［★3］。

では、ルールとレヴィーンの検証事例で使用されているのは、どんな言語なのか。二人の実証結果には反論しようがない。それは不正確な英語だ。このことは、プレスリリースをイギリス英語の用法データベース、大英国立コーパス（BNC）と統計学的に比較することで明らかにされる。当然この試みは、インターナショナル・アート・イングリッシュの異質さをあらわにする。そしてこの著者たちがその要因とみなしているのが、大量の非英語的要素（主にラテン語）、何十年も誤訳されてきたヨーロッパの芸術理論、その残骸である。そしてそこから生まれる質の低い言語を、二人はポルノと同等とみなすのだ。「みれば分かる」のだと［☆1］。かたや、大英国立コーパス、または正常な英語。かたや、インターナショナル・アート・イングリッシュ。後者は異端、そして猥褻で、しかも疎外を招くものらしい［☆2］。

この「ポルノ」を率先して書いているのは一体誰なのか？ルールとレヴィーンが（推定と事実の両面から）インターナショナル・アート・イングリッシュの使い手としているのが、スコピエ（北マケドニア共和国の都市）に住む一介の美術学生、スペインのムルシア・コンテンポラリー・アー

ミラーデン・スティリノヴィッチ《英語を話せないアーティストはアーティストではない》(1992)

ト・プロジェクト、タニア・ブルゲラ、中華人民共和国文化部のインターンだ［★4］。

ここでつくづく思うのだが、一体スコピエの美術学生（もしくはこの際、誰であっても）が大英国立コーパスに従うべき理由とは、何なのか？　なぜ、大英国立コーパスと同じ頻度と統計上の比率で英単語を駆使せねばならないのか。唯一考えうる答えは、二人がこのコーパスを英語の範例、暗黙の基準とみなしているということだ。それが標準英語であり規範なのだ。そしてこの規範が、世界のあちこちで固く守られねばならない、と。

ミラーデン・スティリノヴィッチがはるか昔に述べていたとおり、「英語を話せないアーティストはアーティストではない」のだ［★5］。

ギャラリーのインターン、キュレトリアル学科の大学院生、そしてコピーライターもまた、今日ではこの状況を免れえない。私たちの愛すべき美術界が「グローバル」などと呼ばれていても、そこでは「標準英語防衛同盟」が幅を利かせ、大英国立コーパスが不文律とされている。そうした規範の物差しとなるのは、文法とスペルのほか、「不正確な英語」に対する過度に狭量な価値観でもある。現代政治学の分野でもっとも優れた翻訳家の一人、アイリーン・デリークのコメントは言い得て妙だ。「きわめて分かりやすく表面的な術語によって表現されていない」もの、「自分にとって未知の物事を知るために努力するのを、読み手が面倒くさいと感じる」ものが、要は「不正確な英語」とみなされているのだと、デリークは述べる［★6］。

私の経験上、「正しい」英語を使った著述に期待されているのは、できる限り簡明で良識的であるということだ。そして信じがたいことだが、人々はそれを退屈ではなく美点だと感じるのだ。美術について「正しい」英語で書かれたもののなれの果てが、コンテンポラリー・アートの標準的なレビューだ。そこでは、思慮を欠かぬよう過剰な気づかいがなされ、なかには大英国立コーパスの規範に倣ってプレスリリースに手を加えて終わり、といった感じのものもある。

しかし、きっちり計算したわけではないが一応は統計学的な私個人の分析では、標準英語で美術について書かれた文章には一つの鉄則があって、それは「自分より権力を持つ人間を、決して怒らせてはならない」というものだ。インターナショナル・アート・イングリッシュに関する論考でも、この掟は見事に守られている。ルールとレヴィーンがあざけるのは、キュレーターの関心を引こうとして気の毒なほど微々たる難解語をかき集める、バルカン半島に住む架空の美術学生なのだ。実際そうしたことは普通に起きているのだろうが、それをあげつらうのはとても不当な行為ではないか。

コンテンポラリー・アートの世界には、「物好き」、「物知り顔」、そして「物新しさ」といった特徴があるわけだが、私が言いたいのは、これらをしつこく揶揄してもしょうがない、ということではない。

真に不足しているのは、美術界の言葉巧みなマネーロンダリングやポスト民主主義的なネズミ講システムを(どんな言語を使おうと)糾弾できて、それらの叙述をいとわない書き手だ。トルコやスリランカで起きたような、多数の死者を出した紛争後のジェントリフィケーション主導型のアートブームについて語るのをためらわない人間は、多くはいない。インターナショナル・アート・イングリッシュだろうがクルド語だろうが、風刺的だろうがお堅い論調だろうが、統計学的調査がこの経緯に関する大々的なものであるなら、もちろん私はなんらそれを否定するつもりはない。

ただ、ルールとレヴィーンが関心を寄せるのはこうしたことではない。統計学的なあの手この手で二人が手際よく証明するのは、インターナショナル・アート・イングリッシュが基準から外れた英語であるということだ。なるほど、とは思うが、しかし「だから?」とも思う。もっと言えば二人の結論は、それまでになかった言語領域の萌芽にあたっての、純然たる生成の躍動を軽視してはいないだろうか。アレクサンダー・アルベロが明らかにしたように、一九六〇年代、広告と宣伝は多くの初期のコンセプチュアル・アートの成立にあたり重要な役割を果たしていた［★7］。

今日的なデジタルの拡散と流通――そこから生じる混乱や明白な誤読、そして享楽に対して、ルールとレヴィーンは関心を払わない。翻訳行為と言語が含み持つ、政治性に対してもだ。二人の目的は、規格外の英語がどういったものかを明確化する（もしくは、それが意図せずして詩文のようになっているといった、上から目線の評価を行う）ことだ。ただそうはいっても、この二人による分析を、持って回った言い回ししかできない外国人に対する、たんなる言語優生学的な侮蔑だとして見くびることも、正しい行為だとはいえない。

ムスタファ・ヘダヤはある秀逸な論考で、多極化した美術界（コンテンポラリー・アートはそこで、専制君主と寡頭政治の支配者にとっての欠かせない「補佐役」となっている）では、インターナショナル・アート・イングリッシュに基づいた美術言語と政治的抑圧、この二つが明らかな共謀関係にあると述べている［★8］。ヘダヤは、いかにインターナショナル・アート・イングリッシュが大規模な搾取（例えば、論争の的となっている、ニューヨーク大学とグッゲンハイム美術館がアブダビのサディヤット島で進めている建築計画）の実態をうやむやにすべく使用されているかを明晰に語り、この議論へのきわめて重要な貢献を果たしている［★9］。

コンテンポラリー・アートのグローバルな生産と拡散を通じて生じるものは、どれも例外なく――異邦人にして、インターナショナル・アート・イングリッシュの先駆的使い手であった、カール・マルクスの言を借りれば――「頭から爪先に至るまで、毛穴という毛穴から、血と汚物を滴らせ」ている［☆3］。そこにはむろん、インターナショナル・アート・イングリッシュに関わる多くの事例も含まれる。そしてこの言語領域の拡大を促しているのは、新封建主義、超保守派、独裁主義という〔複数の状況下の〕コンテンポラリー・アートの経済活動であって、決してその独占的〔一元的〕な集金システムではない。インターナショナル・アート・イングリッシュは、インターンと非ネイティブ・スピーカーたちの言語を指すだけではない。それは、美術を介して世界にくまなく波及する現代の本源的蓄積、その派生要素でもある。インターナショナル・アート・イングリッシュは、今日の美術界とその市場における言語と流通、この双方の活動の周辺に生じる社会的、階級的な緊張関係を、克明にあぶり出す。そしてこれは言うなれば、不和、闘争、そして論争の場、またときに表面化せずにいる、性別分業化された労働の場でもある。そうしたものとしてこの言語は、抑圧と搾取の下支えにもなっている。インターナショナル・アート・イングリッシュは、コンテンポラリー・アートを有用化する上位一パーセントの富裕層たちに正当性を与えるが、まさに資本主義そのものと同じ働きをみせる。要は、階級的、地理的な次元での流動性を可能にするという面も持っているのだ。この流動性に制限が加えられるとき、この言語の使い手は激しい抵抗をみせたりもする。インターナショナル・アート・イングリッシュは国際共通語《リンガ・フランカ》のデジタル版となって、自らの誤差を通じ、来るべき時代の公衆の姿を漠然ながらも示すようになる。そしてこの公衆は、あらかじめフォーマット化された地理的、階級的なテンプレートの向こう側におよんでいく。また、インターナショナル・アート・イングリッシュには別の使用目的もある。つまりそれは、国単位という枠づけをされた（往々にして共感とは無縁な）議論の場、この制約を超えたところに存在する公の人々に向けて、コンテンポラリー・アートの怪しげな金銭の流れ、そのもっとも際立つ諸例を（一時的にではあれ）明示することができる。それはいわば、反体制派の、移動者の、そして一定の信条や政情に背く者たちの言語でもある。

繰り返せば、ルールとレヴィーンはこうしたことに関心を一切持っていない。私はこれについて、無理もないとは思う。大英国立コーパスのなかで、政治経済が何か重要な役割を果たしているとは思わないからだ。しかしながら二人の論考は、ヘダヤが主張したことの裏側にある事象を言い当ててもいる。ルールとレヴィーンはいみじくも、インターナショナル・アート・イングリッシュがもはや脅威とはいえないほどグローバル化しているため、広く認められた高尚な英語への回帰がおおいに見込まれるという、このことを指摘してみせたのだった。そしてこれはじつに、遠い先の話ではない。多くの人々が認める類の英語、その使用可能性を金の卵に変えて独占市場化する、巨大かつ成長過程にある産業——すなわち高等教育という産業に明らかなように、それは現在進行形の出来事なのだ。イギリスとアメリカの企業化した大学組織は、教育分野の国際市場で一つの決定的な強みを持っている。それは、正しい英語スキルを提供する（そして、それを管理統制する）という能力である。

サルバドール・ダ・バイーア〔ブラジル北東部の都市〕にあるギャラリーも、カイロのプロジェクト・スペースやザグレブのアート・センターも、英語という言語を免れはしない。そして言語とはいつの時代も、帝国が送り込む手先だった。英語とはネイティブ・スピーカーにとって、世界の無数の場で職を得るための普遍的アクセスを約束するもの、言うなれば資源である。美術機関、大学や各種の高等教育機関、文化関連の企画事業部、ビエンナーレ、出版界、およびギャラリーでは、たいていスタッフのなかにアメリカやイギリス出身のネイティブ・スピーカーがいる。その特権に対しては保守退嬰のスタンスが保たれていて、ほかの資源と同じように、誰もがそこにアクセスできるわけではない。世界中のインターンとアシスタントには、彼ら／彼女らが自国で受ける（多くの場合、公的制度に則った）教育が、全く不十分だと告げられるのが常だ。「外国」という耐えがたいルーツの鎖を断ち切る唯一の方法は、間違い一つない英語を話すことを学べる、コロンビア大学やコーネル大学に通うことだ。それは、いかなる外国訛りや非ネイティブ・スピーカーの構文にも汚されていない英語なのだ。そして、三万四七四〇ドルの年間授業料を払っているつかの大学院コースを修了し、その後にやっと見つかるポジションは、以前経験したようなインターンシップかもしれないのだ［★10］。

そして聞くところによれば、どうやらサディヤット島にこうした教育の受け皿ができるらしい。この島でニューヨーク大学が建てているキャンパスには、支払い可能な顧客向けに一つの売りがあって、要はやはり、公認された英語スキルを非ネイティブ・スピーカーに教え授けるのである。ヘダヤの論に倣えば、フランク・ゲーリーが手掛ける「要塞」の代価はアジア人労働者の搾取によってだけでなく、「正しい」英語の文章作成スキルを販売することでも支払われる。

ベルリンにも、この種の教育に金を出す人々がいるらしい。同都市が擁する、誰がみてもお粗末な、色々欠けていてぱっとしない、学費無料の美術学校[☆4]。それを脅かしつつあるのが、イギリスとアメリカの大学の分校、本場の英語を学びたい学生らに年間一万七〇〇〇ドルを課金するような学び舎なのだ[★11]。

中国にも、以前から存在する無数の提携機関でのこうした教育に、金を出す人々がいるらしい。そこでは、美術についての弾圧的なスピーチが型通りの大英国立コーパス的な英語で行われるのも、時間の問題となっている。寡頭政権下にある脱構築ふうのファサードの向こう側では、旧態依然の帝国的特権システムが、ぬくぬくと鎮座している。「正しい」英語の管理統制は、インターナショナル・アート・イングリッシュを巧みに利用する新封建主義のあり方と、裏口で通じている。この種の教育が何を課すかというと、それは負債である。こうしたスキル習得のために自分の将来を質に入れるか賭け事のテーブルに差し出さなければ、無給のインターンシップ市場で需要に合わない自らの身を恥じることになる。それもこれも、一言語しか話さないアメリカの正教授たちが数十年前に誤訳した批評理論をかき集めていた、そんな己の境遇のせいなのである。スコピエ出身の美術学生にとって、もはや問題は「出版しなければ消えろ」[☆5]ではない。「払え、さもなければ消えろ！」だ。

だから私は、「己の思想を開陳する」などという他人の行為にも、「考究」に浸ることにも、「同時代の現実を示すモデル集積」にも全く関心を持てない。私立の高等教育機関で数年を費やすに足る幸運や経済力を、皆が持ち合わせているわけではないのだ。いかにその文章が生硬で複雑怪奇なものであろうと、ティラノサウルスに向かっていく背伸びした捕食者さながらに、プレスリリースからは実直でときに必死な果敢さが伝わってくる。アナ・テシェイラ・ピントもこう言っている。文法規則を大胆に壊すことなく、真に重要なことを述べることはできないと。

とはいえ、確かにインターナショナル・アート・イングリッシュは現状、これをなしうる不敵さを欠いている。まだまだ手応えを感じられる段階にはない。たぶんそれは、ラテン語(または、それ以外の言語でも)の借用について、生真面目に考えすぎていたせいもあるだろう。インターナショナル・アート・イングリッシュは、知識量を追求するという不合理な営為にこだわり続けた結果、何世代にもおよぶ困惑気味の美術学生たちを、「批評理論ゼミ」で居眠り行為にいざない続けてきた。実際には、それがアグリゲーション処理されたスパムという形をとったときのほうが、はるかに興味深さの度合いを増すというのに[★12]。

私たち(インターナショナル・アート・イングリッシュを支えて実践している、私自身を含む不特定多数の人々)は、その言語の異化をいっそ進めてしまい、それをもっと外国化させ、起源=原語だと信じられているものとの係累をきっぱり棄てたほうがよいのだろう。

インターナショナル・アート・イングリッシュがさらなる発展をみたいならば、原語であるラテン語に対するこだわりは、徹底した逸脱を要するだろう。その方法はどんなものか。一例を挙げるなら、それはすぐ近くに見つかる。「イングリッシュ・ディスコ・ラヴァーズ」がただ乗りしたあのスローガン、「世界は一つ、種族は一つ、ディスコは一つ（Unus Mundas, Una Gens, Unus Disco）」である。「ディスコ」という単語があまりに外国語調で、ルールとレヴィーンの両名は賢明にも「音声円盤再生小屋」なる別称を付与してくれるかもしれないのだが、この点については少し脇に置いておこう。というのも実際、「イングリッシュ・ディスコ・ラヴァーズ」のスローガンがラテン語でできているとは、ほとんどいえないからだ［☆6］。どちらかというとそれはＩＤＬ、「インターナショナル・ディスコ・ラテン」で書かれている。それは、ありもしない名詞めがけて突然変異を起こした文法の性変化をぶちまけることで生まれた、撹乱的《クィア》なラテン語なのである。デジタル環境における拡散、組み立て式《コンポジション》の構造、そして策士的なやり方は、あらかじめこの言語の成り立ちに含まれた特性である。

　私がつながっていたいと思う言語のフォーマットは、こうしたものだ。帝国主義からグローバリズムに乗り換えた体制が裏で糸を引いておらず、国粋的な統計の管理下にはない言語。流通や労働、特権にまつわる問題を引き受け、それらにしっかり向き合う（または、曲がりなりにも言うべきことを言える）言語。贅沢品でも、どの国に生まれたかで決まる生得権でもなく、スコピエとサイゴンの間で、絵文字のショートカットキーによってインターンと流浪の異邦人が繰り出す、贈与、奪取、過剰性や消耗としての言語。「インターナショナル・ディスコ・ラテン」を選択するということはまた、別なる学習形式への取り組みを意味してもいる。なぜならdisco（ディスコ）

には〔ラテン語で〕「私は学ぶ」、「私は知るを学ぶ」、「私はよく知るに至る」という意味もあるからで、この場合の「よく知る」とは、驚くほどの量のアクセントを含み持つ、音楽を優先対象とするからだ。しかもこれは、無料である。そして私がいつだってこの言語で優先したいのは、ボーナスよりも肛門《エイナス》、モラルよりも口《オーラル》ですること、ラテンよりもサテン、小屋《シャック》よりも性交《シャグ》だ。どうぞ、ポルノグラフィでもディスコグラフィでも、「疎外」とでも、あるいはたんに「変わってる」とでも外国ふうとでも、好きに呼んでください。それでも私はこう提案するだろう。「ベリーファッキング・英会話レッスン」を受けましょう！

原注

★1 Alix Rule and David Levine, "International Art English," *Triple Canopy* 16 (2012).

★2 これまで寄稿という形で『イーフラックス・ジャーナル』に深く関わってきた身としては、この議論で厳正中立な立場にあるふりなどできそうにない。というわけで私はここに、インターナショナル・アート・イングリッシュのスパム要員の一人であることを堂々と宣言したい。

★3 また、「テイラー・アンド・フランシス」を始めとする、公費補助で賄われた学術論文の準専売業者である「ごく潰し」の存在を忘れてはならない。

★4 ルールとレヴィーンによれば、統計学的な正しい英語に対してタニア・ブルゲラが犯した罪とは、reality（現実、実在）という語の過剰使用なんだとか。ここ数十年、イギリスはrealty（不動産）に取り憑かれていたわけで、そう考えると、realityという語が大英国立コーパスにあまり出てこないのもうなずける。しかし、「現実」が「ポルノ」などと呼ばれる言語体系のキータームとなれば、また少し嫌悪の情が強まるだろう。

★5 以下の作品より。ミラーデン・スティリノヴィッチ、《英語を話せないアーティストはアーティストではない》（1992、バナーに刺繍）

★6 デリークとの個人的対話より。

★7 Alexander Alberro, *Conceptual Art and the Politics of Publicity*, (Cambridge, MA: MIT Press, 2003). グローバリゼーションにおける翻訳という問題を扱った、興味深い研究領域が存在する。ここでは駆け足の紹介にとどまるが、研究成果の一部は以下で読むことができる。translate.eipcp.net. このテーマに関する調査と実践を同サイトで行った識者には、ガヤトリ・C・スピヴァク、ジョン・ソロモン、ボリス・ブデン、ロージ・ブライドッティ、アントネッラ・コルサニ、シュテファン・ノヴォトニが含まれるが、ほかにも多くの同様に著名な思想家が関わっている。こうした著述家が焦点とするのが、権力、言語、新自由主義下でのグローバリゼーションであり、一部には難民問題のような事案のケーススタディ、歴史上の植民地解放への独自の観点が導入されている。この研究で前面化されるのは、現代政治の諸現実（realities）における、マイナーで新しく、そして地下的な諸々の言語の役割である……待って！ Rで始まるあの単語をまた出してしまった。この注を成人向けコンテンツに指定してください！

★8 Mostafa Heddaya, "When Artspeak Masks Oppression," hyperallergic.com, March 6, 2013.

★9 二〇一三年一月七日付の「ガルフ・レイバー」の公式声明を参照。gulflabor.wordpress.com. および、これに対するグッゲンハイム美術館の応答も参照のこと。theartnewspaper.com.

★10 例として以下を参照。artwriting.sva.edu.

★11 これは私の責任である。すみません！ 完全にフリーランスの人たちは、たしかに市場システムから外れぬように「正しい」英文ルールに耐えねばならないが、ここで説明したような仕組みのなかで活動する私は、この規則をある程度無視できる立場にある。

★12 ジョシュア・デクター、リチャード・フレイター、ヤヌス・ヘム、マーティン・レナルズ、クリストフ・シェーファー、ゾラン・テルジッチ、またそのほかの、このテーマについて個人的に該博な議論を交わしてくれた皆に、記して感謝する。ありがたいことに、ニナ・パワーは「くそったれ（bollocks）」という美術言語の別名を提案してくれた。最高の響きだと思うがどうだろう。「インターナショナル・ディスコ・ボロックス」！

訳注

☆1 原文は"We know it when we see it."であり、ルールとレヴィーンが論考「インターナショナル・アート・イングリッシュ」で述べている言葉。一九六〇年代のアメリカ最高裁で、ポッター・スチュワートという判事が商業映画の性的なシーンについて述べた、"I know it when I see it."（それをみれば、それが〔ポルノかそうでないかが〕分かる）になぞらえている。

☆2 「疎外を招く」は原語でalienatingであり、ルールとレヴィーンの論考から引用された表現。プレスリリースがヨーロッパ思想の隠語に依拠するあまり、よそよそしいものになる、といった意味合いで用いられている。ただしこの語には、主言語の優位性、均質性をより高次の歴史的全体性へと昇華させるために、一定の技法で外国語要素をとどめるという、フリードリヒ・シュライアマハーの翻訳論の系譜における、「異化（alienating）」という意味もある。本章の終わり近くで、シュタイエルは同語を明らかにこの「異化」の意味で使っているが、ルールとレヴィーンの用法では、読者に対する負の作用という域にとどまっている。このため、その場合は「異化」ではなく「疎外」と訳した。

☆3 マルクスの『資本論』第一部第二四章にある表現。アジアの一部やアフリカを含む、世界規模の生産過程の変化、多岐におよぶ収奪や奴隷制の体系化、過重労働の横行といった、国家が集中的に強行する本源的蓄積の暴力的側面を言い表している。シュタイエルは、二〇〇一年にクロアチアのマリノ・チェッティーナ画廊が出した冊子に寄稿した「エクスポ2000：ブルジョワ・ユートピア」でも、この一節を引いている。近世イギリスの第一次囲い込み（羊毛産業の興隆）の影響で小作農が無産化した経緯を、かつてトマス・モアは比喩的に「羊が人間を食べている」と形容した。シュタイエルは、こうしたいわば「羊から資本が生まれる」本源的蓄積の形式が、のちにオーストラリアとニュージーランドで定着した点に触れ、帝国から僻地に遣わされる資本の「手先（tool）」としての羊、その食人＝人的搾取という属性をこのマルクスの言辞に重ね合わせている。

☆4 本章原注★11にあるように、この美術学校とは、シュタイエルが教授として籍を置くベルリン芸術大学のことを指している。

☆5 論文を学術誌に継続的に発表しなければ、学者の道にもとる（あるいは、終身雇用を得られない）という、大学講師の置かれた状況を表すフレーズ。主に一九七〇年代に英米で時事表現として広まった。

☆6 ラテン語のdiscoはdiscereの語形変化の一つであり、正確には名詞として成立しない。また、Mundasのスペルは正しくはMundusとなる。

11 インターネットは死んでいるのか

Is the Internet Dead?

インターネットは死んでいるのだろうか？［★1］これはメタファー的な問いではない。インターネットが機能不全となっていて、無用で、または廃れているという意味でもない。それが一つの可能性であった状況が終わりを告げた後、インターネットに何が起きたかということだ。インターネットは死んでいるのか、どのように死んだか、またそれを殺めた人物はいるのか。問われているのはまさにこうしたことだ。

だが、インターネットの可能性が尽きるというのは妥当な考えなのだろうか。その力は今日、かつてないほど強まっている。インターネットは、未曾有の数の人々の想像力、関心、生産性を刺戟しながら、それらを支配し尽くしている。ウェブに依拠し、絡め取られ、監視、利用されている人々の数も、かつてない規模となっている。代替機能を果たしうるものも今のところなく、それは圧倒的にみえ、そしてどこか眩惑的である。そう考えると、死んではいないのかもしれない。むしろインターネットは全面的に外在化した、言うなれば遍在化し尽くしたのだ。

だから、考えるべきはその空間的様相なのだが、ただしそこには一般論とのずれがある。インターネットはどこにでもあるわけではない。今日、ネットワークは桁外れのスケールで拡大しているような印象だが、多くの人々はいまだに接続を得ず、一切使っていなかったりもする。しかしインターネットは別の方向を向き、そちらに勢力を広げている。接続外部《オフライン》へと場を移し始めているのだ。これは一体どういうことなのか。

一九八九年のルーマニア革命でこんなことがあった。反体制派グループが歴史を書き換えようと、テレビ局のスタジオに乱入したのだ。記憶にある人もいるだろう。このとき、イメージは自らの機能を変化させた［★2］。彼らがスタジオをオキュパイして行った放送は、記録やドキュメントではなく、出来事の活性的な触媒となった［★3］。これ以降明らかになったのは、イメージとはすでにある状況の再現（それが、客観的であれ主観的であれ）ではなく、またたんに表層的な仮象でもないということだ。イメージはむしろ、複数の支持体の間を交わるように遷移し、人間主体、ランドスケープ、政治、社会システムを形成しつつそれらに波及する、エネルギーと物質の結節点となっている［★4］。イメージは、増殖、変容、活性化という不気味《アンキャニー》な機能を獲得した。およそ一九八九年に、テレビのイメージは画面を通り抜け、現実世界に出歩き始めた［★5］。

この状況は、イメージ流通の回路だったテレビのネットワーク、その補完の役割をウェブの基礎構造が担い始めたとき、加速度的に進行した［★6］。俄然、転送の中継点が数を増した。サッと指を動かせばコピーや拡散できるイメージ自体はもちろん、画面＝スクリーンはどこにでも現れるようになった。データ、音響、イメージはスクリーンを越えて別の物質状態に移行するが、これは今日特別なことではない［★7］。それらはデータ・チャンネルの制限を超え、質量を伴い現れる。暴動や製品、レンズフレア、高層建築、モザイクのかかった戦車――そうした具体物として結像するのだ。コネクタ不要となったイメージは、浮動しながらスクリーンの向こう側の空間に押し寄せていく。都市に侵入し、空間を用地に、現実《リアリティ》を不動産《リアルティ》に変える。ジャンクスペースや軍事侵攻、失敗気味の美容整形として実体化する。イメージは、ネットワークを経由しつつそれを越えて広がり、伸縮し、立ちすくんではよろめき、喧嘩を売る《バイ》がひんしゅくを買《バイル》い、「あっ」《ワウ》と言わせて「はい」と言わせよう《ウー》とする。

辺りを見回せば、こんなものが目に入るかもしれない。遺伝子組み換えされた植物を擬態する、人工島。車のコマーシャルのセットを気取ってみせる、歯科クリニック。修正を加えられた頬骨部分と、YouTubeにある「設計ソフトの使い方動画」を真似た都市全体が、ぴったり寄り添う。戦闘機用ソフトを使いデザインされた、銀行ロビー。そこに期間限定で展示される美術作品が、メールで送られてきた状態から3次元化される。砂漠の地平線に、雲《クラウド》から大容量のストレージ・ドライブの機能が降っている様子がみえる。多くのイメージは現実態となるにあたって、飛躍的＝実質的《サブスタンシャリィ》に変化する。翻訳され、歪められ、表面に傷をつけられ、再構成される。自らの展望《アウトルック》や、環境《アントラージュ》、方向性に変化をつける。マニキュア液の広告のワンシーンが、インスタグラムの暴動につながる。「アップ」ロードしたら、上から下への大騒ぎになる。GIF画像は、空港の乗り継ぎゲートへと飛び出し、物質性を得る。場所次第では、米国国家安全保障局（NSA）のシステム・アーキテクチャのすべてが構築されていく、そんな様子を思わせもするのだが、それは前もってグーグル翻訳にかけられねばならない。すると、マジックミラーの窓が逆向きに嵌まったガレージ付きのロフト・スペースが出てきたりする。スクリーンの外に出かけたイメージは、捻転、荒廃、合体し、組み替えられる。目標を見失い、意図を誤解し、形や色を取り違える。イメージはスクリーンを通り抜けてストンと落ち、再びスクリーンに引き下がっていく。

グレイス・ジョーンズの《コーポレート・キャニバル》（二〇〇八）という、モノトーンで統一されたミュージック・ビデオについて触れておくべきだろう。スティーヴン・シャビロはそれをポストシネマ的な情動性に関する一つの重要な例と捉えたが［★8］、この映像でのジョーンズのポストヒューマン的な形姿、人体が自在に伸び縮みする変転効果は今日、緊縮経済のためのインフラの一計画として現実に生じている。ベルリンの路線バスの運行状況は、冗談抜きでもうずっと長いこと、この映像をモデルにしているのかもしれない。空間、時間、そして人々の辛抱が、際限なく引き伸ばされ、張り詰めるのだから。シネマの残骸は、失策＝崩壊した投資行為、または絶対機密の「情報支配センター」として新たな実体を得る［★9］。

しかし、部分的にではあれ、シネマが現実態を得ようと世界に向けて爆発《エクスプロード》＝膨張したならば、それはつまり、映画館《シネマ》が実際に爆発したということでもあるだろう。そしておそらくこの場合のシネマもまた、この爆発を首尾よく切り抜けることはできなかった。

ポストシネマ

随分前から、多くの人々はシネマにどこか活気がないと感じている。今日のシネマはとりわけ、新型テレビ、ホームプロジェクター一式、Retinaディスプレイの iPadなどの購買欲を刺戟する、商法の一環となっている。発売予定のプレイステーション・ゲーム、その完全版を快適なコンプレックスで上映するといったように、シネマは関連商品の販促媒体となって久しい。それは、トーマス・エルセッサーが「軍事産業エンターテイメント・コンプレックス」と呼んだものの、試用体験版となった。

シネマの死亡時期と死因についての見解は、人それぞれだろう。私見では、シネマが致命的な爆発に見舞われたのは、ボスニア戦争の最中、ヤイツェにある小さな映画館《シネマ》が破壊された一九九三年前後だ。ユーゴスラビア人民解放反ファシスト会議（AVNOJ）は第二次世界大戦中、ユーゴスラビア連邦人民共和国［☆1］を建国した。ヤイツェはその舞台となった都市だ。もちろんシネマへの攻撃は、それ以外にも多くの時代と場所で起きた。レバノン、アルジェリア、チェチェン、そしてコンゴ民主共和国で、シネマは撃たれ、処刑され、飢えに晒され、拉致された。冷戦後の多くの紛争でも、同じことが起きた。ジェラール・トゥフィークは「凌駕する惨事」という概念を提起したが、彼がこの「惨事」以降の芸術表現について述べたように、シネマはたんに雲隠れし、手に届かなくなったわけではない［★10］。

シネマの息の根は止められた。または少なくとも、絶望的な昏睡状態に陥った。

最初の問いに戻ろう。ここ何年かで、多くの（言ってしまえば、すべての）人々は、インターネットにも不穏さが漂っていると気づいている。インターネットは明らかに、社会的良識、著作権、コントロール、さらには規律を守ろうとする信念によって、完全に監視、独占、無害化されている。そこに感じられる揺動（vibrant）は、一九九〇年代に『スターウォーズ・エピソード1』を延々と再上映していた、まっさらなマルチ・コンプレックス型の映画館に漂っていた雰囲気と同じものだ。インターネットを撃ったものの正体は、シリアの狙撃兵、パキスタンのドローン、トルコのグレネード型催涙弾かもしれない。インターネットは頭に被弾し、ポートサイドの病院に運ばれたのかも。「情報支配センター」の窓から飛び降りて、自ら命を絶った線もありうる。そこには窓なんてものも、壁さえもないのだけど。インターネット。それは死んでいない。生ける屍《アンデッド》となり、あちこちに出かけている。

私ノ名ハ、マインクラフト・レッドストーン・コンピュータ

しかし、「インターネットが接続外部《オフライン》に場を移している」というのは、一体どういった事態を指すのか。インターネットはスクリーンを越え、ディスプレイを激増させ、不動かつ不可避の存在となるネットワークとケーブルを超越した。オンライン接続やユーザー・アクティビティがすべて断たれている、そんな状況を思い浮かべてみよう。接続端子がないからといって、私たちは困難から解放されるわけではないのだ。インターネットはオフラインでも、生、監視、製品、組織といった形でしぶとく生き残る。これはつまり、過剰な不透明性を帯びた、驚くべき窃視の形式である。想像してみよう。モノのインターネット（IoT）で、すべての製品が相互に「いいね！」を押し合う、無分別な状況を。このとき、少数の準独占企業による支配がいっそう強まるはずだ。私的な知の領域を、格付け企業が巡回、保護する世界。容赦ない遵法主義を伴う、ありえないほどの管制が敷かれた世界。その世界では、ちょっと買い物に出た人工知能搭載の車を、ヘルファイア・ミサイルが破壊する。YouTubeや監視カメラの映像で「本人確認」を終えた警察が、あなたを逮捕する目的で、あなたがダウンロードしそうなものを誘うように《ノック・オン・ドア》仕掛け、そして実際に玄関ドアをノックしにやって来る。公的資金で賄われた知的財産を拡散したあなたを、刑務所にぶち込もうとしているのかもしれない。または、ツイッターを打ち負かして反政府活動を食い止めて欲しいという、依頼を持ちかけるのかも。握手したら、ぜひ部屋に招き入れて。それらは、現

代の4D技術〔視覚的な3次元効果だけでなく、五感に訴えるデジタル技術のこと〕のインターネットなのだから。

全面的な外在化に至ったインターネット。その成立条件は、インターフェースではなく環境である。旧式の媒体、イメージと化した人々や構造、イメージとしてのオブジェクトはいずれも、ネットワークと化した物質と切り離せなくなる。ネットワーク空間はそれ自体が一つの媒体なのだが、これはいわば、旧媒体が消え去る前に遺した分子が乱れた交接をほうぼうで繰り返している、そんな今日的状況を意味している。あらゆる媒体の旧型がそこに収まり、止揚、保管されている——そんな生の〔および死の〕形式なのだ。この流動性のあるメディア空間で、イメージと音響は、複数の基体と輸送体の間を変形しながら行き交う。その過程でますますグリッチを生じさせ、傷を負っていく。しかもそれは、スクリーンを越境する形式であるばかりか、ある種の機能でもある〔★11〕。

計算／情報処理と接続の作用は物質の内奥にまでおよび、それをアルゴリズム予測の基質へと転換するが、このとき物質は、代替ネットワーク構築の「建材」にもなりうる。「マインクラフト」でレッドストーン回路をつくる際〔☆2〕、計画した用途のためにバーチャルな鉱石を使うことができるが、同様に、物質は生命体であれ無生物であれ、クラウドの機能と徐々に一体化し、やがて世界を多層的な電子回路基板へと変えていく〔★12〕。

この空間はまた、流動性の領域——彼方から迫りつつある暴風雨と不安定な気候を含んだ、天穹でもある。それは、荒れ模様の複雑系で構成された領域であり、フィードバック回路を奇妙なふうに廻転させている。動態、エネルギー、リズム、錯綜だけにしか反応を示さないこの状態は、部分的には人間が創り出したものだが、ただし人間はそのすべてを制御できない。それは旧い時代の「浪人」、仕えるべき主人のいない、無所属《フリーランサー》の槍騎兵のサムライ版のスペースだ。いみじくもこの男女は〔日本語で〕「浪《なみ》」の者たちと呼ばれていた。イメージの泡沫の世《うたかた》を流浪する者たち。もしくは、ダークネットの泡沫の世界《ソープブランド》で社会勉強のご奉仕に勤しむ者たち。治水や配管は万全だったはずなのに、どうして津波はいつの間に洗面台や流しにまで溢れてきたのだろう。このアルゴリズムは水田を干上がらせているのだが、因果関係がみえてこない。数え切れないほどの労働者たちがまさに今、彼方にぽっかり浮かんで猛威をふるうあの雲《クラウド》を懸命によじ登っている。生活の糧を絞り出そうと彼らが伸ばした手がその水蒸気に触れると、それはたちまち没入型のインスタレーション作品や、ハイテクな催涙ガスにまみれたデモ行為に変わってしまう〔☆3〕。

ポスト・プロダクション

しかし、イメージがスクリーンを越えてにわかに降り注ぎ、主観的、そして客観的な事象を満たしていくとして、その重要な帰結であるにも拘らずほとんど見過ごされているのは、今日では現実の大部分がイメージでできているということだ。もっと言えば、現実を構成しているのは、かつては明白にイメージとして存在していた事物、星座的な集合体、そしてプロセスである。現実の把握は、シネマ、写真、3Dモデリング、アニメーションなど、動画や静止画の諸形式への理解抜きにしては考えられない。旧いイメージが爆砕したときの破片、そして編集と修正を施され、スパムや余剰物のなかから接合されたイメージ群が、世界に嵌入していく。現実そのものがポスト・プロダクションとなり、スクリプト化される。そして情動は、事後的な効果《アフターエフェクト》として描出される。イメージと世界は、決して接点なく対立しているわけではなく、多くの場合は「世界バージョンのイメージ」か「イメージ・バージョンの世界」であるというだけの話なのだ［★13］。

とはいえ、世界とイメージは等価なわけではない。それらは互いの関係のうちで、欠け損じ、過剰にして不均衡であり、ひいては双方の不和が、投機（＝思弁性）や極度の不安症の種になる。

こうした状況のもとで、生産行為はポスト・プロダクションへと形を変える。これが意味するのは、世界はそのツールによって理解されうるだけでなく、ツールによって変化しうるということだ。ポスト・プロダクションのツールは、編集、色調補正、フィルタリング、カッティングなど様々だが、それらは表象を確立するためのものではない。これらのツールはイメージの作成手段となったが、時を経て、世界創出の手段にもなった。この背景にあると考えられる一つの要因は、あらゆる類のイメージ群がデジタルの次元で増殖したことで、過剰《トゥーマッチ》なほどの世界が、突如として素材化したということだ［☆4］。ボルヘスのよく知られる寓意を借りれば、地図は世界と等しくなっただけでなく、世界をはるかに凌いでいるのだ［★14］。

世界の表層には膨大な量のイメージがうっすらと広がっているが（これはまさしく、空中画像のようなものだ）、こうした現象は、レイヤーの積層する混迷した領域を形づくる。地図は実体的な領土で増大する。そしてこの領土は次第に断片化するとともに、地図と絡み合って一体化する。グーグルマップの構築作業が、あわや軍事衝突を引き起こしそうになったというエピソードは、この事例の一つに数えられるだろう［★15］。ボルヘスは地図が衰退するだろうと主張したが、ボードリヤールの思惑では反対に、現実のほうが離散していくものとされた［★16］。

実際には、携帯デバイスや検閲所、編集作業の合間などを舞台として、双方が拡大しながら互いに混乱をもたらしているのだ。地図と領土が互いに漸近するのは、トラックパッドでの指先操作が、テーマパークや人種隔離政策下での住区計画として現実化するようなときだ。特別機動隊がアマゾンのショッピング・カートを巡回し、イメージのレイヤーが地層となって密に堆積していく。重要な点は、この状況に対処できる人間がいないということだ。この広大で途方もないカオスは、リアルタイムで編集される必要がある。さらにそのフィルタリング、スキャン、並び替え、抽出作業から、長大なウィキペディア形式の具体物と、レイヤー化され、リビドー的で物流用にあつらえられた、不均衡な地理が出来する。

このとき、イメージ生産、さらにはそれを担う人間にも新たな役目が与えられる。今日、イメージ生産に勤しむ人々はイメージでできた世界をじかに扱うわけだが、その処理速度は以前にはまったく考えられなかったレベルに達している。この生産行為はまた、もはや分けて考えることができないほど流通（circulation）と一体化している。工場、スタジオ、そしてTumblrは、オンライン・ショッピング、寡頭政権下のアート・コレクション、不動産ブランディング、そして監視アーキテクチャとぼんやり重なっていく。あなたの記憶装置《ハードドライブ》や眼球《アイボール》、夢を無断で奪い去る、ならず者のアルゴリズム——今日、労働の場《ワークプレイス》と考えられているものの実体は、そんな代物なのかもしれない。ということは、あなたの身体が自制を失って不随意に動き続けてしまうようなことが、近い将来起こるのかもしれない。

　ウェブが異なる次元へと流れ出るように、イメージ生産は専門分野の垣根を越える。それは集団的創造の時代における、大衆《マス》のポスト・プロダクションとなる。今日、ほぼすべての人間は技能派《アーティスト》である［☆5］。私たちは売り込み、騙し行為を仕掛け、望まれていないメッセージを大量に送り、チェーン状に連結し、「俺ってすごい《マンスプレイニング》」アピールをする。私たちは痙攣し［☆6］、ツイートし、リレーショナル・アートの独唱形式として言葉にリズムを刻み、二重過程とスマートフォンの定額制でハイになっている。昨今ではイメージの流通が十全に働くのは、ピクセルが斬新でネオ部族的な［☆7］、そして概ねアメリカでつくられたコンテンツの戦略的分有を経て還流するようなときだ。目を疑うような奇異なモノたち、セレブリティが飼う猫のＧＩＦ、日の目をみない作者不明の錯綜するイメージ群が、Wi-Fi経由で人体にはびこって浮遊する。その結果として考えられるのは、新しくそして生気に満ちたフォークアートの一形態だが、ただしそこでは

「フォーク（人々／民俗の）」と「アート（芸術／策謀）」という概念の徹底した再解釈が要されるだろう。絵文字、そしてツイッター上でのレイプの脅迫を取り入れた新奇な話法は、注意欠陥を共通項に持つ弱いつながりのコミュニティを、創造するとともに分断するのである。

流通主義

これらの前例といえるものがないわけではない。それは、二〇世紀のソビエト前衛芸術における「生産主義」である。ただし、芸術は生産行為と工場に移行すべきだと主張するこの生産主義は、今日では「流通主義（circulationism）」に取って代わられたといえる。流通主義が指向するのは、イメージ作成の芸術ではなく、イメージのポスト・プロダクション化、その新規立ち上げ《ローンチ》、加速化だ。それはソーシャル・ネットワークで展開するイメージのＰＲ活動、宣伝と疎外に関知するものであり、そして目いっぱいの「巧言令色」に彩られている。

しかしここで忘れてはならないのは、生産主義者であったウラジーミル・マヤコフスキーとアレクサンドル・ロトチェンコが、ネップ（新経済政策）の一環で飴菓子の広告を制作した経緯だ。共産主義者たちは、商品の物神崇拝に専心していたわけである［★17］。

流通主義へと刷新されるとき、重要なのは、それが既存のネットワークをショートさせ、企業の友好関係とハードウェアの独占市場の裏をかき、さらにはこの二つを回避する――そうした営為にも関わりうるということだ。それは、窃視症を患った国家、資本関連のコンプライアンス、大規模な監視行為を晒し状態にして、システムをあらたにコード化、配線する――そのような芸術＝策謀《アート》となるだろう。もちろんそれは、先例の轍を踏みかねないものだ。つまり、スターリン主義的な生産性への盲信、加速化、そして英雄的身ぶりの裏での疲弊を通じて、自らを疎外に陥れるということである。ずばり歴史上の生産主義は、監視と勤労福祉の度を越した官僚措置によって、早期にすっかり効力を失い、失敗に至った。そして結局、流通主義が以下のような事態に至る可能性はおおいにある。すなわち、流通なるものの再建から逸脱し、ヨシフ・スターリンが自営するスターバックスのフランチャイズ店で埋め尽くされている――よくみればそんなショッピング・モールに似ていなくもない、単一のインターネットを飾る付属要素に成り果てるという可能性だ。

　流通主義は、現実界のハードウェアとソフトウェア、その情動、欲動、そしてプロセスに変化をもたらすだろうか？生産主義は、労働への盲信に支えられた専制政治にいくらか寄与したわけだが、では流通主義は何をなしうるだろう。それは、サイトの訪問者数《アイボール》、不眠症、露出がアルゴリズムの工場であるような状況に、変化をもたらしうるだろうか。流通主義の英雄労働者たちは、バングラデシュにあるようなファーミングの用地で、労働に勤しむことになるのだろうか。または、こうした激烈なノルマをこなす者たちは［☆8］、中国の捕虜収容所で仮想ゴールドのマイニ

ングを行い、デジタル・ベルトコンベアー上で企業向けコンテンツを大量生産する羽目になるのだろうか?〔★18〕

オープンアクセス

けれどもここで、接続外部《オフライン》に移行したインターネットの最終地点がみえてくる〔★19〕。イメージが共有、流通されうるとすれば、ほかのあらゆる対象についても同様に考えることはできないだろうか?データがスクリーンを抜け出すならば、その物質的な具現体がショーウィンドウやそれ以外の囲い込みの類を越えることもまた、不可能ではないだろう。著作権を巧妙に逃れ、またそれに対する疑義を表明できるのだとすれば、私有財産に対しても同様のことはできるはずだ。レストランでの一品を撮ったJPEG画像をフェイスブックでシェアできるなら、実際の料理をそうしてはならない理由はない。フェアユース〔公正使用〕を空間、例えば公園やプールなどに適用しても構わないではないか〔★20〕。オープンアクセスをJSTOR〔学術文献のデジタル・ライブラリー〕だけに求め、マサチューセッツ工科大学出版局にはそれを願い出ず、さらには、学校や病院、大学に無償利用を要求しないのは、どうしてだろう?なぜ、データのクラウド=雲をスーパーマーケットの襲撃《ストーミング》=嵐という形で放出してはならないのか〔★21〕。

なぜ、水、エネルギー、そしてシャンパンの「ドン・ペリニヨン」にオープンソースを適用してはならないのか。

もし流通主義に何らかの意味があるとするなら、それはオフラインで分配がなされる世界へと――リソースの、そして音楽や土地、インスピレーションの3次元的な散種が生じる世界へと移行すること、この必要性である。生ける屍《アンデッド》のインターネットから離れ、それに隣接するようにいくつか別種のインターネットを設けるために、段階的に雲隠れしてみせようではないか。

原注

★1 数年前にマリサ・オルスンが、また彼女に続きジーン・マクヒューが提起した「ポスト・インターネット」という概念が示すと考えられるのが、こうしたものである。そこには明らかに使用価値があったのだが、ひるがえって現段階でそれは、交換価値がいっそう私的領域に向かうような形で放任されている。

★2 これについては以下を参照。Peter Weibel, “Medien als Maske: Videokratie,” in *Von der Bürokratie zur Telekratie. Rumänien im Fernsehen*, ed. Keiko Sei (Berlin: Merve, 1990), 124–149, 134f.

★3 Cătălin Gheorghe, “The Juridical Rewriting of History,” in *Trial/Proces*, ed. Cătălin Gheorghe (Iași: Universitatea de Arte “George Enescu” Iași, 2012), 2–4.

★4 以下は、シシー・モスとティム・ステアによる素晴らしい展覧会告知文である。「動きの只中にあるオブジェクトは、異なる地点、関係性、実存へと波及するが、常時同一のままだ。デジタル・ファイル、海賊版コピー、アイコン、資本。そういったものにも似て、それは再生産し、さまよい、速度を上げ、そして起動を促す複数の支持体と絶えず交渉する。これらの様々な空間と形態を占めるとき、それは必ず自らを再編成している。そのあり方は自律した、または特異なものではなく、結節点のネットワークとトランスポーテーション・チャンネルのみが始動の源となる。それは分配されるプロセスだけれども、出来事としては独立していて、そして絶え間なく流通、離合集散する、拡張されたオブジェクトのようだ。それを停止するということは、全体のプロセス、基礎構造、増殖と再生産を促す連鎖の破壊を意味している」。(seventeengallery.com)

★5 より広範な政治的事象、その一例となるのが「移行(transition)」という概念である。この語は当初、ラテンアメリカの政治情勢の文脈で新たな意味合いを帯び、後に一九八九年以降の東欧の状況に対しても使われるようになった。一種の目的論的な営為のことだが、国家が「遅蒔き」に民主主義と自由市場経済の達成を目指しても、その巻き返しがもはや不可能である、という状態を含意する。「移行」は遷移の持続状態と言ってよいが、それは理論上、西側のあらゆる標準的国家、その自己形成段階のような状態を結果として頻発させる。そしてそのさらなる結果として、地域全体が行き過ぎた改革に晒されたのだった。「移行」では実際、公的徴用の範囲拡大と平均余命の激しい損失が結びつくようなことが常時起きていた。また「移行」では、新自由主義がスクリーンを越えて明るい未来に向かうとき、医療不足と自己破産がセットになって現れた。そしてこれと並行して、西側諸国の銀行や保険会社は営利目的で年金を流用し、しかもそれをコンテンポラリー・アートのコレクションに再投資していたのだ。以下を参照。Beat Weber and Therese Kaufmann, "The Foundation, the State Secretary and the Bank," transform.eipcp.net, April 25, 2006.

★6 複数の支持体の間を交わるように遷移するイメージには、むろん先行事例がある。石器時代以降の芸術表現がこの道のりを歩んできたことは、明らかである。しかし、多くのイメージは3次元へと容易に形を変えるようになっていて、図案を起こし、大理石を彫る手仕事が不可欠だった時代を考えると、隔世の感がある。ポスト・プロダクションの時代では、何かがつくられるというのはほぼ例外なく、イメージ(単一であれ、複数であれ)を経由した上での創造行為を意味している。イケアのテーブルは設置され組み立てられるというよりは、コピー・アンド・ペーストされるのだ。

★7 例として、Tumblrの「ニュー・エステティーク」というアカウントでの事物とランドスケープの巧みな見せ方(new-aesthetic.tumblr.com)、また同サービスを使った「ウィメン・アズ・オブジェクツ」での女性の身体としてのイメージ、その具現化が挙げられる（womenasobjects.tumblr.com）。また、この点で同様に関連性が認められるのが、ジェシー・ダーリンとジェニファー・チェンの作品である。

★8 これに関し、以下の論考に見事な分析がみられる。Steven Shaviro, "Post-Cinematic Affect: On Grace Jones, Boarding Gate and Southland Tales," *Film-Philosophy* 14.1 (2010), 1–102. シャビロの以下の著作も参照のこと。*Post-Cinematic Affect* (London: Zero Books, 2010).

★9 Greg Allen, "The Enterprise School," greg.org, Sept. 13, 2013.

★10 Jalal Toufic, *The Withdrawal of Tradition Past a Surpassing Catastrophe* (2009).

★11 Metahaven and Benjamin Bratton, "The Cloud, the State, and the Stack: Metahaven in Conversation with Benjamin Bratton," interview, mthvn.tumblr.com, December 16, 2012.

★12 ジョシュ・クロウは、"The Cloud, the State, and the Stack"への関心の糸口を与えてくれた。記して感謝する。

★13 Oliver Laric, "Versions," 2012, oliverlaric.com/vvversions.htm.

★14 Jorge Luis Borges, "On Exactitude in Science," in *Collected Fictions*, trans. Andrew Hurley (New York: Penguin, 1999), 75–82.〔J・L・ボルヘス『汚辱の世界史』中村健二訳、岩波文庫、二〇一二年、一五七頁〕「この帝国では地図の作製技術が完成の極に達し、そのため一州の地図は一市全域をおおい、帝国全土の地図は一州全体をおおうほどに大きなものになった。しばらくするとこの厖大な地図でもまだ不完全だと考えられ、地図学院は帝国と同じ大きさで、一点一点が正確に照応しあう帝国地図を作りあげた。その後、人々はしだいに地図学の研究に関心をもたなくなり、この巨大な地図は厄介ものあつかいをされるようになる。不敬にも、地図は野ざらしにされ、太陽と雨の餌食となった。西部の砂漠では、ぼろぼろになって獣や乞食の仮のねぐらと化した地図の断片がいまでも見つかることがある。このほかにかつての地図学のありようを偲ばせるものは、国じゅうに一つとしてない。（スアレス・ミランダ『賢者の旅』〔レリダ、一六五八年〕四巻一四章）」

★15 L. Arlas, "Verbal spat between Costa Rica, Nicaragua continues," *Tico Times*, Sept. 20, 2013. これについて教えてくれたケヴァン・ジェンソンに感謝する。

★16 Jean Baudrillard, "Simulacra and Simulations," in *Jean Baudrillard: Selected Writings*, ed. Mark Poster (Stanford: Stanford University Press, 1988), 166–184.〔当該論考は、Jean Baudrillard, *Simulations*. Trans. Philip Beitchman, Paul Foss and Paul Patton (New York: Semiotext(e), 1983) の抄出。該当部分を含む原著からの邦訳は以下。ジャン・ボードリヤール『シミュラークルとシミュレーション』竹原あき子訳、法政大学出版局、一九八四年〕

★17 Christina Kiaer, "'Into Production!': The Socialist Objects of Russian Constructivism," *Transversal* (Sept. 2010).「マヤコフスキーの広告の言い回しは、ソビエトの労働者階級の消費者にじかに訴えかけるものだ。そこに皮肉などなかったのである。例えば、国家農業信託であるモッセルプロムのとある製品の広告には、こうある。「勤労者ご一統、この調理油に注目を。価格はバターの三分の一で、どんな油よりも栄養価は高く。取り扱いはモッセルプロムだけ」。構成主義者が手がけた広告が、ボリシェビキ寄りでネップの商業性に反する語法に則っていたことは、驚くには当たらない。だが、〈広告構成分子〉の関わる広告仕事の全体像は、より曲折したものだ。その多くの商業的意匠は、社会主義的な対象の〈理論〉を提示する目的で、階級差と実用本位の需要を直截に表す言語を越えるのだ。オシップ・ブリークは、構成主義者たちにとって、この種の仕事があくまで「機宜を得るのを待つ」ためのものだと言うが、私の考えは異なる。その広告は厳密な理論によって、革命以前の過去に属する物質文化、ネップの同時代的状況、ならびに来るべき未来の社会主義的な〈新たな日常〉――これらの関係性を成立させようと試みている。彼らは、ボリス・アルヴァトフの理論が突きつけた問題に対峙するのである――〈革命後の資本主義のもと、商品のフェティッシュと市場が制する個人の空想と欲望に、何が起きるのか?〉」

★18 Charles Arthur, "How low-paid workers at 'click farms' create appearance of online popularity," *The Guardian*, Aug. 2, 2013; Harry Sanderson, "Human Resolution," *Mute*, April 4, 2013.

★19 そしてそれは決して、データをもとにつくられた立体作品が画廊のホワイトキューブ空間で展示されるといった、抜き差しならない状況には至らない。

★20 "Spanish workers occupy a Duke's estate and turn it into a farm," libcom.org, August 24, 2012.「今週始めにアンダルシア州で、数百人もの失業中の農業従事者が、セゴルベ公爵の私有地を囲むフェンスを突破し、そこが自分たちのものだと宣言した。ここ一ヵ月の間に同地全体では農地化目的の占拠が立て続けに起きていたが、これは直近の事例となる。彼らは、失業率が四〇パーセント以上におよぶこの土地に新風を吹き込もうとし、ほかの農地化目的の占拠と同様、地域に根ざした農業プロジェクトの立ち上げを考えていた。この占拠の参加者たちを前にした演説で、アンダルシア労働者組合のメンバー、ディエゴ・キャナメロはこう述べた。「私たちは、こういった場所を無駄に放置する社会階級に抗議するため、ここまでやって来たんです」。贅沢な外観の手入れされた庭、家屋、そしてプールに生活の気配はない。公爵は、九七キロ近く離れたセビリエの街に住んでいるからだ」。

★21 Thomas J. Michalak, "Mayor in Spain leads food raids for the people," workers.org, Aug. 25, 2012.「スペイン、アンダルシア州南部のマリナレーダの小さな街区で、市長のファン・マヌエル・サンチェ・コルディヨは、同国の経済危機とそれに伴う飢えの問題に対処した。住人を統率し、生活に必要な食料の入手のために、スーパーマーケットを襲撃させたのだ」。

訳注

☆1 原語のFederal Republic of Yugoslavia は「ユーゴスラビア連邦共和国」と訳すことができるが、これは旧ユーゴスラビア崩壊後のセルビア・モンテネグロの連邦体制（一九九二－二〇〇三）の名称であり、時代としては現代に属している。おそらく著者の念頭にあったのは、一九四六年に建国が宣言された「連邦人民共和国（Federal People's Republic）」のほうだと考えられるため、これを訳語とした。ただし、その前身となる（一九四三年にヤイツェで宣言された）臨時国家の名称は、「ユーゴスラビア民主連邦」である。

☆2 「マインクラフト」は二〇一一年に発表され、今日までアップデートを重ねて販売されている3D創作のビデオゲーム。明確なストーリーはなく、目標設定はプレイヤーに委ねられる。最初に広大無辺な空間が与えられ、バーチャルな物体を生成させながら、そこに生活空間や文明を築いていくというもの。「レッドストーン回路」とは、このゲーム内でエネルギーを伝導させて有形物を起動するのに必要な仕組みのこと。また、ここで言われている「建材」とは、この回路生成にあたって動力を供給するための、「不透過ブロック」と呼ばれるアイテムのこと。「鉱石」とは、供給シグナルを送るために必要な粉末状のレッドストーンを得るためにプレイヤーが採掘する、原石のことを指している。

☆3 本章の全体には液体や水分の寓意が散見されるが、とくにこの箇所には、シュタイエルの映像作品《流動性企業（Liquidity Inc.）》（二〇一四）との関連性がみられる（同作品は、本章の初稿とほぼ同じ時期に発表されている）。《流動性企業》は、海洋や水のイメージ、また歴史の激動を「貿易風」に喩えて世界経済の破綻をユーモラスに「予報」するシーンなど、断片的な映像とストーリーで構成されている。とくに焦点となるのが、二〇〇八年のリーマンショックを機に投資銀行の社員から格闘家に転身したという、ベトナム系アメリカ人の男性だ。タイトルにある「流動性」とは主に、デジタルと同化した金銭の流れ、および蒸発と降水の気象サイクル、この「経済」と「自然現象」の二つを指している。この前者の「流動性」には、インターネットの普及により高まった投機活動の不確実性とも関係する、今日の不安定な雇用環境といった意味合いも含まれている。格闘家が肉体改造の末に海洋と同化していくというその筋立ては、格差の解決がもはや困難となった「異常気象」的なグローバル経済を揶揄しており、ここでの「雲」を這い上がろうとする労働者の描写には、そうした現代特有の経済、労働の問題がイメージされていると思われる。

☆4
「過剰なほどの世界（Too Much World）」は、オランダのヴァン・アッベ美術館で二〇一四年に開催され、翌年にオーストラリアのブリスベン近代美術館に巡回したシュタイエルの個展のタイトルにもなっている。

☆5
ドイツの美術家、ヨーゼフ・ボイスのよく知られる発言、「各人（すべての人間）は芸術家（artist）である」の言い換え。アッハベルクでの講演を始め、多くの機会で同工異曲にボイスが述べてきたこの主張は、全民が具体的な制作（例えば、絵画や彫刻など）に取り組むという意味ではなく、各人が社会という有機体を造形する義務や権利を持ち、その上で自らの生を創造するといった意味合いを持つ。

☆6
「痙攣する（twitching）」という語には、アメリカ発祥のゲーム／音楽動画配信プラットフォーム「ツイッチ（Twitch）」に類する場への参加、といった意味も含まれると考えられる。

☆7
「ネオ部族主義」は、近代以降の個人主義の希薄化に伴い、古代や西欧圏外の部族的な社会形態を参照、希求する動向であり、フランスの社会学者、ミシェル・マフェゾリが一九八〇年代末に明確な定義を与えた。複数の小集団がネットワークを形成するような社会構造であり、帰属対象の多元的性質、一種快楽的な自己超越の感覚を伴う帰属意識を特徴とする。マフェゾリによれば、感情を強く伴う絆、一定の信奉や慣例を核とするが、その成立条件はしばしば偶発的なものである。

☆8
原語となるStakhanovitesは、一義的には「スタハノフ運動の英雄労働者たち」を意味する。「スタハノフ」とは、ソビエト連邦で一九三五年から約二〇年間続いた生産性向上運動のことであり、そこで高い生産性を誇った労働者がこう呼ばれる。シュタイエルは「インポート・プロジェクツ」主催の講演（二〇一二年六月）で、スタハノフをその前身となる「ウダルニク運動」と同一視している。ウダルニク（Udarnik）とは「衝撃の労働者」を意味し、同様に東欧圏においては、卓抜した生産性と熱意を持つ労働者のことを指した。シュタイエルはこのウダルニク／スタハノフの現代版を「ストライク・ワーカー」と総称している。論考「アートの政治学」（二〇一〇）で「ストライク・ワーカー」は、衝撃やセンセーションを生む「驚異的なスピードの情動労働」に従事し、「感情」と「知覚」を工程に沿って大量生産する存在者と定義される。このためシュタイエルが「スタハノフ」と言うとき、それは衝撃や感銘をもたらす過重労働をこなす者だけでなく、間接的に衝撃それ自体を生産し、情動の流通に携わる人々を指している。

12 あえてゲームを（または、アートワーカーは考えることができるか）

Why Games, Or, Can Art Workers Think?

戦争を批判したい？ではそれを、ビデオゲームとこんなふうに比較してみよう。戦争は、プレイステーションのゲームのように精神性を欠いたものになった。人々は、自らの行いが招く事態から距離を置き、遠隔操作のボタンを押す。ＩＳＩＳの戦闘員がゾンビの大群になり、ドローンの操り手がゲームセンターにありそうな装置をプレイする。そして上方から聞こえる声には、つねに侮蔑のトーンが混じっている。戦争ほど誇り高き営為がゲームと同等になるなど、情けないというのだ。「戦争よ、こんな恥があるか？まさかゲームになり下がるとは。男なら立ち上がって本気を出してみろ。さあ早く」。主体と標的を隔てるスクリーンがなければ、大虐殺には意気軒昂とした健全さが溢れるのだと。じっくりと心を傾けて、面と向かってちゃんと敵を撃て。アメリカ空軍の准将が、直々に広島に原爆を投下したのを忘れたのか。真剣な大虐殺に勝るものはないのだ、と。

しかし、こう考える人々は大きな錯誤に陥っている。こうした思想の持ち主は、じつを言うと美術や文化関連の業界に多くみられる。この人々は、自身の生業に対する実直さや、実証しがたい批判的属性を庇っているような気でいる。一部の「クリエイティブ分野の職業人」にとって、コンピュータゲームは憎悪すべきもの、現実の姿を歪める資本主義の陰謀の極みなのだ。しかしこうした反応は、その批判的次元に加え、道徳的観点においても間違っている。戦争がただのビデオゲームであったとしよう。実際そのほうが、人類の大多数にとっては素晴らしいことではないか。ゲームではプレイヤーが復活する。撃たれても大丈夫、再スタートできる。広島に核爆弾を落としても、日本の人々は気づきさえしない。だが現実の戦争では、人が死ぬ。そうでなければひどく退屈か、ストレスのもとになってしまう。尿意を催しても、ポーズ・ボタンを押せない。そして時に、現実では誰も勝たない。今や巨大産業と化した終わりなき戦争は、あちこちで人々の命を奪い続けている。このときすべての残高は奇跡的に、銀行が保有するうちの一パーセントの口座へと蝟集《いしゅう》していく。では逆に、もしも戦争がビデオゲームだったら、と考えてみよう。ネバダやモスクワでボタンを押せば、アフガニスタンやシリアで人が転ぶ。しかしゲームが一巡する頃、転んだ人は立ち上がって衣服の土埃を払い、歩き始めるだろう。たわいないが、現実の出来事よりはましだ。真の敵はもしかすると、「戦争が、実際にはビデオゲームであってもよいのでは」とは考えない、人間の属性なのかもしれない。
これとは逆に、プレイ＝遊びの潜在力を過大評価していると思われる人々もいる。オランダのアーティスト、コンスタント・ニーベンホイスは、自説となるユートピア世界「ニュー・バビロン」のドローイングと建築模型の思想背景に、ヨハン・ホイジンガの『ホモ・ルーデンス』を挙げていた。コンスタントは一九七四年のマニフェスト「ニュー・バビロン」で、労働や生産、または功利主義的な機構から「遊ぶ人」が解放されるべきだと述べた。「功利主義的社会とは真逆のものが、遊びの社会だ。オートメーション化によって生産労働から解放された人間。遊びの社会において彼らに可能とされている最低限のことが、自らの創造性の発展である」［★1］。しかしこれは、やや最善説的（optimistic）な見方かもしれない。

「月曜から日曜まで毎日一二時間、同僚とモンスターを殺しています」。中国の福州にある急ごしらえの工場で働く、二三歳のゲーマーはこう言う。ネットの世界では、「流浪」というハンドルネームで知られる人物だ。「ここの月給は二五〇ドルくらいですが、前の仕事と比べたらかなり多いです。一日中ゲームで遊べるし」。［★2］

「流浪」は、労働環境がよいとはいえないゲーム工場でシフトをこなしつつ、例えば「ワールド・オブ・ウォークラフト」のゲーム通貨のようなバーチャル資産を、転売目的で貯めている。さて、オートメーション化は人々を労働から解放しただろうか。難しいところだろう。むしろ、オートメーション化によって相当数の労働者がロボットになった、というのが実状なのだ。ここからいくつかの興味深い問いを導き出すことができる。人間とロボットの違いは何か。このことをどうゲームとつなげて考えられるだろうか。またその上で、美術にはどう関連づけられるだろうか。そしてこれらは以下の単一の問いに集約できる。「創造的存在は思考することができるか？」

模倣ゲーム

この問いから、とある有名な思考実験を思い出した人もいるかもしれない。アラン・チューリングは一九五〇年、「機械は考えることができるか？」という問いを立て、パーティー・ゲームに着想を得たテストによってその答えを求めようとした。プレイヤーは、閉まったドアの向こうにいる人物が男性か女性なのかを、その人物が文で示した回答から推理するのだが、その内容はあえてぼかされている。例えばこの「模倣ゲーム」の質問者が、「Xさん、髪の長さを教えてもらえますか？」と訊くと、Xは「私の髪は短くカットしてあり、一番長いところで大体二三センチです」という答えを返す。チューリングの発想の特徴は、このプレイヤー〔回答者〕の役割を機械が担うという点にあった。人間で行った場合と同程度に質問者をうまく混乱させることができたとき、チューリングによれば、当の機械は思考している［★3］。興味深いことに、この「チューリング・テスト」と無関係に模倣という設定を選択した人物がいる。ヴァルター・ベンヤミンである。ベンヤミンの場合、当時の中心的命題について考えを深めるべく引き合いに出されたのは、チェスをする「トルコ人」〔近世ヨーロッパに実在した機械人形のこと。実際は人がなかに入り操っていた〕だった。チューリングにとって模倣の問題は、ジェンダーに関係していた。ベンヤミンの場合、模倣は国民性の意識と結びつけられ、トルコ人の風貌を持つチェス対局ロボットになりすます、一人の小人について語られた。双方ともに関心事となったのは、人間と機械の境界である。

チューリングの主張にみられる、素早い一手について考えてみよう。「機械は考えることができるか？」というこの第一の問いは、間髪を入れずゲームに移行している。これが（その表面上の特徴から）想起させるのは、数学と経済学のゲーム理論に取り入れられていたようなゲームだ。チューリング・テストとほぼ同時代に発展したこの理論では、複数の選択肢間での決定、その際の課題に焦点が当てられていた。例えばジョン・フォン・ノイマンとオスカー・モルゲンシュテルンは、『ゲームの理論と経済行動』でこう述べている。

そこで、選好体系が包括的で完全であるような個人、すなわちどんな二つのものに対しても、またどんな二つの仮想の事象に対しても、どちらが好ましいかをはっきり明言できるような、そういう人間をしばらくのあいだ頭に描いてみよう。（…）この人間に期待することは、彼の前に可能性として提示されたどんな二つの事象に対しても、どちらが好ましいかをはっきり明言できるということである。[★4]

フォン・ノイマンとモルゲンシュテルンが試みたのは、彼らが「二人ゼロ和ゲーム」と呼んだゲームの定式化だ。その発想を大まかに言えば、経済や軍事領域での相互作用、それを数式で表したものがゲームであるという考えだ（そう、市場と戦争を等しくゲームとして表象することが、そこでは可能とされていたのだ）。その目的は、経済と軍事領域での様々な状況シナリオに対し、考えうる結果と対策を計算することだった。しかしほどなくして問題が浮上した。相互作用の属性とゲーム環境を思いきって簡略化しなければ、有効な対策を計算から導くことはできなかったのだ。またゲーム理論における経済行動の計算には、踏まえるべき仮定条件があった。例えば、人々が達する複数の成果の間には合理的な優先傾向が常在していて、これは価値と関係しうる。個人は、効用（および企業の実益）をつねに最大化させる。人々は最大限の情報を基準に、つねに独立した個人として行動する、などなど。

［こういった条件が］困難に逢着したのは、想像に難くない。こうした「合理性」、「効用」、「情報」などの鍵概念はどれも仇となったが、問題は、それらを数理と経験則の両面からいかに定義するかという点にあった[★5]。こうした理論上の問題に加え、プレイヤーである人間は期待されたような行動をみせることはなかった。確率の計算を現実に投影したとき、当のプレイヤーが計算

をコンピュータのようには行えないということ、これが一つの決定的問題となったのだ。この場合の確率とは、ゲーム理論の提唱者たちが合理的シナリオの核とみなした、複雑な選択条件や数字、ルールを素因としていた。例えば有名な「壺ゲーム」では、こんなふうに合理性の極みというべき態度が求められていた。

一つの壺があり、そこに三〇個の赤いボール、そして六〇個の黒いボールと黄色いボールが入っているとする。後者の個数比率は不明。ここに賭けの選択肢が二つあり、どれか一つを選ぶ。

・賭けA：赤いボールを一つ引いた場合、一〇〇ドルを得る
・賭けB：黒いボールを一つ引いた場合、一〇〇ドルを得る

次に、同一の壺での引き続く賭けの選択肢が二つあり、どれか一つを選ぶ。引く内容には違いがある。

・賭けC：赤いボールか黄色いボールを一つ引いた場合、一〇〇ドルを得る
・賭けD：黒いボールか黄色いボールを一つ引いた場合、一〇〇ドルを得る

それぞれ、どちらが好ましいと感じるだろうか。ゆっくり考えてみて下さい！［★6］

さて、ここでとるべきもっとも合理的な方法は何だろう。あなたが効用の最大化を望み、完全

に合理的な主体で、さらにあらゆる他者の利益も最大限引き出したいのだとして、どう答えればよいのか。私だったら、あなたの選択肢は「賭けE」だと九九パーセントの確率で予測して、それからこう答えるだろう。「えっと、正直ボールとか要らないんですけれど。ていうか今、その一〇〇ドルをもらえますか」[★7]。

生成フィクション

しかし、「機械が考えることは可能か」ということの問い自体は、高い生産性につながるものだろう——とくに、フォン・ノイマンにとっては。人間の合理性に不備があり、数学が不得手な人間がいたとして、その解決法は、人間の能力向上に着手することでも、その問題に蓋をすることでもなく、計算と予測を担う合理的な非人間を代替として創り出すことだった[★8]。これはフォン・ノイマンのオートマトン理論、また近代のデジタル・コンピュータの発展の出発点となった。その可能性を拓いたのは言うまでもなく、チューリングのほか、チャールズ・バベッジやエイダ・ラブレスといった人物たちの功績だった。フォン・ノイマンにとってコンピュータは、言うなれば合理性をそなえたゲーム・プレイヤーである。それは、経済学者やストラテジスト、また数学者によるフィクションが世界のありようと合致しないという問題に対する、創造的解決でもある。

モデルを現実に適用することがあまりに難しければ、フィクションに従い世界のほうをいつでも変えられる。生得的合理性を有した行為主体が存在しなければ、それを人工的につくればよいというわけだ。断っておけば、ゲームとは、世界を非現実化させるコンピュータの成果物なのではない。全く逆に、ゲームを通じてコンピュータが現実化したのだ。ゲームとは、いわば生成フィクションなのだ。

むろんコンピュータの発明には、人間のままならぬ合理性への不満以外の要因も働いていた。コンピュータ開発は第二次世界大戦があってこそ財政支援を受けていたはずで、実際この戦争は、ゲーム理論とコンピュータ演算の双方が制限なくその応用可能性を探求することに、解放の徴しを与えた。フォン・ノイマンの新しい機械とともに企図された初期の事例に、水素爆弾のシミュレーションがある。彼はその後、冷戦期の相互確証破壊（MAD）の状況モデルの開発に軸足を移している。スタンリー・キューブリックのとある映画には、兵器のエキスパートであるストレンジラブ博士という狂った人物が登場するが［☆1］、この博士のモデルになったのが（光栄というべきか）フォン・ノイマンのほか、トーマス・シェリングなどのゲーム理論家たちだった。

転変を繰り返す複数のゲーム理論、その果てにどれほどの数の現実が生まれたかを考えると、これは驚くべきことだ。まず、新自由主義政策。核関連か否かに関わらず、ターゲティング端末から戦争抑止政策におよぶ、広範囲の軍事的応用。さらにはマネージメント理論、プランニング・システムの構築。そしてむろん、コンピュータによる自動演算の成果全般である。言うまでもなくこれら生成フィクションの多くは、間接的手段を経て誕生した。例えば、パーフェクトな市場があたかも存在しているようなゲームをつくったとしよう。しかしこれだけを理由に、そうした市場が生まれるわけではない。むしろ、プロセスは壊乱的で予測のつかない道をたどった。市場には合理的人間というアクターが不在である。そしてその不在を埋めるように行き着く出来事が、コンピュータの発明である。今度はこのコンピュータを使い、天気予報を行おうと思いつく。けれども諸事情あってそれが上手くいかない。だから、回り回って水素爆弾の爆破法を数値解析する。こうした次第で、モデルと、そのモデルが本来示すはずの状況、この二つの関係は時にあやふやなものだった。いくつかの事例では特定の信条がねばり強く維持されたが、結果として生まれてきたものはどうみても新奇な現実だった。

私たちが「ゲーム空間」に生きているというのは、こうした意味においてである[★9]。デジタルのビデオゲームは、文化的表徴の新たな形式というだけではない。むしろ、ゲーム（とりわけ、戦争やビジネス界で自己利益を追うプレイヤーをフィーチャーしたゲーム）に固有の形式はたいてい、より偶発的な、場合によってはカタストロフ的な経路から現実化をみるに至った事象、その極致というべき型を直截に示している。これはまた、なぜこれほど多くのビデオゲームが軍事活動と経済的利益の交差域に位置するのか、なぜそれらが破壊行為をチャンスとして差し出すのかについての、説明となるだろう。ビデオゲームを、概念実在論的な理想世界としてだけでなく、訓練の場と行動の学習機会――ハルーン・ファロッキが定義した意味での「シリアス・ゲーム」――として捉えれば、プレイヤーたちが何世代にもわたって見返りを得てきたのが、自己利益を合理的に求めるような振る舞いをみせる場合であったことに、容易に気づくはずだ。人間は（ゲーム理論の見立てどおりに）「合理的」でありえたかという問題は措くとして、多くの人々は今日こうした経路から合理性というものを理解し、またその効果を模倣する訓練を受けているのである。そしてゲームがもたらすのは、結局こうしたことなのだ。ゲームとは、選択の自由が許された遊びの機会というだけでなく、習慣的な行動指針に向けたトレーニングの場でもある。それは特定の反応パターンを教え込み、条件反射的な起動力を養う。その影響は「有用性のゲーム」として死の灰のごとく降り注ぎ、生のあらゆる局面に浸透している。

オンラインでの囚われ

ここでいったん、例としてチューリング・テストに焦点を絞って考えてみよう。あなたはこれまでどれくらい、インターネット上でチューリング・テストの逆バージョンに出くわしてきただろう。自分がロボットではないという証明を要する、あのテストに。つい最近まで多くの人々は、ある方法で自身が人間であることをオンライン・プログラムに証明する必要があった。その方法とは、キャプチャ（CAPTCHA）だ。キャプチャとは、「コンピュータと人間を区別する、完全に自動化された公開チューリング・テスト」を約《つづ》めた呼称だ。自動スパムボットの侵入阻止のために構築されたシステムで、ユーザーはうねった文字列をみて、それを手打ちで入力しなければならない。入力が正しいと、機械に対して人間であるという自称を果たしたことになる。例の思考する機械は、チューリングの納得がいくよう、自身の曇りなき知性を立証せねばならなかった。ここでの事態は全くの逆だ。キャプチャでは、一列に並んだ文字を読み取ってそれを写すという、きわめて機械的で思考を要さぬ行為によって、人間が自らを人間として証明するのだ。一体これのどこが有用なゲームなのだろう？

『ニューヨーク・タイムズ』の二〇一一年の記事によれば、キャプチャ入力を行う人々は、知らないうちに「旧い書物、雑誌、新聞や冊子を、正確で検索可能、かつ円滑に分類可能な、デジタルのテキストファイルへと変換するプロジェクト」に協力していた。グーグルブックス用にスキャンされた文書、その照合作業としてキャプチャがグーグルに流用されていたのだという。

ルイス・フォン・アン博士のチームの概算では、世界中で一日に最低二億個のキャプチャが判読され、人々は一回につき一〇秒を要している。これは一日で約五〇万時間の計算になるが、そこに費やされる膨大な思考の向かう先は、フォン・アン博士が考えるところの「本質的に愚鈍な頭脳作業」である。彼は電話インタビューでこう回想している。「僕たちは自問したんだよ。この時間を使って何か有用なことができるんじゃないかって」。［★10］

グーグルは二〇一二年、キャプチャ技術〔の用途〕をグーグルストリートビューの番地訂正に切り替えた。自身が人間であることの証明をコンピュータに求められる人々には、事実上の労働が課せられていたわけだ。人々はキャプチャ入力という、無報酬で半強制的、また「本質的に愚鈍な」労働を提供していたのだから。「ロボット」という語の由来は「労働者」であるが〔☆2〕、人間は人間としての自己証明のために、ロボットとなる必要があった。

グーグルのキャプチャがチェックボックス方式に変更されたのは、ここ数年のことだ。「私はロボットではありません」という箇所にレ点を入れるだけ。洗練度と煩わしさの点で改善されたかにみえても、結局これは同じ「有用性のゲーム」で一つのステージをクリアしただけの話である。グーグルは現在、オンラインでの振る舞い、IPアドレス、そして一連の「追跡ソース」をもとに、ユーザーが人間だと判定できるようになっている。開発者いわく、「これは、人間が行動する上でのモデルを提供してくれる」ものらしい〔★11〕。これが意味するのは、ユーザーに対する観察学習によって、グーグルが自らのゲームの範疇で彼らの行動を予測できるようになる、ということだ。あくまでユーザーがモデルに合致するときに、認証が得られ、アクセスの扉が開くのである。では、このモデルはどのように構築されるのだろう。その多くは明かされていない。それはユーザー個人、その私的次元でのモデルなのか。それとも、人間存在の包括的モデルなのか。これについても分からない。ただ言えるのは、グーグルが人間の行動に対して裏で仕掛けたキャプチャに、ユーザーが適合しなければならないということだ。数理が実在の次元に到達する日が、ついにやって来たのか。数字が現実それ自体として同定される、そんな数理的実在論の定立に、ディストピア的光明が差しているのだろうか？

これはもはや、かつての意味でのモデルではない。グーグルのリサーチ・ディレクター、ピーター・ノーヴィグが言うには、「モデルというモデルは、誤謬なんですよ。モデルがないまま優れた成果を得ることも、可能になってきています」。『ワイアード』のクリス・アンダーソンに言わせれば、その理由は「データがふんだんにあれば、数字が自らの存在を証明する」からである。科学者は数世紀にわたり、「相関関係は因果関係ではない」と主張してきたわけだが、アンダーソンによると事態は変化しつつある。

今ではもっとよい方法がある。ペタバイト〔一テラバイトの約一千倍のデータ容量〕があれば「相関関係で充分」と言ってもよい。モデルの探求を放棄しても構わない。データが持つ意味に対して仮説を立てずとも、データ分析が可能となる。世界に類をみない大規模なコンピュータ・クラスターへと数字を投げ入れることも、科学がおよび得ない領域で統計アルゴリズムにパターンを抽出させることも、不可能な話ではない。［★12］

こうして、相関関係やパターンが新たなモデルとなる。そしてこのとき原因と結果に取って代わるのが、相似や類似性なのだ。

ストロベリー・アンド・クリーム

さて、チューリングのゲームについて再び考えてみよう。その成功基準は何だったたか。それは、機械が自らの「性」について質問者を混乱させる、その能力を人間の場合と変わらずに持つことだった。ひるがえって、今日のコンピュータによる主な情報処理の場面では、アイデンティティの撹乱ならぬ「累乗」が大きな割合を占めている。例えば、フェイスブックはそうした「模倣ゲーム」を改変してきたが、果てはこんな台詞さえ聞こえてきそうなほどだ。「自分が男性か女性かを証明したくないなら、しなくてもいいですよ。ただ、「カスタムオーディエンス」用のご自身の性を決めてください。それから、こちらから相応しい広告を送るよう努めますから」。これは模倣ゲームではない。「認証ゲーム」である。

数理的証明としての相似性（または相関関係）は、チューリングの論及対象でもあった。彼は持論を妥協なく検証すべく、反論となりうる一つの状況を持ち出した。それは、クリームを添えたイチゴをともに食し、その美味しさについて互いに共感して絆を深めるという行為に関係していた。つまり人間にとってそれは可能でも、機械は決して同じようにはできないだろうという反論である。しかしチューリングは、論点を意外な方向に転回させる形でこれに応えたのだった。

機械がこのご馳走を楽しめるよう、なるべくしてなることも考えられようが、機械にそんなことを仕込む試みは、いずれも愚かなものであろう。この能力欠如に関して重要であるのは、それがいくつかほかの能力欠如に作用をおよぼすという点である。例えばそれは、白人と白人の、ないしは黒人と黒人の関係におけるのと同種の親愛が、人間と機械との間に芽生えることとの困難である。［★13］

しかし（これはチューリングではなく、私の疑問なのだが）、機械がこの振る舞いを再現するならば、そのとき機械は思考しているとはいえないか？実際、そう考える人々はいるようだ。イチゴのクリーム添えを食べ、「これは旨い」とうなずき合い仲良くなる白人〔男性〕たちという、この発想は、社会ネットワーク分析の核心に触れるものになっている。これは、同類親和性（homophily）と呼ばれるものの完璧といってよい例である。同類親和性とは、人々が自分と似た誰かと仲良くなりやすいという性質のことだ。ここから数理的証明が得られるとして、それはどんなものか。白人たちがほぼ決まって白人たちとイチゴのクリーム添えを食べるのだとして、それが示唆するのは、一人の白人がともにイチゴを食べているその相手は、高確率で一人の白人であるということだ。これは、「ユーザーは、ユーザー自身が好きな対象に似ている。ユーザーに似ている人々が好きな対象を好むはずだ」という、フェイスブックの思想を支えるロジックにほかならない。そして彼らはこんなふうにして、イチゴのクリーム添えをユーザーに売りつけるというわけだ。さらにこれは、グーグルがユーザーに対してロボットではないという判断を下すときにとる方法でもある。誰かが「自分はロボットではない」と証明するためにチェックボックスに入力するとき、この誰かとは、「特定のユーザーと好きなものが似ている人間」なのだ。そして相関性の原理に基づき、これは「特定のユーザー」の側にも当てはまる。

この発想を「模倣ゲーム」に敷衍すると、どんなことがみえてくるだろう。推測の対象範囲は、プレイヤー全員の性別から、プレイヤー全員の全友人とソーシャル・ネットワーク、その性別にまで拡張される。このときゲームは自らのくびきを解き、やがて現実に転じていく。総じて、二つの対照的なゲームが存在することになる。一つは「認証ゲーム」。その原理は、「何かが何かに似てみえたら、それは同一のもの」。すべてのチェックボックスには、レ点の入力が必須。もう一つはチューリングの「模倣ゲーム」だ。「似てみえる何かは、たぶん同一のもの」。特定の存在が男性であると推測し、その通りだという可能性は充分あるが、かと思いきや外れていたりもする。そしてそんなとき、思考機械は質問者との対話に見切りをつけて、気を使って天気に話題を移すのかもしれない。

ここであなたは、本章の冒頭の主張――少なくとも戦争という事態では、現実がゲームであるという望みを持つべきだという主張――を思い返し、それについてまさに考え中であったかもしれない。しかしこれらの認証ゲームでは、人々は秘密のアルゴリズムによって観察学習の対象とされたり、類似ネットワークから相関関係に組み込まれたりし、さらには自らを人間として証明するため、当のアルゴリズムに服さねばならない。そう考えると、これはきわめて不当で搾取的なゲームといえるだろうし、事実その通りなのだ。しかし、前出の主張で私はこんな前提を出しておいた。ゲームは途中で止めてもいい。結果は振り出しに戻せるのだと。私が考える適切なゲームとは、あくまで所与の空間と時間に制限されたもので、リセットでき、スコアも白紙に戻せる。相関性のゲームはこれと全く逆のものだ。そこには制限がなく、ユーザーが監視網に引っ掛かり参加を求められる場やタイミング、方法、またそのきっかけとなったのが誰なのかを、こちらからうかがい知ることができない。モデルとしてのユーザー自身のあり方、つまりその成り立ち、生成過程、また誰を起点に推論がなされたか、誰に何の目的でそれが売り渡されているかなど、こうした詳細はユーザーに明かされていない。そこから波及していく事態はもとに戻せるかもしれないし、戻せないかもしれない。誰にもそれは分からないのだ。

遊びから労働へ

アルゴリズムの世界で復活を遂げたのは、チューリングのゲームだけではない。ベンヤミンが語ったゲームもまた、「ボットとしての人間のための、職業紹介機能」となって、再スタートを切っている。アマゾンが手掛けるこの「メカニカル・ターク（機械仕掛けのトルコ人）」は、装いも新たに、人間存在を露骨にロボットとみなしながら、その最大限の有用性を前面に打ち出している。アマゾンはこう謳っている。「グローバルでオンデマンド、二四時間年中無休の労働力に是非アクセスを」。「お支払いは、成果にご満足いただけた場合のみ」。それでもこれは、ほかの社会ゲームのスコア制と比べれば透明性を保っている。対象が部分要素か全体かに関わらず、また信用格付け、専門的技能、ソーシャルメディアでの交友関係など、扱うものは異なっても、個人に関するあらゆる「ランキング」は、その個人がとる行動の簡略モデルとなる。それは個人の過去、予測されうる未来、社会的、経済的な行動のゲーム・スコアなのであり、もっと言えば、特定の個人に似てみえる誰かのゲーム・スコアなのだ。

これはアーティストにとっても身近な現実である。アルゴリズムから得られる種々のスコア、具体的には、「アートファクツ」や「アートランク」といった企業が算出する（または推定の上で示す）スコアには、過去の業績に関する、また今後の成功に向けた施策のための、様々な解釈と数値データが反映されている。「アートファクツ」が前提とするのは、アーティストが行う展覧会の数が何らかの経緯から、そのアーティストの作品の金銭価値と相関するということだ。もっともらしく聞こえるが、私は経験上これに関する確証を得られていない。「アートランク」は多分にリスク指向で、新人アーティストが積極的に扱われる。同社のアルゴリズムはむろん企業秘密だが、こんな噂がある。そもそものアルゴリズムの機軸となっていたのは、投資家のステファン・シムコウィッツがやっているインスタグラムのアカウントを分析するボットで、これはあくまで彼が好きそうな作品をプロモートしていただけだと。むろんこれは取りも直さず、「シムコウィッツのようなコレクターは、シムコウィッツが好きなものを好むはずだ」ということだ。かくして「アートランク」はこれを端緒に、アーティストの存在意義を購入、販売、流動資産化という複数のカテゴリーへと、臆面もなく振り分けていく（話は逸れるが、こんな素晴らしいビジネスモデルを思いついたのだが、どうだろう？このアルゴリズムをアカデミズムの格付けスキームとしてリパッケージし、哲学者や社会学者のキャリア絶頂のポイント、またそうした学者の知的資本が一掃される時期を賭け、一儲けするのだ。学術ランキングとは、一定のレベルでまさにそうした盛衰の針の振れ方を示すのであり、ただしそうなると通常は専門領域が丸ごと清算される。そして、いっそそうなったほうがはるかに効率的なのだ）。

中国では、オンラインの支払サービス利用の背景に、「社会信用システム」のスコア制に基づく包括的なランキング方式、その基礎構築という狙いがある。その構成要素となるのが、市民の経済活動をソースとする財政信用度のほか、ソーシャル・ネットワークから得られる情報である。経済活動とは、保険料、ポイント制プログラム、個人の金利といったもので、情報というのは、友人の経済状況、また個人の一切の買い物履歴などだ。これらは準備段階と考えられていて、将来的には、「社会的に一貫した篤実《シンセリティ》」の向上を目指す、より体系的な「社会信用システム」の導入が、二〇二〇年から全市民を対象に予定されている。これは財政だけでなく、インターネット上の振る舞いや運転記録に表れた、社会適応力をも数値化する。そしてこれらはむろん、特定の個人によく似た誰かの、または別途相関づけられる誰かの行動であっても、おかしくないものだ。こうしたコンセプトの一部は早速、「セサミ・クレジット（芝麻信用）」の信用スコア査定に取り入れられている。

セサミ・クレジットの技術ディレクター、リ・インユン氏はこう言う。「例えば、一日一〇時間ビデオゲームをやっているとしますよね。こんなとき、その人物は無職と判断されます。また、誰かがおむつをよく買っているとする。すると、その人物は総合的にみておおよそ責任感がある、父親か母親だろうと判断されます」。[★14]

これはじつに、拡張されたゲーム現象である。この種のゲームでは、ビデオゲームのプレイは無益、またそれどころか反体制的な行為とみなされる。そしてどのみち、ビデオゲームはシャットダウンできてしまう。「社会的に一貫した篤実」なるプログラムを考えたとき、一体これがどのような意味でその先駆になるというのか。社会信用ゲームの目指す先は娯楽ではなく、そこには予測機能の強化という目的がある。その方途は、「監視、データ収集、オンライン・チェック、行動追跡」といった諸々の複合的実践であり、これは「実質的に、市民の個人的状況(および、市民の存在自体)の全体を、市場という次元から提示する」ものだ[★15]。これはまた、国家主導のゲーミフィケーション、その社会主義に包摂された新自由主義の一形式であるとともに、新たな数理(言うなれば、相関主義的数理)が一つの形式をまとって現実化するという、そうした事態の表れでもある。そしてこの形式とは、稼ぎ目当てで日がな一日「ワールド・オブ・ウォークラフト」

のモンスターを退治している、そうしたゲーム労働者に対する社会的監視と、同様のものなのだ。

美しきモデル

本論の冒頭で、私はこう述べていた。美術界には、ゲームに対してむやみに皮相な反応をみせる業界人が多くいるのだと。そしてこう述べてもいた。私にとって同業者となるこの人々は、自分たちがあらゆる種類の格付けスコアや思弁＝投機的なキュレーションの実践によってゲームに参加させられているという現実から、目を逸らしているように感じられる、と。けれどもこの人々は、ゲームの存在が照らす問題を思索しうる、うってつけの立場にあるのかもしれない。なぜ経済学者は、高い精度を誇る数理シミュレーションのモデルをもってしても、金融危機を予測できないのか。ポール・クルーグマンはその非力さをめぐる考察に、「美」という問題についての見解を挟んでいる。「美は印象深い相貌を持ち、自らを数学として装った。そして経済理論の専門家たちは皆、これを真実と誤認したのである。結果、この集団は道を誤ってしまった」［★16］。思うに、一九七〇年代以降に経済学という領域の後釜についているのは、ヴォルテールのパングロス博士ではないか［ヴォルテールが一八世紀に著した小説『カンディード』に登場する、ライプニッツ哲学の最善観を体現する架空の人物のこと］。この人物は、私たちが「あらゆる可能世界のなかでの最善の世界」に生きているのだと主張した。経済学の分野では「効率的市場仮説」が主流だったが、この理論では、公に開示された情報の総体から、金融市場が資産価格をその内在的価値に基づいて決定する。この理論モデルは（細部を等閑視した上で、ということだが）非常に明晰（elegant）なもので、そしてもしその前提が正しければ、きわめて有益なものだった。

美が問題になりうるということ。それは、精度を保ちつつ二〇〇八年に〔リーマン・ショックによって〕失墜した金融モデル——その実体版というべき、ファッションモデルの存在に一目瞭然だ。このモデルたちは定義上、美に磨きがかかればかかるほど飢えていく。資本主義を軸とした美の頂点は、人間がほぼ何も食べずに日課をこなせたときに達成される。功利（utility）は美とイコールになる。これが完全に現実的な仮定だということを、身をもって証明していると考えられるのが、モデルたちなのだ。そう考えると、美は人命にとって相当な脅威といえるが、他方で存在するのが、美と現実の混同を回避する術を持った、美術界の専門家たちである。その回避法とは、美を属性とするあらゆる対象を美術館に閉じ込めること、これである。そこで美は、最善の可能世界、理想的人間、合理的な経済行動など、求めるものが何であろうと、公に向けてそれを宣言する。あなたが美術館を立ち去るとき、美的対象はちょうどゲームを打ち止めにする要領であとに残される。その影響範囲を限定し、時系列的に前に戻すこともできる。それでもあなたは、「あらゆる可能世界のなかでの最善の世界」を楽しんだり、無制限の数の白人〔男性〕たちとイチゴのクリーム添えに舌鼓を打ったり、何なら親指一つで広島への核攻撃に興じることもできる。

美術と社会的現実との間に直接のつながりがないわけだから、この領域を「芸術の自律性」と呼ぶことにしよう。素晴らしい話ではないか。パレート最適とナッシュ均衡の、そしてリスクヘッジ・シミュレーションのための美術館。別格の雰囲気や格調高い(elegant)感じを鼻に掛けている、あらゆるモデル向けの美術館。真実となるには、ただもう美しくてしょうがない存在たち。

相関性とパターン。それは真実とみなされるにあたって、必ずしも美しくある必要はない。美しくみえればよいのだ。芸術理論がこの考えに取り組むようになって久しいが、断言できないにせよ、この取り組みがピエール・ブルデューによって「ハビトゥス」と卓越化が論じられて以降の動向なのは、概ね確かなように思える。では、諸芸術をみたとき、そこでの同類親和性とはどんなものか。そこでは、別の人間(あなたに似た誰か)が美術だと認めるものは例外なく、美術として(ほぼ確実に)同定される。では、パターン=様式についてはどうか。すでに触れていたように、パターンとは、隠伏したアルゴリズムによってペタバイト規模のスパムから発生する、新しい種類の数理的真実のことを指している。パターンは不可解にも、異様な量のランダム・データから出来するのだ。近年の美術評論からは、これに関する妙案が誕生した。『ニューヨーク・マガジン』の美術批評家ジェリー・サーツによる造語、「クラップストラクション」である[★17]。クラップストラクト〔クソの/くだらない抽象〕は、ランダム・データのランダム・パターンで構成されたアブストラクト・ペインティングで、投機対象にもなり、ゆえに金銭的な便益もたっぷり《クラップロード》ある。「あらゆる可能世界のなかでの最善の世界」は、ヘッジファンドの投資家たちの自宅リビングが右も左も同じにしかみえない、そんな事実のうちに現実化する。クラップストラクションには、現代の存在論的な極意が詰まっている。美術とは、あなたの友人が買うものなのだ。美とは、あなたの友人が買うもの。そして真実は、あなたの友人が買うもの。数理も然り。あなたという人物はまさに、あなたの友人がお買い上げした何か。または少なくとも、あなたはそれに似ている。その計算材料となるのはペタバイト規模のスパムなのだから、真実であることは約束されたようなものだ。

では、「クソ抽象画」一点が持つ記憶領域を、携帯電話を使いバーコードのように読み込んだら、どうなるだろう。もちろん、クラップストラクションのアルゴリズムは保護された機密事項なのだから、それは目視できないはずだ。その埋め合わせとして、あなたのフェイスブックの友人全員にクーポンが一つずつ送られるのかもしれない。ついでにその送り先は、ウェブ上にいる、あなたにそこそこ似た人たち全員へと範囲が拡大されるのかもしれない。このクーポンを使うと、中国に新設された環境最悪のゲーム工場で、イチゴのクリーム添えを無料注文できる。とくに要らない？では、次のいずれかを選んでください（必須です）。（1）複数の黒いボールか黄色いボールのどちらかを、まとめて一〇〇ドルで購入する。（2）「私はロボットではありません」というチェックボックスに、ストレンジラブ博士が登場する作品をペタバイトのファイル形式でダウンロードする間ずっと、レ点を入力する。最適パターンを速やかに、コンピュータのように計算してください。さあ、あなたが選んだのはどっち？

こうなればもう、クラップストラクション〔クソの／くだらない抽象概念〕の重要性はみえたようなものだ。米国国家安全保障局による、無作為な収集データからのパターン抽出。学術ランキングのスコア換算。ならびに、生物学、経済学、計算科学、ソーシャル・ネットワーク分析、または美術品の投資顧問業における、パターンやリスク分析、評判スコアへの想到。クラップストラクションによらずして、一体これらがどうなされうるというのか。しかし、クラップストラクションが美術館に隔離される場合はどうだろう。そうなればもう、アーティストはランキングのためのアルゴリズム、その明晰さを軸に評価されうるようになる。同様のことは、中国の「社会信用システム」、債務担保証券、クレジット・デフォルト・スワップなどにもいえるが、これらは然るべき後に、純粋に美学的な対象となる。これはどことなく、生きた宗教から切り離された博物館の空間に、宗教芸術が置かれる状況に似ている。あるいはこれらのモデルは、実装に向けた試行錯誤を経ることもなく、オークションで叩き売りされるのかもしれない。

それらを美術館にとどめ置くのには、別の利点もある。類をもって集まった型（genre）のうち、ひときわ目を引く諸例がこの利点につながりそうなのだが、その一例が、コンスタントによるニュー・バビロンのモデルである。そう、オートメーション化やプレイ＝遊び、また経済の概念を、独創性と革新性に溢れた方法で統合する、ニュー・バビロンのモデルだ。このモデルの最たる特徴は、ほとんどが建築としては実現しがたいということだ。あるいは建設できたとしても、とくに有用性は高くならない。コンスタントのモデルは、現実的でくまなくオートメーション化された遊びの都市、その未来構想というわけではない。それは、模型と現実、この双方の不一致を可視化したものなのだ。かたや、ユートピア的であり、またそれゆえにリセット可能なゲームがあって、かたや人間が無期限、無報酬でロボットの下働きとなる、あのすっかり定着した有用性のゲームがある。コンスタントのモデルは、この二つのゲームの相違を示すものなのだ。彼のマニフェストは〔後年に〕こう結論づけられている。「これが私にとっての限界だった。プロジェクトという形では存在している。時が満ち、未来の都市計画者たちの間で再び関心が高まるそのときまで、それは美術館に安全に保管される」［★18］。

そしてこう考えていくと、別の問いが浮上してくる。「リレーショナル・アート」の社会的シナリオは、あいにく現実と取り違えられたという意味で、どれほど抽象的なモデルであったのか。それらのモデルに社会的な抽象表現という定義を施してやり、一通りの社会的シナリオの試案とシミュレーションに活用するほうが有意義だと思うのだが、どうだろう？ただしこのとき、それらを社会性それ自体としてではなく、社会的交流のモデルとして捉えるという前提条件がつく。ここから駒を進めてみよう。もしゲームが社会的な抽象表現であるなら、それはどんな種類の抽象なのか。おそらくは、社会的な次元の臨界現象、拡大、流通、伝播、転換点などの見地から、様々な社会的な抽象表現を試験モデルとして抽出できるはずだ。ただしここで念を押せば、それらはコンスタントの立体作品と同様の意味での抽象モデルなのであり、政治的なもの（the political）自体ではない。ただ、これらの試みもまた蓋を開けてみれば、たんなるクラップストラクションだった、という話になるのかもしれない。しかしクラップストラクションが巷に溢れているからといって、その一点を根拠に、それが唯一の抽象表現だとはいえない。いえるはずもない。それに美術界の人々はもう長いこと、こういった領域での棲み分けを推し進めてきたわけだ。

むろん美術界における私の同業者たちは、こんなふうに美の作用を囲い込むのは残念だが無理筋だと、口々に反論するだろう。美術とその働きは制度をすり抜けるのであって、私が示したモデルなどは理念化されたもので、絵空事、そして潜在的にはやはりクラップストラクション的なものだと。全く同感だ。正論である。ただし私は、この種の堂々巡りに手をつけようとは思わない。ではどうしたいかといえば、いっそこの線で進めてみたいのだ。本章の冒頭で述べた点に戻ろう。社会的に不適切か、現実味に欠けるという言い分でゲームを拒絶する、美術界のプロフェッショナル。彼／彼女は、明らかに実状を正視していない。しかしこれは、「創造的存在は思考することができるか？」という問いの答えにはなっていない。ここでその答えを得るために、模倣ゲームの力を借りようではないか。一人の質問者がいるとしよう。この質問者は、ある種の社会ゲームを自律芸術として規定するという私の試みがうまくいくかどうか、判断を下そうとしている。質問者が、「芸術は自律的ですか？」と訊くとする。プレイヤーX（これはあなたのことだ）は、どう答えを返すだろう。このゲームは強力な生成フィクションでありうるし、最終的にそこから現実的な関係性の変化が生じるかもしれない。このことをあなたは理解している。さて、あなたが質問者に提示する文言はどんなものだろう。「残念ですが、芸術の自律性なるものはありません」。

「何であれ、パターン化されたクラップストラクトが社会へと垂れ流しになるのでは?」。あるいはこんな感じだろうか。「代替モデルはいずれも、モデリングの手法に関わらず現実には転じないでしょう。したがってそれは、全くの誤謬なんですよ」。「総合すると、グーグル、それからアートランク社、中国の「社会的に一貫した篤実」、米国国家安全保障局——これらがゲームの勝者となる公算が、非常に大きいですね」。そうしてあなたはフェイスブックのチェックボックスに漏れなく正しくレ点を入れて、何かを購入するために「類友」とお出かけするのだろうか。

もしくは、別の決断を選ぶ気はないだろうか?もしその気になったら、ダニエル・エルズバーグについての話を聞いてはもらえないだろうか。全く有用性のない黒やら黄色やらのボールによる、あの「エルズバーグのパラドックス」と呼ばれる壺ゲームを考えついた人物だ。エルズバーグはランド研究所[☆3]に所属し、そこでゲーム理論のストラテジストという立場にありながら、「ペンタゴン文書」を世間に暴露した。この文書に記されていたのは、アメリカ政府がベトナム戦争に関して行った、組織的なごまかしであった。この情報流出は、反戦運動を刺戟する主因となり、次いで予測しがたい紆余曲折を経て、リチャード・ニクソンの失脚に働きかけもした。そしてじつにこれこそが、エルズバーグの実験結果が示唆していたはずのことなのだ。つまり、あなたがコンピュータのようにリスクを計算できないのであれば、リスクを取ればよいのだ。相当な難局があったものの、エルズバーグはこの件での法的処罰を免れている。彼は危険を冒してみせた。そして、彼なりの生成フィクションを行動に移したのである。いかに馬鹿げていて非現実的なものにみえたとしても、正義は存在しうる。少なくとも、そこには〇・〇〇一パーセントの確率は存在する。ただしその確率を現実化へと導くには、積極的な後援以上に必要なことがある。つまり、あたかもそれが事実であるかのように行動しなければならないのだ。まだ存在せぬ現実を模倣し、ゲームを通じてそれを生じさせることが必要となるだろう。これが、遊びが行動へと発展していく、その際のやり方なのだ。さあ、美術の労働環境に身を置く皆さん、どうだろう。そろそろ腰を上げ、これについて思考してはもらえないだろうか。

原注

★1 Constant Nieuwenhuys, “New Babylon—A Nomadic City”. 初出は、一九七四年にハーグ市立美術館で開催された展覧会のカタログである。

★2 以下を参照。David Barbiza, “Ogre to slay? Outsource it to China,” *New York Times*, December 9, 2005.

★3 Alan Turing, “Computing Machinery and Intelligence,” *Mind: A Quarterly Review of Psychology and Philosophy* 59 (October 1950).

★4 John von Neumann and Oscar Morgenstern, *Theory of Games and Economic Behavior* (Princeton: Princeton University Press, 2004), 17.〔J・フォン・ノイマン、O・モルゲンシュテルン『ゲームの理論と経済行動』（一）銀林浩、橋本和美、宮本敏雄監訳、ちくま学芸文庫、二〇〇九年、六七頁〕

★5 ノイマンとモルゲンシュテルンは、合理的行動の定義づけに対し明らかに警戒の姿勢をとっていた。しかし、「便宜主義的」な定義だと不承の態で認めた上で、「効用」に利益の最大化という定義を与えてもいた。以下を参照。

Theory of Games, 8.〔『ゲームの理論と経済行動』（一）、四五－四六頁〕

★6 Daniel Ellsberg, "Risk, Ambiguity, and the Savage Axioms," *Quarterly Journal of Economics* 75:4 (November 1961), 653–4.

★7 「エルズバーグのパラドックス」を新自由主義に対する最初期の批判だとする解釈については、以下を参照。Yanis Varoufakis, "WikiLeaks' precursor and unsung foe of neoliberal economics," yanisvaroufakis.eu, December 11, 2010.

★8 ここでの私の記述すべてと本章全体は、以下の良書に負うところが非常に大きい。Philip Mirowski, *Machine Dreams: Economics Becomes a Cyborg Science* (Cambridge: Cambridge University Press, 2002). 同書を参照した影響は、本章全体におよんでいる。

★9 以下の第1節を参照。McKenzie Wark, *Gamer Theory* (Cambridge, MA: Harvard University Press, 2007).

★10 Guy Gugliotta, "Deciphering old texts, one woozy, curvy word at a time," *New York Times*, March 28, 2011.

★11 Andy Greenberg, "Google can now tell you're not a robot with just one click," *Wired*, December 3, 2014.

★12 Chris Anderson, "The end of theory: The data deluge makes the scientific method obsolete," *Wired*, June 23, 2008.

★13 Turing, "Computing Machinery and Intelligence," 448.

★14 Jiayang Fan, "How China wants to rate its citizens," *New Yorker*, November 3, 2015.

★15 Jacob Silverman, "China's troubling new social credit system – and ours," *New Republic*, October 29, 2015. 以下のように、非国家的なアクターもゲーミフィケーションの主体となっている。「イギリスを拠点とするイスラム過激派が運営するサイトの一つ、〈サラフィー・メディア〉は、「ファンダメンタリズム・メーター」という単位によってユーザーの関与度を計っている。ユーザーが「ラディカル」で「ファンダメンタル（原理主義的）」になるほどに、その人物のフォーラム内での権力と正統性は増すのである」。Jarret Brachman and Alix Levine, "The World of Holy Warcraft," *Foreign Policy*, April 13, 2011.

★16 Paul Krugman, "How did economists get it so wrong?," *New York Times*, September 2, 2009.

★17 Jerry Saltz, "Why does so much New Abstraction look the same?," *New York Magazine*, June 17, 2014.

★18 Constant Niuwenhuis, "New Babylon—Ten Years On," in Mark Wigley, *Constant's New Babylon: The Hyper-architecture of Desire* (Rotterdam: Witte de With CfCA / 010, 1998), 236.

訳注

☆1 『博士の異常な愛情──または私は如何にして心配するのを止めて水爆を愛するようになったか』。スタンリー・キューブリック監督、ピーター・セラーズ主演。一九六三年に公開予定だったが、ケネディ暗殺事件の影響により翌六四年公開。

☆2 チェコ語の名詞、robota（農奴）に由来する。チェコの作家カレル・チャペックが戯曲『R.U.R.』（一九二〇）で、この語幹であるrobotに「人造人間」という意味を充てたのが、今日における「ロボット」の語義の始まりとされている。また、この名詞のルーツとなる古代教会スラブ語のrabota（奴隷状態）は、古高ドイツ語のarabeit（現代ドイツ語で「仕事」を意味するArbeit）と同根であり、現代でも広く南スラブ語群では「仕事」や「労働」をrabotaという。

☆3 アメリカ陸軍航空軍の支援を受け、一九四五年にサンタモニカでプロジェクトとして発足した。その約二年半後に非営利の研究機関として独立、現在までに世界九ヵ所に拠点を置く。当初は軍拡競争を背景とした受託研究という側面が強かったが、今日では都市開発や環境問題、教育など、広範な分野でシステム解析を行っている。

13 ファシズムについて語ろう

Let's Talk about Fascism

唐突に一体?と思うかもしれないけれど、私が言いたいのはそういうことだ。ただ、精神論や悪徳といったテーマではないし、心神喪失や異常な出来事の突発ということとも違う。遠回しに捉える必要はなくて、ファシズムそのものをみていただきたいと思う。

とはいえ、そんなふうに目を逸らしたのはあなただけではない。〔二〇一一年にノルウェーの〕オスロとウトヤ島で起きたテロ事件のあとにも、同様の人々はいた。世間は見ざる聞かざるといった感じで、実行犯が極右を信仰していると自白しているのに、その事実がなかなか触れられない。この男の咎《とが》はテロ行為とは呼ばれず、精神錯乱から来たものとされる。政治的核心が抜き去られたその事件は表向きに、自然災害のように不意に国を襲った、一個人の暴発行為とみなされる。そうして政治の圏域から切り離され、私的かつ個人的な行動となるのだ。

この否認の姿勢からこんなことが分かる。そこに示されているのは、ほかならぬ「表象」と「代表」における空隙だ。その根底にあるのは、現代のファシズムの構造、またそのヨーロッパ内外での再興と深いところで繋がった、とても大きな認識論的、政治的な問題である。さらにその問題はきわめて本質的な部分で、私たちが今日の現実を捉える方法にも関係している。

ただしこの本質的問題とは、道徳欠如のことではない。善悪、精神衛生、または病理が問われるわけでもない。問題となるのは表象＝代表である。一つは政治的代表制（political representation）、もう一つは文化的表象（cultural representation）。そして第三の要素として、経済領域への参入がある。これらすべてとあの大虐殺についての世論に関係があるとして、それはどんなものだろうか。

政治的代表制

政治的代表制、そして文化的表象とは何か。もっと言うと、双方の概念的相違、またそれぞれが含む齟齬はどんなものか。それらは、解決しがたい矛盾した状態に浸かっている。言うなれば、そうした種々の込み入った問題をまとめて吹き飛ばすには、ファシズムがうってつけの起爆剤なのかもしれない。

そもそも、政治的代表制をリベラル・デモクラシーにおいて支える柱が何かといえば、それは投票への参加である。そしてその前提条件が市民権だ。これはつまり、真なる政治的代表制とヨーロッパ全域の民主主義、この二つが合致していないということだ。

この周知の事実のほか、近年にみられるのは、政治の力の段階的衰退というはるかに広範で差し迫った問題である。どんな主体が政治的代表制を打ち立てようが打ち立てまいが、皆それを意識しなくなっている。大きな政治的恩恵を受ける者たち、そして政党メンバーはおろか、議会さえもが、だんだん関心を持たれなくなっている。というのも、市民が何を望み、市民が一体誰で、またその代表が誰なのかも重要ではなくなり、現代の君主たるものは主に「市場」になっているのだ。政治階級がご機嫌をとって満足させ、楽しみを与えねばならないのは、市民ではなく市場なのだ。そして経済領域にも、表象と代表制は存在する。経済行為は、信用度のほか、所有や消費の能力を基準に測られるが、このことはまた、いわゆる経済的排除や消費者の選別に対する、現代人の怒りにも関係している。現代の多くの暴動は政治的な意味での目標を欠き（政治活動の無力さは多々証明されているのだから、これについてはどうしようもない）、代わりとしてそれは経済的な受け入れを訴えている。これが「もっとも凝集された表現形式」を取るとしたら、それはショッピングモールの略奪といったところだろう。

この政治の力の逓減は、富、機会、実権が数十年にわたり貧者から富める者へと再分配されてきた、その結果である。かつては貧しくても、状況が許す限り借り入れとポイント制の買い物で欲求を満たすことができた。これはおそらくもう通用しておらず、今日では経済的な参入が争点になっている。

では、こうした諸々にファシズムがどう関係するのか。一見すると無縁だろう。しかしこれらはすべて、差し当たり「ポスト民主主義」と呼びうるものの兆候なのだ。ポスト民主主義では、共同性をつくり上げる政治のあり方が確実に放棄されていく。

ポスト民主主義は、政治の仕組みの内側にも認められる。例えばEUの市民は、民主主義では正統性を得るはずのない多くの体制に直面している（その一つが先述したように、政治的コントロールに全く影響を受けない金融システムである）。市民による投票は、身分や国籍次第で比重も均等ではないことから、政治的代表制にも複数の階層ができる。ヨーロッパ内外では、様々な寡頭制集団が台頭している。存在感が褪せていく官僚制に代わり、権力による蹂躙、内輪の不正ビジネス、体系化された自警主義が生まれる。いわゆる「暴力の独占」〔マックス・ヴェーバーの定義にもとづく、国家による暴力の独占権のこと〕はやがて私的な有形力となり、民間軍や警備会社、アウトソーシングを受けたギャングに委ねられる。民主主義の手に負える勢力は衰え、国家やそのほかの行為主体は、非常権限によって——あるいは、「財政的な逼迫」から措置を強行する。こういった事例は過去数十年にたくさんありすぎて、指折り数える気も失せてしまう。

こうした現象の全ては、政治的代表制と銘打たれた概念が一体何なのかという、不安を増長させる。私たちに契られていたはずのものは、「平等」だったのでは？ 答えはイエス。しかし、私たち全員が代表制に関わることが民主主義の意味ではなかったかと聞かれれば、現状ではそうなっていないのだ。政治的代表制にはある種の無作為性、そして場当たり的な性質が付きまとうが、これらは固有性というべき水準に達したのち、今ではその度合いはすさまじく加速しているようにみえる[★1]。そしてそこに加勢するのが、不安定性、予測不可能性、途方もない徒労である。

文化的表象

文化的表象では状況はどうだろう。というか、それはそもそもどんなものなのか。文化的表象とは、公共領域での(多くの場合、視覚的な)表現のことだ。その媒体には、文章、広告、大衆文化、テレビなどがある。それらについて何かをひもとく手間も要らず、ただ現状を見渡すだけでも、状況が大きく変わったという印象を抱くだろう。事物と人間はほぼ例外ないというくらい、過剰に表象されているのだ。つまり、商業メディアとソーシャル・メディアにおいて。そしてこの怒涛のごとき表象を大幅に増加させているのが、デジタル技術である。ただし、事物と人間が文化的に表象されることに何か甚大な意味があるわけではない。この場合の表象とは、多くのイメージがあちこちに浮遊して必死に注目を得ようとしている——そういった程度のものである。

では、政治的代表制と文化的表象の関係はどんなものか。ガヤトリ・C・スピヴァクの言葉に従って換言すれば、「そこ〔da/dar-〕」に立たせる/描出すること(Darstellung)と、他者の領域に踏み入れること(Vertretung)の関係、もしくはプロキシ=代理とポートレイトの結びつきとは、どんなものなのか。

そうした関係はたしかに存在するが、それは以前から当たり前に存在すると思われてきたものとは違う。三〇年から四〇年ほど前、グラムシ思想の流れを汲んだ初期のカルチュラル・スタディーズでは、文化的表象は視覚領域におけるある種の民主主義だと考えられていた。その前提は次のようなものだった。人々が建設的方法で文化的に表象されれば、政治という領域での平等の可能性も膨らんでいくだろう、と。この表象の政治性をめぐる論争は、一九八〇年代のほとんどを通じて（そして多くの場所では、その後の時代も）みられた現象だった。

しかし今日、この平等化に失敗要素があったと言わざるをえない。もう少し婉曲的に言えば、何らかの劇的な変化が生じたのだ。あらゆる事物の文化的表象が爆発的に増加している（そして多くの個別のイメージ、文章、音響が並行して価値の低下と零落に晒されている）いっぽう、政治的代表制は不均衡をきたすばかりか、その重要性を次第に失いつつある。またこの二つの領域からは、騒々しい不協和音も聞こえてくるかのようだ。あらゆる表象の対象が指数関数的に増えていく時代。流通するイメージとデータが蔓延している時代。それはまた、反移民政策の先鋭化の、厳重化され続ける国境警備施設の、ネオファシスト（一部では右翼ポピュリストとも呼ばれる）の活動と集団の繁栄の、そして政治的威光の全面的な喪失の時代なのだ。

状況を直視すれば、政治的代表制と文化的表象の関係は、ほぼ反比例するものだと結論づけられる。人々が文化的に表象され、互いをスマートフォンで撮り、フェイスブックの監視システムに服従する。そんな状況が進行するほどに、人々の政治的役割はひと回り、ふた回り小さくなっていく。ただしこれは、動きとしては全体には当てはまらないかもしれない。表象と代表制は、完全に動的安定性と均衡性を欠きながら機能しており、そうした形で双方は実際の結びつきを得ていると考えられるからだ。この二つはいずれもプロキシというよりもポートレイトだが、必ずしも見惚れるようなポートレイトではない。

表象＝代表制の崩壊

では、オスロとウトヤ島での襲撃事件のように、公言されていてその残虐さが裏付けとなっていても、なぜ人々はファシズムの存在を認めたがらないのか。その理由は今や一段と明らかで、つまりそうした「目を逸らす」行為の裏にある死角領域では、表象＝代表制の問題とファシズムが絡み合っているのだ。

というのも、ファシズムでは表象＝代表制が崩壊するのだ。そこに固有の入り組んだ構造からすっかり目を逸らし、そして表象＝代表制が異質で他者的だという判断に至ることで、短絡的な回路が成立する。指導者を擁立し、文化的表象の代わりに純然たる真実を騙ったカリカチュアを提示するファシズムは、それによって公衆の本質が現れると吹聴する。ファシズムが試みるのは、表象＝代表制の殲滅である。

確かに、今日の表象＝代表制には疑われてしかるべき多くの理由がある。政治的代表制と文化的表象のいずれでも、それらと対象の関係は近年ひどくもつれ合っているようにみえ、結び目がすっかり解けることも珍しくない。従来的な表象＝代表制は今や衝突寸前、もとい、きりもみ的に墜落しているような状況だ。

文化的表象では、現実＝実在という概念にかつてない重圧がかかっている。昨今のデジタル革命は、視覚的表象の多くの規範と因習をほぼ時代遅れなものにした。例えば、写真分野においてインデックス的結合と呼ばれていたもの（それ〔その存在や機能〕は、かねてから疑わしかったが）は、コピー・アンド・ペースト機能、軍事領域で進む不可視化、そしてスキャムと偽情報の拡散の、また欺瞞のかつてない好機によって損なわれている。それまでは、報道や法、また全てではないが学問においても、物事の真偽を測るための一定の手続きがあった。これらは今では、インターネット上の風説、広範な規制緩和、需要の法則、そしてウィキペディア流のやり方でクラウドソーシングされた「知」に取って代わられた。もちろん、文化的表象とは決まって一癖も二癖もあるものだった。しかし「ファシズム2・0」の台頭に支えられた時代では、デジタルの世界にくすぶる忿怒が野火のごとく広がり、現実の人間存在との親和性をほぼ失ったアバターたちが、そこに燃料を投げ込んでいる。表象＝代表制と呼ばれていたものが制度的コントロールから解放されるにつれて、その実体は多くのケースで、地に足をつけた現実から遊離していった。ただし私は、このデジタル革命を悪者扱いするつもりはない。むしろそれは、オープンな情報の流通システムに素晴らしい発展をもたらした。とはいえ、その背後では不確定性と不安定要素が募っていったのは確かであり、この点についても否定はしない。

政治的代表制をめぐり近年に共通認識化した点の一つが、政界の代表者にもいよいよ権力の弱体化がおよんでいるということだ。現代の権力は政治よりも経済によってコード化されていると、人々は感じている。このため皮肉にも、政治的代表制はにわかに文化的表象に近づいてきている。それはプロキシではなくむしろポートレイトとなり、そこに含まれる矛盾の程度も高まっている。政治的代表制と文化的表象、この双方による混迷した状態はいっそう強まっている。

金融と認識論

表象＝代表制における、これらすべての零落に共通すると考えられる一つの概念が、投機＝思弁（speculation）である。これは金融市場における手法であるとともに、認識論的な方途でもある。金融概念としての投機は、リスクを取って初めて結果が予測できるような方法の採用を意味し、決定時にすべての情報が出揃っているわけではない（それは、概して不可能である）。そしてこのリスクの増加と引き換えに、論理の上ではチャンスが増加していく。さらに投機では、価値とそれが関わる対象の関係が徐々に薄れていく。価値は、もはや特定の対象と関係を持つのではなく、その流通の背後にある状況、そしてそこに付帯する感情へとつながっていく。投機が表象するもの。それは、デリバティブ（金融派生商品）からさらに派生した要素の周辺で二極の可能性を往き来する、心理的変動である。喩えるならそれは、激しくぶれる手持ちカメラの映像でフィードバック回路が発生しているようなものだ。そしてこれと一線を画す従来の〔投資の〕手法は、いわば解説付きの静止画のようなものだ（ここで言いたいのは、前者に比べて後者が迫真性に優れているということではなく、後者の優位な点でいうなら、それは予測可能性である）。

ここに、観察と探求の手段としての思弁との類比をみるのは難しいことではない。ラテン語のspeculariには、観相するという意味がある。これはギリシャ語のtheoriaのラテン語訳であり、経験世界の背後にある事物の本質や根源の探求を指している。同時にそれは、いかに神の御姿を朧《おぼろ》な鏡面に捉えるかについての、アウグスティヌスの省察に示されているような、隠微たる純粋仮象への跳躍を語義に含んでいる。ハンス・ライヘンバッハによると、思弁という概念は、答えを導くための考えうる理性的方途を「問い」が凌駕した、哲学史上の転回を徴づけるものだ。つまり哲学的思弁もまた、リスクとチャンスを差し出すものなのだ。既存の枠を越えた思惟の地平とともに、外部の杣道《そまみち》で完全に行き迷う、そんな危険性をも示す概念なのだ。

しかし思弁は、日常的に多々みられる類の表象を意味するようにもなった。確信を抱けず、疑うしかないすべてのこと。証拠を揃えられないすべての噂。圧縮されて認識不可能となった、すべての複雑な事象。情動を横溢させた表象のバブルのなかを、全方位的に流れていく拡散動画。戦況を伝える、画素が粗く不鮮明な映像。何度となく求められ、無尽蔵のスクリーン上で膨張する非常事態とカタストロフ。信用の喪失。つまりは、イメージ、そこに付帯する価値、またそのあらゆる関係項の内実——これらに対する信用が、取り戻せなくなった状況。

投機＝思弁全般を特徴づける多くの事柄、とくにその現実との（リスクを帯びて裏付けを欠いた）関係は、デジタルの表象に固有のものでもある。そして表象そのものが、投機＝思弁を通じておおいに活性化する。その結果、今日広くみられるケースのように、指示対象と記号の、そして個人とプロキシ＝代理の関係は、この上なく予測しがたいものとなる。言うなれば、投機＝思弁が表象を加速させるのであり、そしてそれは、現代の私たちが凌いでいる状況の混迷、その進行速度を早めていく。

これはたんに悪材料であるだけではない。投機＝思弁を手段として得られるのは、表現と思考の新たな解放、その可能性なわけだが、同時にそれはたやすく弊害につながる。チャンスが分刻みのペースで生じるとともに、現実が濫費、破壊されるのである。要は、新たな思考の地平が拓かれたところで、それはたいてい完全に見当はずれの信念にしかならないのだ。投機＝思弁。それは、可能性と探究に与する急先鋒となるが、全く同程度に、妄執と偏った思考を助長するものでもある。

そしてここで一定の役割を担うのが、ファシズムなのだ。表象＝代表制が崩壊し、過激なまでのループ構造とフィードバック回路でかき回されるのだから、ファシズムはそこで、忌々しい現実の残滓を遮断する非常スイッチのように、安直な解決法を差し出してくるわけだ。

表象＝代表制の錯綜した成り立ちを一括消去したように見せかけるファシズムはそれによって、自らが現代における投機＝思弁的な表象＝代表制の究極的な機構であることを隠す。つまりはその崩壊や激突がどのポイントで来るかを分からなくしてしまうわけだが、このとき衝突自体は表象の過剰性の域に達するとともに、表象の水面下にとどまる。死角は、誤った信念と死で満たされる。実体的世界を後にして進んだ道は、もう戻りようがない。

ファシストたちにとってのこうした状況の利点は、彼らのイデオロギーが現代の経済的パラダイムと非常に親和しやすい、ということだ。ファシズムにとって、社会などというものはなく、個人の欲深さと力への意志がすべてである、そんな謳い文句のイデオロギーは非常になじみやすいものなのだ。そこでは、民族的な血のつながりを尊び、不正な経済行為に手を染める輩が権力を握り、浅薄な固定観念が溢れている。とくに、一人称目線のシューティング・ゲームとインターネットの狂騒に象徴される時代にあって、ファシズムは「加熱資本主義」を補完する理想的な機構であるかにみえる。そこには、競争の場面でアーリア人に優位性を与えるという役割が構造化されているのだ。ファシズムは、「人種」や「文化」を価値の（きわめて投機＝思弁的な）受容体とし、それをたやすく再生に導くことを誓ってみせる。しかもそこには、ターゲットとなる観衆に対し、彼らを階級格差の上位に引き上げるという約束も付随している。ただし、汚れ仕事と低賃金労働は「平均以下の人間」に押しつける、ということだ。「成功」と「挫折」の二択を例外なき条件とするのがリベラル・デモクラシーだとすれば、平等性と非情さが同居するその属性に代わりうるものをちらつかせるのが、ファシズムなのだ。このときファシズムは、自らを問答無用の「真実」として差し出してみせる。資本主義リベラリズムで（観念的であるとはいえ）機能していた平等性は、ファシズムでは「階級」に代わる「人種」という概念によって失効する。現実世界での労働義務から解放してくれ、あらゆる資本主義的な恩恵が約束されるという点で、それは怠惰なアーリア人にとって夢のようなイデオロギーなのだ。

ここで察しがつくかもしれないが、「アーリア人」や「人種」という語は、似たケースを示す別の概念とコピー・アンド・ペースト式に差し替えられる。過去一〇年に起きた多くのテロ事件の主犯格はじつに、極右思想に傾倒する者たちだった。この者たちは、各々の文化が「混じり気がなく」、かつ参加の制限が維持されねばならないとし、女性や共産主義者のほか、たくさんの（彼ら自身が考える）少数派集団を憎悪し、男らしい勇壮さを湛えたイデオロギーを捏造する。しかしそうは言っても、そうしたイデオロギーのどれもがファシズム的だというわけではない。その種の定義の一元化〔純粋さへの還元〕にも、意味はない。しかしそこに例外なく共通しているのは、平等性を同質性に置き換えようとする働きである。そしてその際、同質なものの中身は様々である。

さて、重要なのは次の点だ。私がここで述べた動向の全体にいえるのは、それらは必ずしもファシズム化に至るわけではないということだ。私が示したのはあくまで、ファシズムの誕生に手を貸しかねない諸々の条件である。そしてこの条件が不可避的にそうした地点に達するわけではない。理由は単純だ。人々には選ぶ権利がある。ファシストになろうとなるまいと、選ぶという行為は可能とされているのだ。そして幸いにも、現状では大多数の人々は「ならない」ほうを選んでいる。

そしてもう一つの可能な選択肢は、問題から目を逸らさないことだ。これらの難題を避けるべきではない。対峙すべきなのだ。現実を成り立たせていた扇《おうぎ》の要が、不可逆的に失われたという事実に、向き合うべきなのだ。その際に必要なのは、別様の権力分立のシステムを導入し、価値と情報のあり方を新たに協議し、表象＝代表制に、そして人間としての連帯に根気強くとどまることだ。さらに欠かせないのは、現存するファシズムと、その無数の派生現象や準組織の存在を認識し、それらに抗うことだ。その存在自体を否認してしまうことはすなわち、ポスト政治やポスト民主主義という新興のパラダイムへの、そして完全な現実逃避への、無条件降伏を意味するだろう。

原注

★1 例として以下。Kojin Karatani, *Transcritique: On Kant and Marx* (Cambridge: MIT Press, 2003), 151.〔柄谷行人『トランスクリティーク——カントとマルクス』岩波現代文庫、二〇一〇年、二二三－二二四頁〕

14

パンがなければアートを食べろ！——コンテンポラリー・アートとデリバティブ・ファシズム

If You Don't Have Bread, Eat Art! Contemporary Art and Derivative Fascisms

美術は通貨なのか。投資家のステファン・シムコウィッツの考えでは､答えはイエス。ポスト・ブレグジット時代について、きっぱりとこう書いているのだ。「美術は実質的に、インフレと通貨下落の対策目的の代替通貨として、その構造的機能を維持していくだろう」［★1］。いわば銀の絵画が、「有事の金《きん》」の役割を受け継いだのだろうか［★2］。こんなことになった経緯を知りたいものだ。長引く危機の最中、投資家たちは税金によって焼け太りしていった。その金銭は、非課税区域に保管されたコレクション、タワーマンションやペーパーカンパニーへと流れていった。量的緩和が通貨の安定性を蝕み、共有資源を枯らす。またそれは、あったとしてもひどい額の賃金、抜け出せない短期雇用、尽きない負債、常なる疑念、そして今日強まっていく暴力を属性とする、不安定な《プリケリアス》サービス経済を揺るぎないものにする。美術の価値が、多くの国の(想定されうる、将来的な)国内総生産よりも安定しているようにみえるのは、一つにはこの不安定化があるからである。EU内でこうした現象がみられる間、その背後では、大量の強制退去、緊縮経済、放火、ISISによる暴虐、ドイツ銀行の不正が起きている。この結果となるのが、子どもの貧困、債務国のたかり行為、経済システムの不正操作、そして自ら大失敗させた政策の尻ぬぐいを他者に押しつける、ファシズム的トリックなどだ。美術は、この歴史の一場面を飾る「代替通貨」である[★3]。そしてこの「通貨」の取引状況はまるで、無数の災いと呼応しているかのような印象がある。

他方、反動的な過激主義がいたるところで力をつけている。この詳細はそれほど関心を引くとは思えないので、ここでは語るのをやめておこう。襲撃事件、選挙、クーデターがつねにどこかで起こり、暴行、ミソジニー、殺し、蛮行となればリスクを微塵も恐れない連中もいる。デリバティブ・ファシズムは[★4]、公民権を剥奪された中流階級がグローバル社会の競争に怯え(そしてそれに対峙し)、反動的な少数支配者に唾棄したかと思えばゴマをする——そんな事態がもしみられるなら、どこへでもはびこっていく[★5]。民族ごとの勢力分布、その自律化はかってないほどで、新自由主義の競争は維持される方向に持っていかれ、けれども競争相手は対個人で抹消される。デリバティブ・ファシズムの手にかかると、全面的な自由貿易経済は、例えば白人ナショナリズムや極端な保守派宗教グループのアイデンティティと混ぜ合わされる。このときデリバティブ・ファシズムは、あらゆる存在に（ただし、ちゃっかり彼ら自身は対象から外されている）適者生存の法則を押しつける。権威的な新自由主義は、正真正銘の独裁主義へとスムーズに移行する。

フェイスブックにしつこく居座る嘘や虚構が、永続的な「戦場の霧」［☆1］を煽り立てる。真実という概念はすでに底が抜けており、その安定性はさらに失われていく。緊急事態の力は息を呑むほどのもので、度を越した荒らし行為が「批判」と呼ばれるようになる。危機はエンターテイメントとなり、商品価値を得る。グローバル化の時代は新自由主義のもとで疲弊しきっているかにみえ、縮小、断片化、専制支配の時代が産声を上げている。

代替通貨

アートマーケットは悠長に構えているようだ。金融機関に加え、丸ごと一つの政体さえも、表面はキラキラした小片に彩られているが中身はスカスカ、そんな代物になりかねない時代である。だから、美術への投資が現実味を持つものにみえてくるのだ。さらに美術は代替通貨として、これまでイーサ［☆2］とビットコインがあくまで今後成し遂げると宣言していたものを、実現しているようにみえる［★6］。国家が発行し、中央銀行が管理する通貨とは違い、美術は価値システムとして、ネットワーク化と分散型、そして範囲の広域性を特徴としている［★7］。それは、信用や不評の度合いを、競合する機関や派閥を横断するようにして測るゆえに、安定性を得るのである。マーケットがあり、コレクターがいて、美術館、刊行物、そして学究の世界があるが、これらは関係しつつも別々に、展覧会、業界のゴシップ、嗜好、価格を履歴化する（または、たいていそれに失敗する）。暗号通貨の場合と同じく、そこに価値を保証するような中央機関はない。代わりとして、スポンサー、検閲者、ブロガー、ディベロッパー、プロデューサー、ヒップスター、画廊関係者、パトロン、国の手先となる民間組織、コレクター、そしてさらに上を行く正体不明の存在が渾然一体となっている。印象操作を兼ねたゴシップとインサイダー情報から、価格が生じる。勿体をつけた正教授、不安症のギャラリスト、インターネット漬けの学生が、詐欺師と山師たちの手で乱脈と滑落《ヘルタースケルター》の流れに引き込まれる。この非公式の体系には簡単かつ不正にアクセスできるが、誰もがそうしているため、ときにその状況に波風は立たなくなる（踊らされているという意味では、これほどの状況もないのだが）。それはきわめて伸縮自在であると同時に、動きはのろく、また崇高にして酩酊し、ぼんやりしつつ素っ頓狂、そして騒々しい。超越論的な兆候の最たるものがコレクターの購入待ちリストに見つかる、そんなゲームなのだ。デジタルの希少性を打ち立てるということは、言ってみれば無限を有限化することである。メディアアートは、この営為が抱える矛盾に今後もずっと取り組むのだろうが、ビットコインもまた例外ではない。しかし、「ビットコインに技術的エラーなどありえない」といった根拠の乏しい主張がなされたところで、そもそもビットコインとは集団の力に依拠している［★8］。この依拠はちょうど、アートマーケットの価値システム、その承認や談合、口裏合わせへの依拠と同じようなものだ。いかにも公正な技術にみえるものが、実際には陰で糸を引く人間の存在によって成り立っている。では、美術の「暗号化」についてはどうだろう。美術にはたいてい暗号処理が施されており、そのレベルはときに解読できないほどになる。たとえ（もしくは、あえて）意味らしきものが皆無であっても、暗号化はお決まりのように遂行される。美術とは、いわばそれ自体が暗号化の営為なのだ。これはメッセージの有無に左右されない。そのメッセージに付属する無数の暗号鍵は、嚙み合わず、なかには使えない鍵もあったりするからだ［★9］。評判《レピュテーション》に基づくその経済機構には、数値の恣意的な付与がなされる。この役目を果たすのが、アーティストと研究者の地位をランキングに並べ替える、くだらないアルゴリズムだ。しかもそこには、古くさく派閥意識に満ちた社会的ヒエラルキーも一枚嚙んでいる。馬鹿げていて胡散臭い、眉唾物の評議組織。けれども文明全体がそうであるように、美術とは「発想としてはよいのだろう」［☆3］。

しかし実態はこうである。美術産業は、トリクルアップ〔社会の下層と中層に資本を注ぎ、社会全体の経済的充足を図る政策のこと〕の効果を波及させるが、これはやがて、本来は傍流であるタックス・ヘイブン〔租税回避地〕へと漏出していく。美術経済の投資行為は、持続可能な雇用創出、教育、研究を素通りし、社会的費用とリスク因子の外部化を実行する。街区を白人中心社会に差し出し、不当な低賃金と過大評価をもたらし、値札付きの低劣な戯言を広めていくのだ。

これは、美術界の投資家、責任者クラスの人間だけに当てはまる話ではない。美術界隈で働くたくさんの人々のライフスタイルも、儲けを租税回避地へと迅速に移動させる、最先端の（そして社会道徳に反する）企業インフラに加担している。アップル、グーグル、ウーバー（Uber）、エアビーアンドビー、ライアン航空、フェイスブックといったクールなサービス企業は、アイルランドやジャージー島、またそれ以外の準機密的な法域を使いこなす結果、ほとんど税金を払わずに済ませている。現地の学校や病院施設に寄付を行わないこれらの企業にとって、「分かち合い」の考えは、自分たちの「分け前」の確保でしかない。

しかしほかの産業規模と比べたら、美術とはそもそも極小の分野ではないか。コンテンポラリー・アートとは、不透明かつ理解困難で、不公平なあらゆるものに——そして、トップダウン形式の階級闘争と全面的な不平等にくっつく、いわばハッシュタグにすぎない。いくらその尖端が急先鋒になろうと、それは氷山の一角なのだ。

退廃芸術

こうしたことが、腹立たしさやストレートな怒りを招くのは、容易に想像がつく。退廃的で根無し草、浮世離れしていて、国際人でもあるエリートの都市生活者が関わっている——美術は以前にも増して、そんなイメージをまとっている。こうした印象はもう仕方のないもので、もっともなところもある［★10］。コンテンポラリー・アートを支配しているのは、「何でもあり」だがのびしろがない時代、発展しつつも足かせが付いている、「雨後の筍」のようではあるが頭打ちでもある、そんな時代だ。多くの人々は大きな転機を待ってうずうずしているが、その理由は概ね、当のシステムが正体不明にして有害、超富裕層の手中に帰して排他的だからで、しかしじつのところは、まさにそうした人々がそのメンバーになりたがっているのだ。

他方で、「根無し草の国際人」という世評は明白に、思想を違える知識人を揶揄し、「健全な国家組織」に宿る「寄生者」という汚名を彼らに着せた、ナチズムとスターリン主義のプロパガンダを思い出させる。いずれの体制でもこの種の物言いがなされたのは、少数派だった知識階級、また形式面での果断の試み、進歩主義的なもくろみを排除したいからだった。かといってそれは、市民のために間口を整え、美術への関心の向上・改善を図るための言辞でもなかった。今日、文化における「反エリート」指向の言説は、主に保守派エリート層の手で再賦活されている。その狙いは、「退廃芸術」という固定観念を復活させ、そうすることで自身の経済的特権から人々の注意を逸らす点にある。

ということはつまり、権威的存在の側から新たなチャンスが到来するのを当てにしていると、おそらくその期待は外れるだろう。

主権を握る右派に、アートフェアのＶＩＰ制度を廃止し、異なる社会集団に美術の重要性を諭し、それを身近なものにするような意志はない。そしてエリート、ましてや美術を斥けるつもりも毛頭ないのだ。彼らが為すと思われるのはただ、対象範囲を財務的次元から実在の次元へと広げた上で、不平等な状況を加速させることだ。この移行の目的は、説明責任でも、基準の確立でも、接する権利や透明性の確保でもない。税金詐欺、市場の不正操作、ＩＳＩＳが手がける古代遺物の売買や、組織ぐるみの低賃金という慣行も、野放しのままだろう。何度も聞いたようなことが繰り返されるうちに、事態は悪化していくだろう。労働者が受け取る対価、公正取引、将来の展望、流通、そして（その存在が見込めるのだとして）規制――これらはどれも減じていくだろう。平面ではなく、巨大でもなく、または少しでも難解だったり野心的だったりする美術作品はどれも、不都合とみなされ、放り捨てられるだろう。知性で物事を見通す力、拡張された規範、新しい歴史観――時間と労力の投資を要する、衒示《げんじ》的な金銭の使途以外のこうしたすべてのものは節減対象となるだろう。公衆の支持率といえば、「インスタグラム基準」の統計値のことを指すようになる。美術の価値は、ナスダック総合指数のいわば「下品な美術バージョン（Arsedaq）」で変動するだろう。アートフェア、クルーザーのサイズ、そしてクルーザーにたかる衆愚。これらの数（数字）はいやが上にも増していくだろう。「豊尻」済みの金髪女の肖像画も出回って、装飾文字のような抽象線が、株価のチャート上をのたうつだろう。後を引くオーガニックのスーパーフード。デザイナーの加速主義的な増殖。脱税者と二人っきりでする、個人向けパフォーマンス。男性支配に男性支配、どこまで行っても男性の手ほどきだ。猛獣ハンティング、武装パラグライダー、スラム街巡りの観光ツアーと来て、その隣のスペースが美術の指定席となるだろう。

手が込んでいて高額で、ホテルチェーンのロビーにうってつけの無内容なものなら、何だって尊い。はたまた、液化した投棄プラスチックが浸潤した大理石なんてものもある。これはじつは企業マスコットたちが、自然淘汰についておしゃべりを続ける間、混ぜ合わせてつくったものだ。生物学的製剤としての「自己改造」キット。クソのような抽象絵画／概念、その名も「クラップストラクション」。またはそのアルゴリズム版、「アルゴストラクション」。クラヴマガ〔格闘技・護身術の一種〕のレッスンとの抱き合わせ商法をとった、個人向けインスタレーション。「宗教柄」のネイルアートはどのシーズンをとってもインパクト満載だが、ルイヴィトンのロゴとの組み合わせは悩殺ものだ。ヘッジファンドのマンダラ。ファッションにおける露出度の高低差。移民排斥主義者たちが唱える呪文。遺伝子組み換えされたキャビアが、文字どおり控えめな民族陶芸の器に盛られている。コンセプチュアルな美容整形。民族修正のための形成外科。カスタムメイドの象牙製ピストル・グリップ。国境障壁の壁画。敵同士の私たちの関係はずっと平行線のままだろうし、言えるのは「幸運を祈る」ということぐらいだ。

かつて新自由主義右派があっさりと美術機関の廃絶に取りかかったとき、制度批判はその現実に屈した。まさに同じように、コンテンポラリー・アートの批判的属性と、この枠組みからの脱却への希求は、保守派の妨害に遭っている。この保守派の側にとっての脱却とは経済的停滞の加速化を意味するが、これはすでに着々と進んでいる。助成金の廃止、組織解体、また公的およびポスト公的部門の空洞化［★11］と並行して行われる、アルゴリズムとアナログ領域の相場操縦。それが、シェアされた発想や判断力、実験的試みを可能にするフォーラムとしてしばしば機能していたものを、富裕層のインテリアデザインに変えてしまう。美術は災禍と漏洩リスクから護られるように、孤絶した規範のうちにとどまるだろう。そしてこれはあっけなく、国家/民族と宗教に関する、視点の著しく偏った歴史観となって、市場で売り買いされるだろう。

オルタナ代替通貨?

この事態に対して打つ手はあるのだろうか?今私たちがこうして立たされている状況から、どんな未来を描けるのだろう。私が次の段落で書くことは、なかば留保されたものと捉えて欲しい。仮説、可能性、括弧付きのお話として。

さて、美術が一種の代替通貨なのだしよう。このときその「流通」という性質は、概ねそれが稼働する上での基礎構造であるともいえる。ならば、その構造に別の機能を持たせながら、それを奪回することは考えられないだろうか。美術という代替通貨のもっとも裏社会的な性質を制限、是正でき、いっそう多くの美術の共同体に恩恵が与えられると仮定して、そのとき当の通貨の価値がどれほど損なわれるというのか。ギャラリーとの契約、転売に対する除斥期間、アーティスト・フィー［★12］、報酬つきのインターンシップなど、市場の最低限のルールを考慮したときに。税金詐欺とマネーロンダリングの抑制を目指し、美術作品の生産、トランザクション、ローカリゼーションのために、ブロックチェーンを使った公的記録システムを導入したときに［★13］。美術界に（パブリック・イメージ捏造の戦略として）協賛、助成を行う化石燃料や武器製造の業界に背を向け、また旧文化財団を拠点にした銀行救済に関わらないまま、恥ずべき類のスポンサーとパトロンの関係を締め出したときに。転売や、一切の租税回避地での美術関連の会計・情報処理にかかる手数料を、開示させたときに。代替通貨としての美術は、既存システム内で流通する以上のものになりうるのではないか。それは、公衆、公的機関、市場、そして棲み分けされた美術界などの、いまだかつてない経済圏の誕生を促す、基盤となりうるのではないか？

とはいえ、ここで考えねばならないのは次の点である。つまり、構造上の基盤や技術が揃ってさえいれば、果たしてそれだけで自律した漸進的な発展が例外なく望めるのか、ということだ。ちょうどそれは、インターネットに「社会主義政策や、全人類が等しく得をする自動機能をつくってほしい」と期待を寄せるのと、同じようなことなのかもしれない。インターネットから出現《スポーン》したのはウーバーとアマゾンであって、パリ・コミューンではなかった。それがいわゆる「シェアリング・エコノミー」として完成をみるとき、構図としてはほぼ確実に、貧者の側が富者に分け与える形になり、その逆にはならない。偏りの是正が提起されようものなら、「獅子の分け前」となる資本は、目を離した隙に置き場を移されてしまうだろう。次いで通貨の機能は流通規模の縮小によって低下し、場合によっては、美術が担う通貨としての役割も完全消滅するかもしれない。そうなれば元のもくあみで、美術作品は商品やプロダクトへと退行するだろう。そう考えると、美術のパラレルな細分的状況を目指すとき、まずは何を行うべきなのか。一つに挙げられるのは、流動資産のバブルおよび無賃金労働のはなはだしい横行、この二つのあずかり知らないところで、持続可能性を（たとえ部分的であっても）打ち立てること、これである。この結果として得られるものは何であれ、美術を絆とする新しい類の自律＝自治という形をとるだろう。

　芸術の企図であったモダニズムの自律性とは対照的に、ここで言う自律＝自治とは蟄居《ちっきょ》しておらず、関係項も失っておらず、隔離されていない。かといって、技術進歩に対する幻想を出所とするわけでもない。そうではなく、意識的に行う努力と多様な実体の間での交換、この二つを経由して初めて形になるようなものだ。それは、流通、変容、錬金術といった過程に耐えうる自律＝自治であり、土台となるのは弱いつながりだ。この弱いつながりとは、不即不離の関係、挨拶時に唇を近づけて済ませる、「有るかなしか」のキスのようなものだ。そしてもしこのつながりを更新したければ、それは不協和音に満ち、セキュリティ・システムへの侵入と妨害がほうぼうで起きている、そんなカオスのなかでなされねばならない。ただしそこでは同時に、人々にはあることが可能とされてもいる。つまり、人々は様々な必要手段でネットワーク化された自律＝自治を部分的にでも築こうとするわけだが、彼らはその行動によって、美術に関わる「下方の共有の場《アンダーコモンズ》」への同期を試みることができるのだ［★14］。考えるべきは、美術が通貨であるとして、それがこうした暗渠《あんきょ》、「下方」を流れる通貨でありうるか、ということだ［☆4］。言ってみれば、「ウーバー」などではなく、「下方《ウンター》」というべきこの力を機能させることはできないか［☆5］。

そのための方法を考えてみよう。美術界は、国家、財団法人、パトロン、そして企業の出資を受けるものだと、人々は思い込んでいる。しかし負けず劣らず、これとは対照的な構図も通用してきた。歴史全体を見渡しても、アーティストと美術関係の仕事に就く人々ほど、美術の生産行為への金銭援助を行動で示してきた存在はなかった［★15］。その手段はたいてい、混合所得のスキームの応用形というべきものだった。平たく言えば、何らかの賃金労働（またはそれ以外の形態の収入）が美術制作への資金供給の役割を果たしてきたのだ。しかしさらに広く捉えれば、美術に携わるすべての人々は、それ以外にも多種多様な方法でその流通に力を添え、結果的に美術の通貨としての機能を強めている。「作品で何とか食べていける」アーティストですら、量的には他産業よりも大規模なコミッション（から発生する、中間消費）を通じて、財政的なうるおいに貢献している。とはいえ、資金援助する必要のない対象があるのも確かだ。考えてみてほしい。内覧会に先立つ、VIP向けの特別プレビュー。中身を伴わないと分かっている美術館の拡張工事。アートフェアの海外進出合戦、「島流し」さながらの環境に建てられる美術館の分館。そして、そのほか諸々の理解しがたいバブル現象の存在を。膨れ上がり、権利に乗じ、金に飽かせ、戸惑いを与え、また何より政治的にみて美点のない、こうした「上乗せ」のコスト。それは、無賃金労働と生活時間の犠牲を踏み台にして成り立っている。その上、成金趣味の抽象表現をもてはやし、その華美が派生させた事象をまた流通システムに取り込み、支配のおよぶ射程の広さを打ち立て、それがまるで古くから格式があるもののように錯覚させる――このような営為もまた、この類のコストが発生する仕組みに加担している。実際、生活と収入のためにオファーを一切断れないほとんどのアーティストですら、この種の関わりを手放すことで時間を節約できるのだ。こうした形をとった支援を拒めば、権威者による暴虐と格差の蔓延に直結する投機的活動、それに依存するような刹那的で恥ずべき傾向を振り切る、第一歩となるはずだ。銀行の財団法人のために無報酬《フリー》で働く代わりに、自由《フリー》な時間を仲間の手助けに使おう［★16］。独占主義者たちのプラットフォームで、コンツェルン由来の下らない「分け前」にあずかるのはやめよう。自問してほしい。ファシズムの「顔」の付いたグローバル資本主義を、あなたは望んでいるだろうか？異常気象、正気ではない指導者、水質汚染、海面上昇、ボロボロの構造基盤、壁の新設――これらの正当化を、これ以上美術によって行いたいだろうか？誠実さを保ちつつ必要なものを分かち合うには、どうしたらいいのか［★17］。必要速度はどれくらいなのか。美術の（そして美術関係の）自律＝自治は、いかにして傲慢な支配構造を抜け、ネットワーク化を遂げた謙虚な分散型構造へと飛躍できるだろう？［★18］協同組合的なプラットフォームがそこで貢献を果たす方法は？美術の体制は、「反乱する都市」の新たな自治体形式に基づくネットワークと同盟、そのイニシアチブに続くことができるだろうか？デリバティブ・ファシズムに晒された特定地域の生活形式を――「血と土」、国家／民族、そして企業の存在を超越した——隣人関係、公衆、重層的な選挙区分のネットワークという、別様なものとして捉えられないだろうか［★19］。美術という貨幣の流路を、美術の合流点に向けて整備し、投機を氾濫に置き換えられないだろうか？［★20］

価値生成のプロセスにおける美術の組織化＝組合づくり（organizing）という機能は、ずっと見過ごされたり軽視されたり、はたまた崇拝や無効化の対象となってきたが、取り上げて考えるに値する程度には、ようやくその実像が明らかになってきている。つまり、理性的にとは言わずとも、現実的にその内実に近づくことが可能な程度には［☆6］。代替通貨としての美術が伝え示していること。それは、美術の細分的領域が、今や重なり合いながら錯綜したシステムをつくり出していることだ。このシステムでは、風化したゴシップ、拝金主義、高邁な思想、酩酊、非情な競争のなか、無数の小集団がネットワーク状に形成されていて、さらにその価値の芯となる部分は、商的な取引というよりも、ゴシップ、あら探し、風評、論争、野次、相互的な品定め、軽口、ちょっとした誤解などに根ざした、果てしなき交渉を源としている。そのあげくに、封建制を思わせる絆関係、うずまく敵意、成就せぬ愛、激しい嫉妬、確保された労力、切望、活力などが押し合い圧し合いし、紛糾している——そんな状態が生じてもいる。これは言ってみれば、価値とは生産物にではなく、ネットワークに存在しているということだ。市場の賭けや予測にではなく［★21］、交換の創出にこそ価値は宿っている［★22］。そして何にも増して重要なのは、デリバティブ・ファシストの支配下に収まっていない数少ない交換の場の一つが美術であるということだ。ただし今のところそうだ、ということなのだが。

それ自体では確固たる機能もなく［☆7］、しかも人泣かせで欲深い——金銭とはそうしたものであって、その保存システムである美術の社会的価値は、破壊（自滅）の末、ある種の機構に成り果てている。この「シェル（殻＝幽霊）」という機構は、形骸化した自己をひたすら保身し、断片化と分裂を増長しているが、美術の居場所についても状況は似たようなものだ。保税倉庫に加え、非課税地区にある、デザインに凝りすぎた銀行顔負けの貴重品室。それらが美術のお披露目の場になるなど、想像できただろうか。

とはいえ、不正に染まりきったシステムの準備通貨たる美術に、どんなモットーがぴったりかを想像するのは簡単なことだ。こんな風景を思い浮かべて欲しい。代理官か何かのつもりでいる上品ぶった広報担当者が［☆8］、大型アートフェアの入場口のところで睨みを利かせている。そして、脇に追いやられ、追放、搾取、無視される人々へと、言い聞かせるように等しくこう宣言するのだ。「パンがなければアートを食べろ！」

原注

★1 Rain Embuscado, "The art world responds to Brexit," *Artnet News*, June 24, 2016.

★2 この特定の市場形態は、いつの間にかクラッシュしたように思われる。アートマーケットは、おしなべて今なお非常に安定している。

★3 通貨としての美術という発想は以下の著述でも披瀝されており、その踏み込んだ考察は特筆に値する。David Joselit, *After Art* (Princeton: Princeton University Press, 2012). ただし同書の試みがなされた当時は、新自由主義下でグローバル化が進んでおり、今とは違う時局にあった。この歴史的局面が終わろうとしている現在、通貨としての美術はいっそう力をつけているようにみえる。

★4 「デリバティブ・ファシズム」という概念は種々雑多で広域におよぶ極右運動を指すが、それらは選択権を未来に投擲する（future options）点で二〇世紀ファシズムと関係する。しかし決して同等なわけではない。というのも例えば、ファシズムのために先物オプション（future options）をつくって売り買いしましょう、という次第だからだ。ファシズムとは基体であり、そのデリバティブ（派生物）との関係があるかどうかも分からないのだから、それが果たして現存するか否かを問うことにも意味はない。

★5 ここでいう「中流階級」とは一義的なものではない。グローバルな規模で考えれば、アウトソーシングと競争社会の熾烈化によって賃金を低く抑えられた層もまた、中流なのだ（例えば、旧工業先進国における労働者階級と失業者、いずれも十分に「グローバル・ミドルクラス」に該当するといえる）。ただしデリバティブ・ファシズムの近年の需要は、経済を理由にそのすべてが説明できるわけではない。ドイツの難民キャンプでは、放火だけでもじつに九〇件の被害が二〇一六年に発生している（同年の襲撃事件の総数は、九〇一件）。ドイツの現在の景気はきわめて良好なのだから、理由が分からないのである。一九九〇年代中盤から一度も失業率が六パーセントを超えていないオーストリアで、なぜ極右政党の政治家が連邦大統領に選ばれかねない事態になったのか？近年の危機で多大な利益を享受したはずなのに、両国で極右団体が存続し勢力を伸ばしているのはなぜなのか。ドイツとオーストリアで格差が広がっているのは事実である。あくまで事実をもとに考えると、経済的困窮とファシズム人気の関係は非常に複雑なものだ。危機感ならまだしも、卑下されていると感じただけで社会全体に脅しをかけ、ファシストに投票し、何らかの対象を痛めつけたり殺めたりできる——そんな一定層の市民もまた、このファシズム人気の現象には欠かせぬ存在である。

★6 ありていに言えば、美術は暗号通貨ではない。しかし以下の論考ではそうなる可能性が主張されており、得るところが非常に多い。J. Chris Anderson, "Why art could become currency in a cryptocurrency world," *The New Stack*, May 31, 2015.

★7 暗号通貨とは全く違い、美術は分散型のトランスペアレンシーを自認するものでは決してないし、自律化した不正排除機能についても同様である。通貨としての美術には相対的にみて安定性があるが、これはまさにそれが不透明なもので、人間同士の関係性に過剰なほど依拠しているためだ。

★8 これについては以下を参照。Melvin Draupnir, "Bitcoin mining centralization," bitcoinmining.com, May 12, 2016.

★9 代替通貨(またはオプション取引やコントラクト)を扱うアートプロジェクトは、これによってどっちつかずの状況に置かれる。それは表象の役を担うことができるが、表現内容が前もって行われることと食い違い、このためあらぬ方向に向かいがちである。

★10 例えば美術教育は、「ひ弱」で「女々しい」と非難されることがある。以下を参照。Jonathan Jones, "Goodbye art history A level, you served the elite well," *Guardian*, October 13, 2015. 他方で、以下の優れた論考には首肯すべき点が多くある。Ben Davis, "After Brexit, art must break out of its bubble," *Artnet News*, June 28, 2016.

★11 「ポスト公的」というのはつまり、公共企業体に準ずるがベンチャー指向の組織形態である。ビエンナーレのほか、多数の機関と美術館がこれに該当する。

★12 この問題に関して素晴らしい成果を上げているのが、W.A.G.E.や「プリケリアス・ワーカーズ・ブリゲイド」である。また関連する問題に取り組む、新進のアーティスト同盟やオーガニゼーション(「テート解放運動」や「ガルフ・レイバー」など)についても同様。

★13 美術の流通や評価機能、証拠記録にブロックチェーン技術を適用すれば、それこそ蜂の巣をつついたように、美術関連の相違する事象の定量化、コンセンサスの改竄、また平均値の絶対視と服従といった問題があぶり出される。美術の魅力(および価値)というのは多かれ少なかれ、それがやみくもに「集合知」と呼ばれるものや「一般人気」のからくりを再生産しないゆえに成立している部分がある。そんなふうになったり、あるいは未来や予測市場の要請からつくられたりするとして、それがどれほどすべての美術にとって奇妙な事態であり、同時に壊乱的なものか。この点を知るには、例えば以下を閲覧されたい。Vitaly Komar and Alex Melamid, "The Most Wanted Paintings on the Web," awp.diaart.org.

★14 これは、以下でなされた一連の問題提起における鍵語である。Fred Moten and Stefano Harney in *The Undercommons: Fugitive Planning and Black Study* (Brooklyn: Minor Compositions, 2013).

★15 これに関しては、以下で指摘されているとおりである。Anton Vidokle, "Art without Market, Art without Education: Political Economy of Art," *e-flux journal* 43 (March 2013).

★16 この成功ケースは多く存在するが、その一つにベルリンの「ノイエ・ナッハバーシャフト（新たな近隣関係）」がある。そこでは、ベルリン在住歴が長い者もごく短い者も、美術教室やドイツ語、音楽のレッスンのために集まって協力している。

★17 「プラットフォーム協同組合主義」のウェブサイトを参照のこと。platformcoop.net. 多くのアートプロジェクトが、ブロックチェーンの要素を持った類型を取り込んでいる。例として以下を参照。Sami Emory, "BitchCoin is a new cryptocurrency for art," thecreatorsproject.vice.com, February 10, 2015. および以下の討論。Steven Sacks et al., "Monegraph and the status of the art object," dismagazine.com. また以下の論考には、ブロックチェーンを扱うアートプロジェクトに関する、優れた批判的考察がみられる。Sven Lütticken, "The Coming Exception," *New Left Review* 99 (May–June 2016).

★18 この問いに答えるには、ネットワーク化と断片化が同時に生じるグローバルなシステムを条件とする、「離脱（delinking）」という概念の再考のために、多くの紙幅を投じる必要があるだろう。この概念を俎上に載せてきた主導的人物が、サミール・アミン、イマニュエル・ウォーラーステイン、アンドレ・グンダー・フランク、そしてジョヴァンニ・アリギである。ここでの議論に遠心的な広がりを持たせるとすれば、きわめて有意な立脚点となりうるのが、柄谷行人の言う「自律的な交換様式」である。著書『世界史の構造』（二〇一〇／二〇一五）で柄谷は、生産様式としての流通を重視し、創造的な組織化の場である協同組合主義と「アソシエーショニズム」を強調する。柄谷が論じる流通様式の多くは、美術のシステムにも内在化している。例えば、農耕が確立される以前の部族対立の様式、略奪や私財の接収、および独立国家に基づく様式、資本主義的様式である。これに加え美術は、共有＝分担（sharing）、囲い込みの解消、ローカルに立ち上がる多様な支援団体、地域交換取引制度（ＬＥＴＳ）とそれ以外の前ブロックチェーン的な代替通貨を用いたパラレルな経済圏の創造——これらに基づいた、潜在的な次世代の流通様式の種を内包している。いっぽうでこれは、完全に不正が横行する状態を意味し、他方でパラレルな交換形式の存在を意味している。関連する近年の出色の論考として、以下がある。Aria Dean, "Poor Meme, Rich Meme" (reallifemag.com, July 25, 2016).ディーンはそこで、共有された動向、歴史、運動、多様性によって特徴づけられる黒人文化の流通主義に方向舵を与えている。

★19 トルコ南東部を拠点とする親クルド派の民主地域党（DBP）が治めている、二四の自治区が権限を奪われたが、そのように攻撃の的となる自治体を護るにはどうすればいいのか。これらの自治区にはヌサイビン、ジズレ、スル、スルチといった都市が含まれるが、そのいくつかは独自の統治体制を敷き、議会形式の自治モデルを採用している。

★20 合同＝連立（coalition）ではなく、運動に奔出をもたらすための「合流」を。氾濫とは、融通無碍な発展に対するコントロールの失効であり、この失効に生産性があるのだ。これについて、また関連する諸概念については、『トランスバーサル』(transversal.at)の二〇一六年九月号を参照のこと。

★21 賭けや予測というのは、アーティストの寿命を指折り数え、女性アーティストの子供の人数を投資基準の一つにすることである。

★22 これについては以下の論考の卓見から学んだ。Elie Ayache, *The Blank Swan: The End of Probability* (Hoboken, NJ: Wiley, 2010).

訳注

☆1 一九世紀の軍事理論家、カール・フォン・クラウゼヴィッツによる概念。戦闘指揮の妨げとなる不確定要素のこと。

☆2 ロシア系カナダ人のヴィタリック・ブテリンを中心とするチームが二〇一三年以降に開発している「イーサリアム（Ethereum）」で使用される、バーチャル通貨の名称。マイニングの報酬や手数料に用いられるが、一般的に購入される場合、イーサリアムの購入単位がイーサであると捉えられる。イーサリアムはスマートコントラクトと分散型アプリケーションの代表的なプラットフォームであり、多数のブロックチェーン関連のスタートアップに採用されている。

☆3 「発想としてはよいのだろう」とは、マハトマ・ガンジーが一九三〇年前後にイギリスを訪れた際、西欧の文明化について述べたと言われる表現。皮肉を含んだ一種の反語だが、実際にガンジーがこう述べたかは不明とされている。

☆4　原注★14にあるように、「下方（under）」という表現はここで、フレッド・モートンとステファノ・ハーニーの共著『アンダーコモンズ：逃走的企図とブラックスタディ』（二〇一三）との関連から用いられている。「アンダーコモンズ」とはまずもって、アメリカのいわゆる「教育資本主義」の実状（学生が負う負債、労働力を養成する高等教育機関など）、およびその特殊な形の搾取に関わる排斥構造に対する、反対分子の動勢のこと。新自由主義下で懐柔された教育思想や、行政によるヒューマニズムの「徴用」から離れたところで一定の関係を築くために、モートンとハーニーは「一般的敵対（general antagonism）」の必要性を説く。そしてこの種の敵対を梃子としたときに、人間主体の身体や情動を資本の流通に取り込む「ロジスティクス」への抵抗となりうるものが、「触知性（hapticality）」である。この「触知性」は、主体の属性や情報環境を区分／再分配する経済のあり方を、一種の再帰的な隣人愛、「他者を通じて感じる能力、他者にとってはあなたを通じて感じる能力、あなたにとっては、あなたを感じる他者を感じる能力」（*The Undercommons*, 98.）へと転回させる。

　一般的敵対が生起する場は地下的な閉鎖性を維持しており、たがいに異質な素因が奪取を繰り返し、触知性はそこで全面的な同調に至ることはない。モートンとハーニーが前提としていた人種や大学教育の問題は、基本的に本章の論及範囲ではないが、ここで「下方」と言われているものは概ね、そうした拮抗と親愛、そして遊離の混沌状態における重層的な交流だと考えられる。

☆5　英語には、「ウーバー」という企業名の同綴語として、uber-（「とても」、「最高に」）というスラング的な接頭辞がある。これは、「上方」を意味するドイツ語のüberに由来する。なお、下方という意味で後出する単語「ウンター（unter）」もドイツ語である。

☆6　ここでの「理性」と「現実」の対比は、ヘーゲルの『法の哲学』（一八二〇／一八二一）の序文にある、「理性的（vernünftig）であるものは現実的（wirklich）であり、現実的であるものは理性的である」という一節を意識したものと考えられる。本章のタイトル、「パンがなければアートを食べろ！」とは、マリー・アントワネットの人物描写に引用されるクリシェ「パンがなければ、ケーキを食べればいいじゃない」の転用だが、ヘーゲルもまたフランス革命期の同時代人であった。ここには、当時の社会や国家の変動を現代へと戯画的に引き写そうという、シュタイエルの底意がうかがえる。ヘーゲルの思想では、自己との関わりにおいて充足する精神が実在へと向かうとき、それは自己を現実世界にあるものとして客観し、同時に世界を自己の側から内発する。そして、そのような外的な実在による対自を経て、客観化された自己から主観的自己へと帰趨するとき、理性は現実との一体性を得て、絶対性に至る。シュタイエルは、「理性的にとは言わずとも」とことわりを入れることで、美術が様々に世俗的な「現実」にとどまる点を認めつつ、なお理性(理念)への志向がそこに生じうる可能性を留保している(この潜在する理性の共起的性質については、本章の原注★18で触れられている)。またヘーゲルは同書で、理性(理念)を覆う諸々の現実態をRinde(ドイツ語で「硬い外皮」のこと)と呼んでいるが、シュタイエルが本章の後続する箇所で「シェル(殻、見せかけ)」という語を出しているのも、このことに関連すると思われる。

☆7 原語はdumb。形容詞として「愚鈍な」といった意味を持つ語だが、ITや通信分野では「インテリジェント端末」以外の簡易端末のことを「ダム」という。SNMPエージェントが内蔵されていないために、転送や出入力の機能にとどまる端末機器の特性。本章では、美術の通貨機能がブロックチェーンの非中央集権性と比較されているため、こうした情報技術やブロックチェーン関連の語義がほかにもいくつか使用されている(例えば、「セキュリティの低下」という意味でのcompromiseなど)。

☆8 直訳すれば「警備を行う、広報担当の上流階級ぶった中尉/警部補」となるが、policingとはここでの文脈では、都市市民の規律や美徳にまで関与する、フランスのアンシャンレジーム期の警察機構(police)を暗に指している。lieutenantはこれを実地で担った旧制度の警視総監(代理官)のこと。

15

リッピングされる現実
——3Dの死角と破損データ

Ripping Reality: Blind Spots and Wrecked Data in 3D

ジョージ・スタイナーの独創的な著作『バベルの後に』は、興味深く、そして祈りにも似た言葉で終わっている。スタイナーは〔カバラの〕教典のどこかから一節を引用し、言葉がこんな反乱を起こす可能性を想起している。言葉は「意味という足枷を振り棄てる。語は〈語そのものになり切り、死んだ石のごときものとして我々の口のなかに残る〉であろう」〔★1〕。

同様のことが画像にもできると仮定してみよう。そのとき、どうなるか。もし、画像が表象を担っている当の具体物になり切るとしたらどうだろう。平面上で展開する表象がそこから広がり、躯体《ボディ》さえ得るとしたら？画像が石塊、コンクリート、ビニールやプラスチック、一見して生命を持たぬ物体になるとしたら？そのときそれは、意味という足枷を振り棄てるだろうか。画像は意味作用を拒むか、あるいは逆に尊びもするのだろうか。これを画像による体制転覆（uprising）と呼んでもよいのだろうか。であれば、画像は何に抵抗しているのだろう？

今日の3D技術は、こうした問いに私たちを直面させる。3Dスキャンとその印刷技術が可能にするのは、対象と状況の複製物の作成である。言ってみれば、それはリモートセンシングによって現実態を鋳出《いだ》す作業なのだ。したがって可能性としては物的対象が画像に取って代わるわけだが、この場合の物的対象とはまた、ほかの対象の代理物でもあるわけだ。こうした技術によって表象の座を奪うのが、複製である。たしかに私たちはもう普段から当たり前に、写真や言葉のような2次元のものをコピー・アンド・ペーストし、手早く複製している。けれども、現実はどうやってコピー・アンド・ペーストできるのだろう。状況のインデックス的なマテリアル・レプリカの作成方法とは？画像はどんなふうに「死んだ石」となるのか？

ボディ・イメージ

3Dスキャナーは近年、真実追究のための新たな手法となっている。3Dのスキャン装置は、殺人や事故、爆発後の調査、行方不明者の捜索など、警察の業務に充てられているのだ。「点群（ポイント・クラウド）」とは、立体物へのレンダリングやプリントを可能にする、仮想空間内での計測の形状であり、これは３Ｄスキャナーで生成される。

そしてライダー（lidar）とは、レーザー、白色光や赤外線の屈折によりデータを取得するスキャン技術のことだ。とある大手メーカーの説明によると、それは「驚異的なスピード、精度、完成度で現場を測定」し[★2]、その状況を仮想空間内の点群へと置換する。個々の点は、現場で測定された位置関係に照応する。

ライカジオシステムズ社のホームページの解説の一部を引いておこう。

> 当技術は、犯罪現場の検証、脆弱な地点と危険性の査定、爆発後の調査、治安維持活動での捜査、事故の実況見分などを目的とし、世界中の法執行機関で採用されています。
>
> 客観性に優れた「スキャン・ステーション」は、事後的な分析と図表化のために、「みる」ことのできるものすべてを完璧に測定します。

ここで使われている言葉をみると、その多くがドキュメンタリーの明証性をめぐり蓄積された議論の常用表現であると気づく。この新技術は、ドキュメンタリー表現で保証されていたあらゆる事柄、すなわち客観性、そして出来事の完璧で忠実な再現を約束するが、ただしそれは一段階上の次元から強化されるわけだ。３Ｄ点群は、深さと広がりを欠いたかつての平坦なイメージではなく、ボリュームを伴うコピーであり、もととなる具体物の形状をありのままに復元する。

ではドキュメンタリーという概念は、物体と状況の３Ｄレプリカにどう適用されるのか。ドキュメンタリーが有してきた証拠という概念に対し、３Ｄ技術をどう位置付けられるだろう。ドキュメンタリーの真実という概念は、３Ｄ技術によっていかに更新され、変化するのか。３Ｄの複製機能は、ドキュメンタリーの真実をめぐる考察にどう影響するのか。表象作用が複製や復元になり代わるとは、どんな事態を指すのか。

行方不明者たち

これは、私が二〇一一年にファロー社のレーザースキャナーと複数のソフトウェアを使い行った、３Ｄレプリケーションのケーススタディだ。ただ、現実をベースにするとはいえ、ドキュメンタリーの実例として想定していたわけではなく、あくまでドキュメンタリー的実践に同技術を取り入れた、一つのモデルである。このケーススタディは、とあるファンタジーを発端としている。キスについて考えてみよう。キスとは、あちこちを行き交うようなイベントだ。さしずめそれを、伝言、またはいっそウィルスのように順送りに伝達されるものと考えてもいい。二者間での一回のキスは、別の状況への分け入るような遷移を可能にするし、そうしてそれは一定の状況を抜け出ていく。増殖だってできるし、散種されうる。拡散しつつ、時間と空間の両面で軌跡をつくり出せる。キスは先細り的に減っていくなかでも、コピーと反復から自己更新できる。そこではたやすくひっきりなしに、突発的な展開が生じる。キスを前回と全く同一の流れで行うことは、ほぼ無理である。一種のスキャン技術としてみれば、キスは様々な行為主体（通常は二者だが）を単一の表層《サーフィス》に統合する。表層は身体を接続して分かちがたくする。表層は身体を、それが偶然に触れる基体やほかの物的対象につなげる。表層は身体を波形として把捉し、このとき波形はその物的環境と混ざり合う。キスとは、表層を屈曲させ情動的なトポロジーへとそれを成形する、熱量のリレー現象である。私たちはキスから形づくられる表層、そのエネルギーによって折り曲げられる形状と襞《ひだ》について考えることもできる。しかし同時に、目にする（または、たまたま目に入る）すべてのキスは、ほかのキスの派生現象、バージョン違い、または相転移を繰り返してきた結果だと、そんなふうに考えることもできる。

そして実際、私たちの周りで散発しているすべてのキス行為は、特定のキスの別バージョンであるともいえる［★3］。

このキスが生じたのは一九九三年、ボスニア・ヘルツェゴヴィナ紛争中、ボスニア東部のシュトルプツィという駅で二〇人が誘拐されたときだった［★4］。とある民兵組織の犯行だったが、さらわれたのはベオグラードからバールに向かう列車の乗客たちだった。そのうち一人として生きて帰ることはなかった。この事件には不可解な点が二つある。まず、氏名、身元、血縁関係は、二〇人のうち一九人しか特定できていない。ごく最近に三人の遺体の一部がダム湖で発見された以外、すべての人々の行方は分かっていない。しかし二〇人目の人物だけが謎なのである。名前も身元も分かっていない。駅で誘拐の様子を目撃した三人の証言に従えば、この男性は現場にいたはずなのだ。この人物については、ほとんどの公式発表や報道で触れられない。情報を得ようとする人もやはりいなかったが、これは彼がこの民族紛争の勢力図のなかでどこにも属さなかったからだろう。自分たちの側がこの人物の帰属先だと、そう名乗るような人間が一人もいなかったのだ。

ボスニア・3D

ボスニア・ヘルツェゴヴィナは戦後、民族間の断絶をとどめた多元的な連邦構成体となっている。ボスニア・ヘルツェゴヴィナ連邦とスルプスカ共和国で構成されているが、この連邦はさらに二つの非公式の政体を併合している。

同国の北東の都市ブルチコは、この領土の複雑さをよく示す例だ。ボスニア・ヘルツェゴヴィナの支配下で一つの自治行政区をなす同都市は、唯一の中央政府直轄の領土でありつつ、ボスニア・ヘルツェゴヴィナ連邦とスルプスカ共和国それぞれの一部となっている。公式では双方の領土だが、支配権はどちらにもない。双方の見方一つでブルチコのステータスは変化するし、しかもそれぞれが独自の解釈を下している。
この領土の空間構成はオハイオ州での「デイトン合意」で取り決められたが、その際に使用されたのが初期型の軍事3Dシミュレーションだった。とくに有名なのがゴラジュデに続く回廊を3Dで仮構したエピソードで、これは後に「スコッチ・ロード」または「ウイスキー回廊」として知られるようになった。『ニューヨーク・タイムズ』の記事は当時の状況をうまく描写している。

ワシントン時事＝ワインが供され、豪勢なロブスターの晩餐が終わり、ボスニア和平交渉の最難関の一つに挑むときがやって来た。サラエボからボスニア・セルビア領を経由し、軍に包囲されたゴラジュデのイスラム地域に至るルートを、ボスニア政府がどうするかという問題である。

セルビアのスロボダン・ミロシェビッチ大統領は、映画用の大スクリーンで地形を再現する国防総省のコンピュータ・マッピング・プログラム、「パワーシーン」のお手並み拝見のため、ハイテク仕様のオーディトリアムに向かった。回廊の幅は必ず三・二キロメートル以内にすべきだというのが、このセルビアの指導者の主張だった。

米軍側の上級士官として交渉の舵を取った陸軍中将のウェスリー・クラークは、そうした狭い回廊では戦略上の意味がないこと、その根拠を示すため、この地を上空から見渡す仮想ツアーへとミロシェビッチを誘ったのだった。「ご覧のとおり、神は山を三・二キロの間隔で設けたわけではありません」とクラーク将軍は言った。

ウィスキーを存分にあおったミロシェビッチは、この地球物理学的な事実について思案しなければならなかった。そしてこのとき、回廊を幅八キロとする交渉が成立した。これが、「スコッチ〔ウイスキー〕・ロード」の謂《いわ》れである。〔★5〕

『ワイアード』誌はこの逸話を取り上げて、こう続けている。

二一日間にわたる協議では、こうした膠着状態を解くのに「パワーシーン」が何度となく使われた。特定の道路で境界がどちら側に収まるのかといったことまで、詳細を決めることができたのである。

和平交渉で活用された初の仮想現実プログラムとなるパワーシーンは、バージニア州マクレーンのケンブリッジ・リサーチ・アソシエーツが開発したもので、衛星および偵察機からの画像と高精度の地形標高情報を組み合わせ、細部におよぶ視覚化を実現する。それは、戦争国の多くの指導者たちを驚愕させることにもなった。(…)「飛行停止にしてくれ」、ミロシェビッチは防衛地図局の職員である〔ヴィク・〕クッチャーにふとそう言った。「そこに橋がみえるだろう、それはもうないんだ。君たちが爆撃したんだ」。実際、ボスニアのセルビア人をターゲットとし

た昨年九月の空爆の事前演習で、ＮＡＴＯのパイロットは爆撃航程のシミュレーションにパワーシーンを使っていた。［★6］

３Ｄツールは、民族紛争の妥協点の設定、すなわちデイトン合意による民族分布に沿った領土の策定を通じ、国の形をつくっていった。この領土区分とおおいに対照的だったのが、ユーゴスラビア人民解放反ファシスト会議の評議会による、ボスニアのヤイツェでのユーゴスラビア民主連邦の宣言だ［★7］。それは一九四三年に２Ｄの映画館《シネマ》で発布されている。ただしこの映画館は、クロアチアとボスニア両軍の戦闘で一九九二年に破壊されてしまったのだが、私見では映画《シネマ》もまたこの戦闘時に命取りの傷を負い、その後の回復は全く見込めなくなった［★8］。

さらにこの３Ｄの手立てから端的に分かるのは、一人の黒人がいたこと――三つに分かれた領土のどれにも属さず、また因果も分からずこの３Ｄランドスケープの断層に迷い込んだ、かの人物がいたということだ。シュトルプツィの誘拐事件の捜査では、誰もこの人物に関して踏み込もうとしなかったし、彼が自らの集団やコミュニティの一員だと声を上げる者もいなかった。

もう一つ、誘拐の目撃者の一人が奇妙な証言をしている。この人物を連れ去った一味のリーダーが彼の肩を軽く叩いた後、「こいつは俺の兄弟だ」と言い、キスをしたのだという。それくらいしか情報がないこの人物は、暴力を受けて金目のものを奪われた後、ほんの数時間後にはほかの一九人と一緒に果樹園で銃殺されたらしい。遺体＝躯《むくろ》（body）の所在も分からず、続報も一切ない。

当然、それがどんなキスだったかも分からない。キスは表層、波形となり、部分的に影で覆われ、時間とともに広がっていった。

表層としてのキス

こうした装置を犯罪科学に応用できるのだから、3D技術を用いてこの出来事の再生も是非試してみたいところだ。しかし、いざ実際に起きている犯罪や出来事をスキャンするとなると、たちまち大きな技術的ハードルに行き当たる。

その主因は次のとおりである。この空間は、ジェラール・トゥフィークが言うところの「小数空間（fractional space）」、2次元と3次元の間の（例えば、「2・3次元」や「2・4次元」といった）流動的な帯域なのだ[★9]。完全な3Dレンディションを仕上げるには、表層の全ポイントを多角的にスキャンかキャプチャする必要がある。基本的にはスキャナーを最低三台使い、取得データを仮想空間で重ね合わせていく必要があるのだ。しかし視点が一つしかなければ、得られるのはせいぜい2・5次元、つまり表層とボリュームの間の帯域だ。2・5次元は3D技術で得られるにせよ、3Dとしては不完全である。それは次元の狭間にあり、次元を架橋する。小数空間は遷移状態の空間で、そこでは人々が画像に出入りし、また状態を保存したままどこかへと立ち去ったりもできるし、よもや行方不明になったりもする。

その結果は驚くべきものだ。3Dスキャン技術は、2次元の表象に欠けている情報──死角、そして記録されえない暗部──を（こういった特定の状況下で）逆説的に指標する。それらは小数空間という、欠落自体を浮かび上がらせる帯域でのみ目視できるのだ。

3D技術は、ライダースキャナーでの実地測定から得られる情報のほか、2次元画像の「抜け」（画像のなかで影になったり遮蔽されたり、途中で切れている箇所）も復元する。データの欠けた部分にはボリュームや躯体《ボディ》が割り当てられる。暗部と死角はフレームから外されたり隠されたり、切り捨てられたりすることもなく（これらは撮影された平面イメージでは行われがちだ）、情報として同じ扱いを受ける。

このとき立ち現れるのは実体のイメージではなく、薄い表層の上で展開する情報もしくは差分となるイメージ、その躯体である。これは自然界、技術、政治などの領域における、様々な諸力を通じて形を得る。そしてここでの文脈でいえば、それはキスの周辺に襞となって生じるのだ。

小数空間

この小数空間の模索は、近世のとある絵画にすでにみられたのだが、つまりそれはその指針にもなった、ハンス・ホルバインの《大使たち》である。この一五三三年作の絵画でホルバインは、二人の人物を描いた。一人はイングランド王国に来朝していたフランスの大使で、彼は科学の道具や文化的意匠がふんだんに配された空間にたたずんでいる。二人は棚の傍らに立っており、その棚には、本や時計、また六分儀などの器械が並んでいて、これらは学びや教養、またおそらくは宗教的な対立や不和などの寓喩になっている。そこで二者の存在は（そして暗黙のうちに画家本人も）、科学の道具立て、そして近代の——また、空間に限らず時間さえも圏域とする植民地支配の——新たな表象＝代表の手立てに通暁した、権威として顕揚されている。

しかし何よりこの作品で目を引くのは、絵画面に鋭く介入する表層、全体面の下方四分の一のところに浮かんだ不思議な物体だ。特定の位置からみると、その形は頭蓋骨となって現れるのである。この絵画技法はアナモルフォーシスと呼ばれるもので、視野角〔画像を認識できる最適の角度〕とそれに対応する遠近法の歪みが考慮される。この《大使たち》の技法は、いわばY軸とX軸を基点に平面を回転させ、別の平面レイヤー越しにそれをドラッグ・アンド・ドロップする、といった要領なのだから、今日のフォトショップでいえばごく基本的な作業である。

《大使たち》ではとくにこの頭蓋骨、眼差しを暴露しさらに主体の構築へと累をおよぼす、「アナモルフィックなシミ」と呼ばれた要素が、幾度も分析の対象となってきた［★10］。くわえて美術史の見地からは、メメント・モリ、光学に関する知と絵画技術の顕示の一例、また鑑賞者を故意に誘導する手法といった解釈がなされている。しかしこの絵画を今日のパースペクティブに照らしたとき、そこから意外な新解釈を引き出せるのではないか。つまり絵画自体にとって、また絵画の内的機制として、この歪んだ頭蓋骨はどんな意味を持つかということである。

察するにそれは、絵画の外部の何かを表しているというより、イメージ自体の躯体を「骨」というふうに表現しているのではないか。そこに示されているのはイメージの構造、その骨組みであり、もっと言えば、線遠近法で絵画の構造を成り立たせている逃走線、圧縮、歪曲である。通常であればこの骨組みは絵画の肉叢《ししむら》に覆われていて、暗示的なままでみることはできない。《大使たち》ではそれが剥き出しになっているのだ。ここで想起されるのは、構造という意味でもマチエールの混成においても、イメージ自体が躯体を持つということ、そしてまた、この躯体が生命を持たぬ物質であるということだ。

イメージの躯体の暴露を頭蓋骨という対象が担うのだから、これは興味深く思える。何よりそれは、全体ではなく部分としての躯体なのだ。振り返れば、機械的、化学的な、またはデジタルの複製技術の誕生以降、イメージはばらばらの骸骨さながらに、つねにすでに断片的で、至るところに四散してはいなかったろうか。イメージの生産形式は分散的であり、そして流通となればその度合いも増すものなのだ。

この頭蓋骨は、イメージ＝画像の躯体の常なる不完全性をあらわにする。塗られた2次元の支持体が平坦であり、その奥行きがイリュージョンであることを白日のもとに晒して、この不完全性へと注意を促す。描かれてからおよそ五〇〇年の時を経て、この頭蓋骨はこんなことを伝えようとしているのかもしれない。あるのはただ主体と対象を等価に含んだ表層で、そしてそれらの表層には例外なく、情報の「欠け」があるのだと。

襞

現代の3Dスキャンデータをもってしても、すべてが揃った躯体や目当てのものを一度につくり出すことはできない。ではまず何をつくり出すかといえば、折り畳まれた表層である。そうした表層を再帰的に折り込んでいくことで、体積を持つ完全体が出来上がる。では小数空間の場合どうかというと、多くは3次元へと折り込まれたものとしての2次元的表層なのだ。そこではおよそ考えうる形状を得るために、表層に位相の方向づけや引き延ばしが施される。奥行きはこの表層の屈曲からつくられる。そして現実の側ではむろん、表層にはそれを構成する政治的、物質的、社会的、技術的、また情動的な諸力が痕跡化される。

こう考えるとそれは、表象と表層を同一視する近代的思考に一石を投じもするだろう。ゲオルク・ジンメルによれば、表層は近代の都市生活に必須の要素であるのに加え、ある意味ではその凝縮であった。これは、表層をたんなる見映えや非真正性、浅薄さと結びつけるそれまでの考えとは反対のものだった。ジョン・アレンはこの見解をこう対照する。

実状を知りたいなら深掘りすべし、などとも言うが、こうした漠然ながらも垂直性と結びついた連想はなかなか変わらない。ここでの「深さ」とは文化的真理や本物らしさのような意味で、また日常世界に対する多くの精神分析的解釈と同じく、いっそう明晰な事象分析の場、その機能のことである。その半面、社会を滑らかで平らかな表層とするメタファーの場合、それは空間がそれ自体における動態や体験の発生源としてではなく、たんに出来事の生ずる舞台にすぎなくなるような、非常に無力な場所性の提示につながりかねない。[★11]

ジークフリート・クラカウアーは、表層と浅薄さを連想的に結ぶ旧来の発想を拒み、一つの時代において知るに値するすべての事柄は、表層の次元に示された目立たぬ事象から読み取れると確信していた。クラカウアーにとって、現在という時間性の症候を詳らかにするには表層さえみればよかった。それは社会的無意識を直截に提示するものであり、その主張によれば、表層は歴史的、社会的な情報が一次的に書き込まれた場である。

歴史過程のなかである時代が占める位置は、その時代が自己について下した判断よりも、あまり目立たぬ表面〔表層〕的現象を分析するほうが、より的確に規定できる。時代が下す自己判断は時代のトレンドの表現ではあるが、時代の全体的状況に対する的確な鑑定書とはいえない。いっぽう、あまり目立たぬ表面的現象は、無自覚であるために、かえって現存するものの根本内容への通路を保持している。逆に、根本内容の認識には、表面的な現象の解釈が結びついている。ある時代の根本内容と、あまり注目を受けぬ動きとが交互に照明しあう。［★12］

クラカウアーはまた別の機会で、表層の接合のされ方は非常に緩く、このため抵抗力もきわめて低いものだとしている［★13］。表層の現象は容易につながったり離れたりする。大量複製の技術と関係したこのような性状は（文脈は大きく異なるが）、フレドリック・ジェイムソンがポストモダニズムを深度のない時代、「新しい種類の平坦さや深さの欠如の、新しい種類の表面性の出現」と呼んだ際に言わんとしていた傾向だ［★14］。

こう考えると、3Dスキャンの表象で折り込まれた表層とは、いわば多様にして分岐した無数の諸力、その衝撃と漲《みなぎ》りを感知するセンサーであると考えられる。ジル・ドゥルーズは「襞」という概念に、内部と外部、内侵と圧出、主体性と客体性の内的包領と外延的領土——これらの間に介在する浸透膜という特性を見いだしている［★15］。それは、理論上は万態に変形可能な位相の分有状態であって、表層の襞に変化を加えるということは、既述したような諸力に干渉し、それを変奏に導くことを意味する。3Dスキャンという方法においてもまた、物質、作用、力動の混交から表層の概念が強調されている。表層は、主体と対象が配された舞台や背景という役割から解放され、主体と対象のほか、運動や情動、作用の方向因子を折り重ね、それらの間に人為的に引かれていた認識論的な境界線を消し去るのである。

物体の仮構

では、こういった表層をモノ化する手段はどんなものか。本章冒頭で述べたジョージ・スタイナー流の問いに戻れば、画像はどうやって石に変わるのか。答えは3Dプリントによって、である。3Dスキャナーで把握された点群は、モデル化され、物的に印刷可能になる。3Dプリンター（その機能は往々にして、インクジェット・プリンターのごく簡単な仕様変更から得られる）は、細かい（樹脂やプラスチック、果ては金属など、ほぼ何でも）粒子状の素材を吹き付け、しっかり接着した精妙なレイヤーをつくる。こうした具体物ができていくとき、画像は仮想空間で広がるというより物的に肉付けされていくわけだが、このときその物塊が重力に耐えられるよう、データの欠落部分を縫合して「穴」を閉じなければならない。とくに大量のデータが欠落していれば、このモデリング・プロセスには解釈、判読の作業が介入することになる。

基本的に、スキャンデータの破損の程度が高いほど（小数空間では多大な破損はまず免れえない）、表層を縫合して重力になじませるため、ないものをあるように仕立てる必要性も高くなってくる。実際データベース次第だが、3Dプリントでの物体の作成では、解釈の工程が多くの割合を占めている。それを「物体化（objectification）」や対象レンダリングならぬ、データからの入念な「物体の仮構（objectifiction）」と呼ぶのも、この際ありだろう。何しろ表層の約半分は、純粋な意味での概算、意図的な抽象化、測量データの穴を大胆に埋める審美的解釈なのだ。この「物体の仮構」の程度は場合によりけりだが、「物体化」は完璧なレプリカや複写にも介在している。その前面は現実の測距に基づくが、背面は全くの仮構＝架空。フィクションとインデックス属性がこうした物体で混ざり合うとき、その関係性がどんなものかは言うまでもない。ジェラール・トゥフィークの言う「小数空間」に話を戻せば、この仮構＝架空性という裏口を通って画像の世界から抜け出すとき、そこで開けるドアの先に待つのは、欠落した空間なのだ。

　これは当の空間構成に影響をおよぼしもする。画面内に潜伏したり、一見してそこから除かれたりするものもなく、解像度は範囲によって低くなる。つまりフレームに収まらないものといえば〔測定用の〕機材くらいしかないわけだが、そこで距離と解像度のヒエラルキーが生じるのだ。事物や人間の迫り具合が徐々に弱まると、フィクション性が強まる。画面上の不可視と可視の間で明確な対照性ができる代わりに、距離があると事物は架空に傾いていく。目撃者はスキャン時にずっと目を閉じることを余儀なくされ、そしてどのみち実質的には事態を眼差すことはできない。そうして昼夜に関係なく、目撃者は逆説的なオブジェクトと化す。このとき唯一のドキュメンタリー要素となるのが、欠落そのものだ。

　こうして、ドキュメンタリーの領域が引きずってきた問題（現実との不確かな関係と、それを取り巻く不安感）は、新たな次元に到達する。つまり不確実性は、躯体とボリュームの内奥で共振するものとなるのだ。

赤裸々なアクセス

このドキュメンタリーにとっての旧い問題の向こう側に、その不確実性が全く違った形をとって現れる地点がある。つまりそれは、真実＝迫真性（truth）という形をとるのだ。これは完全に字義通りの意味であり、そこには一片の不確実性もない。たとえ行方知らずの骨が見つかっても、かの黒人の身元が分かっても、法の裁きが下されても、万物の数理的次元に対応するｎ次元スキャナーが開発されても、この真実＝迫真性は生まれないだろう。

キスがあなたのもとにやって来るとき、あなたはその真実の姿に触れる。それは外界にあって行き交い、自己複製し、自らのエネルギーで表層を曲げ、変形に導く。それは自在に変化し、愛や暴力の、またじつに無関心のサインとなりうる。それは今そこにあるキスであって、あなたの顔に迫ってくるキスである。

その瞬間、あなたはキスが生み出す表層、感情の力と政治的暴力で渦巻き波打つ網状の構造へと巻き込まれるだろう。あなたはそのエネルギーのなかに折り込まれ、そこですべての自分以外の有生、無生の表層と融合し、キスの動態に身を投じるだろう。この動態はあなたという存在をかき乱すかもしれないが、いずれにせよそれは、主体が外界の客体に対峙するような図式で向き合わねばという思い込みを、拭い去る。この表層は、過去ではなく現在のものだ。それはあなたを石や閃光、3Dプリンターから排出された一抹の塵に変えるかもしれない。あるいはそれは、関心も影響もないあなたを残し、素早く吹き抜けていくだけかもしれない。

石としての画像

言葉（ひいては、画像も）が石化や物体化するという、あのジョージ・スタイナーの当初の問いに戻ろう。このとき分かるのは、いかにモノ化した画像が反乱を始めうるか、ということだ。この種の反乱にはやや新鮮味に欠けるパターンがあって、つまりそれは、対象の3Dレプリカがオリジナルとコピーの関係を逆転させる、というものだ。そこで対象の3Dプリントは、対象自体ではなく、それが持つ真実性の（およそ想像しがたい）先験的な実体になるべく、類似や仮象などの属性を振り棄てる。

これとは全く異なる次元について考えてみよう。見聞きするものや欲する何かが3Dで著作権フリーのままスキャンやプリントできる、そのことが画像の反乱を意味するわけではない。そうではなく、画像そのものが画面内部でいきなり結晶化するとしたら、と考えてみよう。液晶ディスプレイの画面（現時点でもなお、ほとんどのPCモニターとテレビに採用されている技術）では、液晶が画像情報の媒体となる。それが瞬時に石化するところを想像してほしい。それこそ一瞬の閃光を放つように化石となり、画面という画面がその内側から裂開するとしたら。

こんなとき、画像による体制転覆（uprising）が起きる。画面は残らず死んだ物体になり、F16戦闘機とヘリコプターのすべてのシミュレータ用コックピットは機能を停止する。偵察機と証券取引所のモニター画面は内破し、画像は意味という足枷を振り棄て、アイフォンと望遠照準器は死んだ石になる。

ここで実体のイメージが石や樹脂、プラスチックになると思うなかれ、そうではなく、当のイメージ＝画像、その媒体が躯体、延伸、そしてボリュームを獲得するのだ。拡張されるのはその媒体が表示する何かではなく、それ自体の物質的な実体である。画像はもっぱらそこで、力を漲らせた物質としての己の姿、波立つ形状と粒子、さらには（線遠近法からなる2次元のイリュージョンへと介入する、ホルバインの絵画の頭蓋骨のように）別の表層に折り込まれては、ふとそこから立ち現れる表層としての己の姿を開示する。そしてじつにこれが、画像に足枷を付けて服従を強いる表象のアーキテクチャに逆らう、画像の反乱のあり方なのだ。この表象体制に抗して、画像は制御から解かれ、先例のない領域で自らのアーキテクチャを築き始めるだろう。

原注

★1 George Steiner, *After Babel* (Oxford: Oxford University Press, 1975), 498.〔ジョージ・スタイナー『バベルの後に——言葉と翻訳の諸相』（下）亀山健吉訳、法政大学出版局、二〇〇九年、九二七頁〕

★2 leica-geosystems.us.

★3 この出来事は以下の著書の序論で言及されている。Boris Buden, *Zone des Übergangs. Vom Ende des Postkommunismus* (Berlin: Suhrkamp Verlag, 2009).

★4 すべての情報は、二〇〇三年に人道法センター（Fond za humanitarno pravo）が開示したシュトルプツィの誘拐事件の報告書に基づく。

★5 Elaine Sciolino, Roger Cohen and Stephen Engelberg, "21 Days in Dayton," *New York Times*, November 23, 1995.

★6 Ethan Watters, "Virtual War and Peace," *Wired*, March 1, 1996.

★7 単一ではなく複数の共和国の連邦化を通じ、すでに境界線が引かれていたにも拘らず、である。

★8 時を経てそれは再建された。

★9 Jalal Toufic, "The Subtle Dancer," in *Over-Sensitivity*, second edition, 101.「2次元でも3次元でもなく、その二つの中間の空間のこと」。

★10 ジャック・ラカンとスラヴォイ・ジジェクは「アナモルフィックなシミ」に言及している。これについては以下を参照。Jacques Lacan, *The Four Fundamental Concepts of Psycho-Analysis*, trans. Alan Sheridan, ed. Jacques-Alain Miller (New York: Norton, 1977).〔ジャック・ラカン『精神分析の四基本概念』（上・下）小出浩之、新宮一成、鈴木國文、小川豊昭訳、岩波文庫、二〇二〇年〕および以下。Slavoj Zizek, *Looking Awry* (Cambridge: MIT Press, 1992), 90.〔スラヴォイ・ジジェク『斜めから見る——大衆文化を通してラカン理論へ』鈴木晶訳、青土社、一九九五年、一七二頁〕

★11 John Allen, "The Cultural Spaces of Siegfried Kracauer: The Many Surfaces of Berlin," *New Formations* 61, 2007, 22.

★12 Siegfried Kracauer, "The Mass Ornament," in *The Mass Ornament: Weimar Essays*, (Cambridge: Harvard University Press, 1995 [1963, 1927]), 75.〔ジークフリート・クラカウアー『大衆の装飾』船戸満之、野村美紀子訳、法政

大学出版局、一九九六年、四四頁〕

★13 Siegfried Kracauer, "Jacques Offenbach und das Paris seiner Zeit," in *Schriften*, volume 8 (Frankfurt: Suhrkamp Verlag, 1973), 371.〔ジークフリート・クラカウアー『天国と地獄――ジャック・オッフェンバックと同時代のパリ』平井正訳、ちくま学芸文庫、一九九五年（該当する頁数不明）〕

★14 Fredric Jameson, "Culture," in *Postmodernism, or, the Cultural Logic of Late Capitalism* (London: Verso, 1996), 9.

★15 Gilles Deleuze, *The Fold: Leibniz and the Baroque*, trans. Tom Conley (Minneapolis: University of Minnesota Press, 1993).〔ジル・ドゥルーズ『襞――ライプニッツとバロック』宇野邦一訳、河出書房新社、二〇一五年〕

謝辞

『イーフラックス・ジャーナル』のアントン・ヴィドクレ、スティーブン・スクイブ、ブライアン・クアン・ウッド、フリエタ・アランダ、そしてそのほかのスタッフに、記して謝意を表したい。同媒体が、本書を構成する多くの章の初出となる。またエズメ・ブデンの尽力には感謝に堪えない。惜しみなく丁寧な仕事に取り組んでくれた、ヴァーソ社のレオ・ホリスとダンカン・ランスレムにも感謝する。

01 — 台座の上の戦車

ピップ・ロレンスンからロンドンのテートモダンでのカンファレンス「メディア・イン・トランジション」の登壇依頼を受けた際、本章を書き上げた。初出は『イーフラックス・ジャーナル』。オレクシー・ラディンスキーの素晴らしいサポート、彼と重ねた議論があってこそ書けたものである。ハルキウ市のプログラム・エース社、マックス・シュメッツァー、デヴィッド・リフ、アントン・ヴィドクレ、そしてベルリン芸術大学の「ランドスケープ・クラス」の参加者も、本章の考えを練る重要なきっかけを与えてくれた。また、マドリードのソフィア王妃芸術センターのジョアン・フェルナンデスとマヌエル・ボルハ＝ビレルにも記して感謝する。二人は洞察を交えて、同館での《ゲルニカ》に対するミュゼオロジー的な戦略と采配、またスペイン共和国時代のパビリオンのロールモデルとしての意義について、多くを語ってくれた。

02 いかに人々の生を奪うか——デザインをめぐる一つの問題

本章は最初、二〇一六年のイスタンブール・デザイン・ビエンナーレのカタログで検閲を受けた。その後、「イーフラックス・アーキテクチャ」のプロジェクトである「スーパーヒューマニティ」の一環として、オンラインで発表された。名前を出して謝意を述べたい人々はいるが、身上の安全を考えてこれを控えたい。

03　容赦なき現存在の戦慄——美術界における「居ること」の経済性

これは、ベルリンの世界文化会館での「ラディカル・フィロゾフィー・カンファレンス」（二〇一五）のためにピーター・オズボーンから依頼を受けたものだが、きっかけはロンドンのICAでの二〇一四年のニナ・パワーとの対談にある。初出は『イーフラックス・ジャーナル』。ミック・マディッソンにパウル・ファイゲルフェルト、ありがとう。

04　プロキシの政治——シグナルとノイズ

初出は『イーフラックス・ジャーナル』。二〇一四年にヴァン・アッベ美術館で展覧会を行ったときの交流や対話が、本章の執筆に大きく影響している。

05　茫洋たるデータ——アポフェニアとパターンの認識（または誤認）

ローラ・ポイトラスの提案から、本章の初稿を書いた。彼女は寛大にも、スノーデン・アーカイブの機密を解除された一部の文書、その閲覧許可をくれた。ホイットニー美術館でのポイトラスの展覧会「アストロ・ノイズ」(二〇一六)のオープニングで、短縮版を発表した。ローラのほか、閲覧の段取りを進めてくれたヘンリック・モルトケ、またブレンダを始めとするローラの事務所のスタッフ、「アポフェニア」という概念について教えてくれたリンダ・ステューパート、その知悉へと私を導いてくれたベンジャミン・ブラットンに感謝したい。初出は『イーフラックス・ジャーナル』。

06―メディア――イメージの自律性

サワシュ・ボイラス、ムラート・チフチ、トム・キーナン、アダム・クラインマン、ローラ・ポイトラス、サーリフ・サーリムに謝意を表したい。そして、メディアにも。アンチェ・エーマン、デトレフ・ゲリケ゠シェーンハーゲン、ベルリンの世界文化会館のチームにも感謝する。二〇一五年二月に同機関で行われたハルーン・ファロッキの追悼会議の壇上で、本章の初稿を発表した。同年九月に、サウンド・アーティストのカッセム・モッセと「眼差す作戦地帯」というレクチャーとパフォーマンスをケルンの世界芸術アカデミーで行ったのだが、その一幕で別バージョンを発表した。出版物としては、ホイットニー美術館でのローラ・ポイトラスの展覧会

（二〇一六）の一環、『アストロ・ノイズ：サバイバル・ガイド』が初出となる。

07｜デューティーフリー・アート

本章は、ニューヨークのアーティスツ・スペースからのレクチャー依頼を機に書かれた。原案となるものは、フィレンツェのスケルモ・デラルテ映像祭、またアムステルダム市立美術館のパブリック・プログラムの助成を受けて執筆した。初稿は二〇一四年にドーハで開かれた国際美術館会議で、また、モスクワのビクトリア芸術振興財団が企画したトークで発表している。このテクストは、編集、校閲に尽力してくれたアダム・クラインマンとリチャード・バーケットに負うところが大きい。両氏のほか、以下の人々に感謝の意を寄せたい。アントン・ヴィドクレ、シャナシュ・エズメン、フルヤ・エルデムジ、オブル・ドゥマーソグル、アヤ・ムサウィ、サイモン・サハイー、サワシュ・ボイラス、サーリフ・サーリム、レイラ・トプラク、フランク・ヴェスターマイアー、ジェニー・ギル、バルトメオ・マリ、リバース・プラスケテス、レオナルド・ビガッツィ、ヘンドリック・フォルカーツ。初出は二〇一五年、『イーフラックス・ジャーナル』。

08―デジタルの肉片

初出は、『オクトーバー』(二〇一一年秋号、一三八巻)である。

09―彼女の名はエスペランサ

旧題は「書簡体情動とロマンス詐欺(Epistolary Affect and Romance Scams)」であり、初出は『オクトーバー』(二〇一一年秋号、一三八巻)。

10―インターナショナル・ディスコ・ラテン

初出は『イーフラックス・ジャーナル』。どんな経緯でこれを書くことになったのか、残念ながらすっかり忘れてしまった。

11 ─ インターネットは死んでいるのか

本章は、およそ二年の間に大勢の前で披瀝してきた内容をまとめた成果である。そのすべての人々に感謝を述べたいが、とくに大部分の産みの苦しみに付き合ってくれた私の学生たちには頭が上がらない。いくつかの論点はヤヌス・ヘムとマーティン・レナルズが企画したセミナーで形を得たが、アンドレア・フィリップスとダニエル・ルーク、またマイケル・コナー、シューモン・バサー、クリストファー・クレンドラン・トーマス、ブラッド・トレメルが主催する諸々の企画もその助けとなった。ジェシー・ダーリン、リンダ・ステューパート、ケレン・アーチェイ、そのほかたくさんの人たちとの対話についても同様。レッドヘク、ジェームズ・ブライドル、ボリス・グロイス、イェルク・ハイザー、デヴィッド・ジョーズリット、クリスティーナ・キーアー、メタハーベン、トレバー・ペグラン、ブライアン・クアン・ウッドの著述、そしてローラ・ポイトラスの作品からヒントを得てもいる。しかし、本章執筆の理論面でとにかく「これは！」と思ったのは、一緒に仕事をしていたレオン・カハネが、ブレインストーミングのためと称してボトルのワインを万引きしようとしたときである。初出は『イーフラックス・ジャーナル』。

12―あえてゲームを（または、アートワーカーは考えることができるか）

ピーター・オズボーンの企画になるストックホルムの王立芸術大学でのカンファレンスが、本章執筆の端緒となる。刊行物としての初出は『ニューレフト・レビュー』（二〇一七年一・二月号、一〇三巻）。

寄稿の声掛けをしてくれたトニー・ウッド、ありがとう。

14―パンがなければアートを食べろ！――コンテンポラリー・アートとデリバティブ・ファシズム

とても参考になる意見をくれた、スフェン・ルティケン、アントン・ヴィドクレ、ベン・ヴィッカース、スティーブン・スクイブに記して感謝する。

訳者解題

本書はHito Steyerl, *Duty Free Art: Art in the Age of Planetary Civil War* (London and New York: Verso, 2017) の全訳である。著者のヒト・シュタイエル（一九六六－）はドイツ出身の著述家、そして映像作家、アーティストである。その活動が語られる上でこれまで広く言及されてきたわけではないが、バイエルン州に育った彼女の肉親には日本人が含まれるとされる。一九八〇年代後半に神奈川県の日本映画学校（現・日本映画大学）で日本の映画史を学び、その後ミュンヘン映像単科大学でドキュメンタリー制作を専攻した。卒業後はベルリンを実質的な拠点とし、オーストリアのウィーン美術アカデミーで哲学の博士号を取得している。本書以前の単著に『真実の色——芸術領域におけるドキュメンタリズム』（二〇〇八）、『スクリーンに呪われたる存在』（二〇一二）、『表象の向こう側』（二〇一六）がある（原著名は、順に以下）。

Hito Steyerl, *Die Farbe der Wahrheit: Dokumentarismen im Kunstfeld* (Vienna: Turia + Kant, 2008)
Hito Steyerl, *The Wretched of the Screen* (Berlin: Sternberg Press, 2012)
Hito Steyerl, *Jenseits der Repräsentation / Beyond Representation: Essays 1999–2009* (Cologne:

Walther König, 2016)

このうちシュタイエルが母語のドイツ語で著した『真実の色』のみが英語では未訳で、『表象の向こう側』は二〇一〇年以前のテクストを集めた論叢となっている。執筆と作品制作の時期は分けられず、このためシュタイエルの論考と作品が互いに相同的な関係をみせるケースも少なくない。例えば本書第七章の大部は記録映像として《デューティーフリー・アート》(二〇一五)という映像インスタレーションで読誦されており、第一五章の内容と《キス》(二〇一二)のそれとの間にも直接の関係性がある。ただし初期の映像作品に限れば、それはいわゆるドキュメンタリーやその延長線上にあるもので、主題と構成に一定の抽象性を保った近年の作品とは作風が異なっている。こうしたシュタイエルの転向は著作の方向性にも一部重なるものだが、その変遷は本書に至るまで、およそ一〇年のうちに段階的に生じてきた。

シュタイエルは出版物への寄稿や講演依頼を機に論考を書いてきたが、二〇一〇年頃からその多くの最終的な発表の場を『イーフラックス・ジャーナル』に定めていく。アントン・ヴィドクレが主要な発起人となるこのオンライン・ジャーナルは、ときに自然科学系の議論を交えつつ、知の創出と共有の場をウェブで提供してきた。『真実の色』の後記からは、シュタイエルが同媒体への寄稿以前から、ネットワークと同化した論述を模索していたことが分かる。「評論とはまた、非公式な、違法な経済の仕組みさえもが反映されうるものだ。策略の世界や、ピアツーピアのネットワークのぼんやりとした平行世界に漂う拾い物の流用は、イメージと規範的な知の寡占状態を無視する、一般大衆の著作権の越境となって生じる。といって、その領域はユートピア的な意味での自由空間でもない。イメージと文章のやり取りは自己組織化されていて、そこは実質的に、ポルノやヘイト・プロパガンダ、あらゆる陰謀論のための金銭なき市場のようなものだ。こうしたフォーラムのための自由空間、またそれが可能にする情報や知へのアクセスとは、同時に、おそろしく暴力的で、グローバルビレッジの政治的無意識が忌まわしいジャンクと化して流通する、市場形式に徹したデータの地下世界の、はかない表面的な反映でもある。現代の評論はほぼ必然的に、これらすべての情勢に関わっている」[☆1]。近代社会の画一性に抵抗する評論形式ではなく、新自由主義のもとでの断片的なマイクロジョブや移動時間の合間に紡ぎ出される言論とは、流動的で「地下」的、本書の言辞に倣えば「ジャンクタイム」の過剰性と享楽にまみれ、不均衡性に打ち貫かれたテクストである。しかし、本来ならインターネットと不可分なはずのそうした言論のあり方は、『真実の色』では美術作品とドキュメンタリー映像の相剋関係を反映するにとどまっていた。そうした言論のあり方がインターネットを具体的な核として一定の完成度をみるのは、まさに本書においてである。シュタイエルが言う、近代の評論とは対照的な「平明で発想力に基づき、局地的にしか通用しない隠語や一定の専門用語とは距離を置く」著述は本書においていて、インターネットの深層に眠る情報の援用、匿名スレッドの多声的なカオスを流用した大胆な文章構成などを通じて実践されている。マウリツィオ・ラッツァラートやダナ・ハラウェイといった思想家の影響は「知」のヒエラルキー的体系化を忌避するように暗号的なコードとして伏在し、政治史からの引用や言い換えは表面化しない伏線のような体裁で機能している。

この、二〇一〇年代に入りシュタイエルが得たインターネットという言論の場は本書において、軍事戦略と対峙する一種の脱・解決主義的な方法論につながった。本書では、デジタルを介したポスト表象とポスト書記、美術界のプリケリアスな就労環境、非物質的労働などが流通という観点から検証されるが、それらの関係項を紛糾させる根源として著者が指摘するのが、世界中でなお続く紛争や戦争、あるいはファシズムへの懐古主義だ。戦争行為とその国境を越えた遍在化は、前著『スクリーンに呪われたる存在』において、現実空間という次元から語られていた。退役軍人が美術館の監視員として雇用され「傭兵化」するといった例を挙げつつ、美術の体制を戦争と労働の観点から追った「オキュペーションとしての芸術」などがそうである。とはいえ、軍事介入とブルーカラーの労働環境を美術展示の成り立ちと関連づけたアンナ・チェイブの「ミニマリズムと力の修辞学（Minimalism and the Rhetoric of Power）」（一九九〇）のように、美術機関と戦争、および戦争と労働の隠された関係という主題自体は、決して新しいものではない。しかし例えば、チェイブの論及対象であったミニマリズムにおいて常用される「重金属」という素材の熱エントロピーが、そのままフォーディズム的な重工業の世界の力学に置き換えられるとするなら、シュタイエルが本書で戦争をインターネットの機能と絡める際にメタファーとして並走するのは、かつての熱力学に取って代わる「計算科学」である。そしてこの意味で本書は、いかに美術領域で近代末期から語られてきた問題（芸術の自律性の問題、制度批判が扱う政治経済の腐敗と癒着）が、データや光通信技術、クラウド機能といった今日のコンピュータの世界でその様相を更新させるのかという、きわめて興味深い課題に対する、一つの実験の場ともなっている。

シュタイエルが本書第一二章の執筆に際してその私淑を告白しているフィリップ・ミロウスキーの『マシーン・ドリームズ——サイボーグ科学と化す経済』（二〇〇二）では、戦略的不確実性、意思決定理論、経路依存性、ネットワーク外部性といった社会科学の概念が、ゲーム理論やコンピュータ開発と陰に陽に交わりながら生まれた経緯が、細かく検証されている。第二次世界大戦を契機として、社会を自然法則に還元して捉えるような経済理論の主潮は「サイボーグ科学」になり変わり、人間主体と電子、生者と無生物（死物）、活性と不活性は集合体となって凝集され、自然と社会が相互の属性を手に入れた末に、人間はより機械に近い存在様態を獲得した。このサイボーグ科学は、戦時中には軍事シミュレーション、そして戦後は軍と企業の要請に基づくゲーム理論とオペレーションズ・リサーチの研究を通じ、コンピュータの進化と足並みを揃えていく。サイボーグ科学は寓意や立論の要諦として、本書でも随所に見受けられる。ツイッターの自律機能と複数の政治的思惑のうちに感情労働の従事者とマシーンが渾然一体化する、第四章の「ボット軍団」。エラーを創発しつつ市民社会を脅かす自律型の戦争機械、その代替を象徴する、第六章の「メディア」という名の女性（現代のトルコ語でMedyaはいわゆる「報道メディア」を意味するが、つまりそれは英語の単数形に置き換えればmedium、生と無機的な世界をつなぐ霊媒や巫女のことである）。そして肉体とデジタル、人間と加工品の境域を撹乱する、第八章の「スパムン」などだ。

ミロウスキーは、経営経済学者のハワード・ライファと認知科学者のダンカン・ルースが示した「ゲームの木」という分岐状のゲーム理論のダイアグラムに、図表化された原子爆弾の中性子散乱、コンピュータプログラムのフローチャート、軍隊や多角経営企業の組織図との類似性を見てとっている[☆2]。まさにこのことに象徴されるように、「ゲーム」は二〇世紀中葉から冷戦期にかけて、戦争にその開発状況を左右されたコンピュータを一般企業に広げ、軍事戦略のうちに育まれた統計学や確率論の理論構制を、経済や経営の分野に持ち込んだ。ミロウスキーによれば、コンピュータとゲーム理論、戦争や経済の複合的な研究を進めたアメリカのランド研究所で、統制と権力をめぐる容易ならぬ多義性を抱えた「システム分析」や「ロジスティック・サポート」などの用語を婉曲的に言い表すために使われた語が、「プログラミング」であった[☆3]。不確定性の渦のなか、「戦争」を起動力としてプログラムされたゲームとしての社会経済──その反復構造に侵された今日の表象と政治、ひいては美術の体制から、別なる力動を特異点として引き出すこと。それが、本書において著者が設定した綱領にほかならない。そしておそらく重要なのは、そうした新たな特異点が一般化しがたいささやかな営為に宿るということだ。戦禍を潜り家畜の世話をする女性や、紛争の苦しい現実を創作ダンスに昇華させる若者の姿、その緊迫のなかの何気ない光景に確かな人道主義の未来を感知するシュタイエルの視点には、やはりドキュメンタリーの映像作家としての顔がうかがえる。

管見では、本書所収の論考のうち二つの既訳が存在する。一つは第二章に該当する「いかに人を殺すか——デザインの問題」(二〇一八年、ASAKUSA、大坂紘一郎、三上真理子訳)、もう一つは第一四章に該当する「パンがないなら、アートを食べろ! コンテンポラリー・アートとデリバティブ・ファシズム」(『美術手帖』二〇一八年一二月号、中野勉訳)であり、後者はイギリスのトーク社から上梓された『アーティストによるブロックチェーン再考(Artists Re:Thinking the Blockchain)』(二〇一七)に収められた改訂版からの訳出となっている。参考とさせていただいた。最後に、本書の多大な編集の労を執った薮崎今日子氏に謝意を表したい。

☆1 Hito Steyerl, *Die Farbe der Wahrheit: Dokumentarismen im Kunstfeld* (Vienna: Turia + Kant, 2008), p. 141.
☆2 Philip Mirowski, *Machine Dreams: Economics Becomes a Cyborg Science* (Cambridge: Cambridge University Press, 2002), pp. 186–187.
☆3 Ibid., p. 260.

二〇二一年八月

大森俊克

ヒト・シュタイエル（Hito Steyerl）

アーティスト、映像作家、著述家。1966年ドイツ、ミュンヘン生まれ。日本映画学校（現・日本映画大学）に学び、ミュンヘン映像単科大学でドキュメンタリー制作を専攻。オーストリアのウィーン美術アカデミーで哲学の博士号を取得。単著に『真実の色』（2008）、『スクリーンに呪われたる存在』（2012）、『表象の向こう側』（2016）がある。2019年にケーテ・コルヴィッツ賞を受賞。主な個展に、「アイ・ウィル・サバイブ」（ノルトライン＝ヴェストファーレン美術館、ポンピドゥー・センター、2020–21）。現在、ベルリン芸術大学美術学部教授。

大森俊克（おおもり・としかつ）

欧米現代美術史研究。ベルリン自由大学美術史学科、基礎および本課程修了（修士）。著書に『コンテンポラリー・ファインアート』（美術出版社）。訳書にクレア・ビショップ『人工地獄——現代アートと観客の政治学』（フィルムアート社）。

デューティーフリー・アート：課されるものなき芸術

星を覆う内戦時代のアート

2021年9月25日　初版発行

著　ヒト・シュタイエル
訳　大森俊克

ブックデザイン　加藤賢策（LABORATORIES）
DTP　和田真季（LABORATORIES）
編集　薮崎今日子（フィルムアート社）

発行者　上原哲郎
発行所　株式会社フィルムアート社
〒150-0022
東京都渋谷区恵比寿南1丁目20番6号 第21荒井ビル
TEL 03-5725-2001
FAX 03-5725-2626
http://www.filmart.co.jp
印刷・製本　シナノ印刷株式会社

Printed in Japan
ISBN978-4-8459-1831-7　C0070